ERIC JONES
ANTUR I'R EITHAF

Eric Jones

ANTUR I'R EITHAF

Atgofion Byw ar y Dibyn

Gol. Arthur Thomas

Diolch am y lluniau:

Leo Dickinson

(tudalennau 49-52, 53 uchaf, 54-56, 59, 63 uchaf, 82, 123, 141, 142, 145, 157, 161, 162, 165, 199 isaf, 202, 207)

Moe Viletto

Steve Peake

Llion Iwan

Vertical Visions

Argraffiad cyntaf: 2014

ⓗ Eric Jones

Cyhoeddir gan Wasg Carreg Gwalch,
12 Iard yr Orsaf, Llanrwst, Conwy, LL26 0EH.
Ffôn: 01492 642031 Ffacs: 01492 641502
e-bost: llyfrau@carreg-gwalch.com
lle ar y we: www.carreg-gwalch.com

Rhif rhyngwladol: 978–1–84527–512–9

Mae'r cyhoeddwr yn cydnabod cefnogaeth ariannol
Cyngor Llyfrau Cymru

Cynllun clawr: Eleri Owen

Cyflwynedig
i'r dair merch hardd,
Rebecca, Ann a Keira

Cynnwys

Geirfa

Dyma ystyr rhai termau dringo a ddefnyddir yn y gyfrol hon:

abseilio (*abseil*) – llithro o dan reolaeth i lawr rhaff. Gellir dod i lawr craig yn sydyn a diogel drwy ddefnyddio'r dull hwn.

bachyn ffiffi – bachyn bach siâp marc cwestiwn

BASE – neidio parasiwt gwahanol i neidio allan o awyren, sef o ben adeilad (*Building*), antena (*Antenna*) e.e mast teledu, rhychwant pont (*Span*) a'r ddaear, neu glogwyn (*Earth*)

belai – angor er mwyn clymu rhaff wrth graig i roi diogelwch wrth ddringo

bergschrund – crefas a ffurfir pan fo rhewlif symudol yn gwahanu oddi wrth y rhan sefydlog wrth fôn mynydd

bivouac – man cysgodol ar gyfer treulio'r nos neu gyfnod o orffwys wrth ddringo

caib rhew – caib fechan a ddefnyddir gan ddringwr ar y mynydd

col – rhan isaf y bwlch rhwng dau gopa

couloir – hafn serth

crampon(**au**) – ffrâm o bigau i'w gwisgo o dan esgidiau dringo er mwyn cael gwell gafael mewn rhew neu eira

crefas(**au**) (*crevasse*) – hollt neu hafn ddofn mewn rhewlif

cwt (*mountain hut*), **cwt lloches** neu **gwt** *bivouac* – adeiladau yn y mynyddoedd i roi cysgod a bwyd i ddringwyr a cherddwyr. Mae rhai yn fach ac eraill yn fawr gyda lle i gysgu ynddynt. Cânt eu rhedeg gan glybiau Alpaidd neu fudiadau eraill sy'n hybu mynydda. Yn y cytiau mwyaf, ceir gweithwyr yn paratoi bwyd a gwerthu nwyddau dringo ac mae'n rhaid talu am y gwasanaeth. Fel arfer, caiff unrhyw un eu defnyddio.

dringfa (*climb*) – llwybr arbennig i ddringo craig neu lethr

eirlithrad (*avalanche*) – cwymp neu lithriad eira a rhew i lawr llethr. Gall fod yn gannoedd o dunelli ac fe all ddigwydd yn ddirybudd, gan beryglu bywyd unrhyw un sydd ar y mynydd.

etrier(**au**) – ysgol raff fechan

ewinrhew (*frostbite*) – *winthrew* ar lafar; effaith rhew ac oerfel ar rannau o'r corff, megis bodiau'r traed a'r bysedd

gafael(**ion**) – craciau neu dyllau yn y graig y gellir cael gafael ynddynt wrth ddringo. Gellir defnyddio pegiau neu bitonau sydd yno'n barod neu rai a osodir gan y dringwr at yr un diben.

gordo – (*overhang*) darn o graig neu rew sy'n gogwyddo drosodd

graddfa ddringo – bydd tywysyddion dringo a llyfrau arbenigol yn graddio dringfeydd yn ôl pa mor anodd neu hawdd ydynt

harnais – dyfais a wisgir er mwyn clymu rhaff ac i ddal offer wrth ddringo

piton(au) – peg metel sy'n cael ei daro efo morthwyl i mewn i hollt neu dwll yn y graig er mwyn cynorthwyo dringo neu ddiogelu

rhewgwymp – rhew yn syrthio oddi ar flaen rhewlif

rhewlif (*glacier*) – afon anferth o rew solid sy'n symud yn raddol dan ei phwysau ei hun

sach *bivouac* – fe'i defnyddir yn lle pabell fel cysgod. Mae'n ysgafn ac yn aml yn gorchuddio sach gysgu.

sach gefn – (*rucksack*) bag ar gefn i gario pethau megis bwyd ac offer dringo

sach gysgu – sach gynnes i gysgu ynddi

telepherique (*cable-car*) – cerbyd ar wifrau sy'n cario pobl i fyny ac i lawr mynyddoedd

trawstaith (*traverse*) – darn o ddringfa sy'n golygu symud i'r ochr yn hytrach nag yn syth i fyny

tywysydd (*guide*) – unigolyn sy'n eich arwain ar y mynydd neu lyfr sy'n rhoi manylion y ddringfa. Mae'r llyfrau hyn yn disgrifio dringfeydd ar hyd y mynyddoedd – dyna pam mae enw ar bob un ddringfa. Gan mai Eric oedd y cyntaf, hyd y gwyddom, i ddringo pilar canol y Brouillard, disgrifiodd y ffordd yr aeth i fyny ac fe gyhoeddwyd y manylion mewn tywyslyfr am mai fo oedd y cyntaf i gyflawni'r gamp.

HAPE (*High Altitude Pulmonary Oedema*) – cyflwr peryglus lle mae hylif yn hel yn yr ysgyfaint; gall fod yn angheuol

Cyflwyniad

Er cyfoeth y straeon a'r atgofion sydd yn y gyfrol hon, mi fedrwn ddysgu mwy am Eric drwy ddarllen rhwng y llinellau. Y ffaith gyntaf, er nid yr amlycaf o bosib, yw ei fod yn meddu ar lond trol o synnwyr cyffredin. Dyna sy'n rhannol egluro y ffaith ei fod yn fyw ac iach i'n tywys trwy ei fywyd ac yntau wedi mentro ar anturiaethau peryglus ond llwyddiannus ym mhob cwr o'r byd ers hanner can mlynedd – ac mae mwy i ddod, gan ei fod yn brysur yn cynllunio ei antur a'i deithiau nesaf bob blwyddyn.

Yr ail yw ei fod yn meddu ar allu anarferol i gadw ei ben pan fo'r sefyllfaoedd a'r amgylchiadau yn peryglu ei fywyd – sefyllfaoedd a fyddai wedi llorio y mwyafrif ohonom. Wrth siarad gydag Eric mewn mynwent yn yr Alpau, roedd yn drawiadol gymaint o'i ffrindiau oedd wedi cael eu claddu yno. Ond nid Eric. Roedd yn gwybod pryd i droi'n ôl, gan beidio â gadael i'r clod o gyrraedd unrhyw gopa, hyd yn oed Everest, ei ddallu. Credaf y deillia hynny yn rhannol wedyn o'i wyleidd-dra naturiol. Gwyleidd-dra sy'n golygu na fyddai fyth yn dewis siarad, heb sôn am ymffrostio, am y gallu naturiol a'i rhoddodd ymysg dringwyr solo gorau'r byd. Hyd heddiw, mae parch iddo bob tro y byddwch yn siarad gyda dringwyr. Ac mewn oes pan fo'n gyffredin iawn i unigolion ysgrifennu atgofion cyn eu bod yn ddeg ar hugain, neu gan y rheiny sydd heb fawr ddim byd diddorol i ddweud, mae bywyd Eric yn un llawn a chyfoethog. Mewn ambell le anodd ar lethrau yn y Dolomites neu ogof ym Mecsico, elwais fy hunan gan ei bresenoldeb tawel digynnwrf a'i gyngor doeth.

Flynyddoedd yn ôl fe ddywedodd ei fod wedi

penderfynu dechrau gweithio ar y gyfrol hon, a hynny ddim ond er mwyn gadael y straeon i'w ddwy ferch, Rebecca a Keira. Iddynt hwy y mae'r gyfrol hon, nid i dynnu sylw ato'i hun. Mae un stori amdano, gyda'r cyfarwyddwr ffilmiau antur Leo Dickinson ger troed dringfa enwog yn yr Alpau. Hanesydd lleol yn siarad gyda nhw, gan nodi fod enw pawb sydd wedi concro'r mynydd wedi'u cofnodi mewn llyfr ganddo. Eric yn dweud yn dawel iddo ef ddringo y mynydd hefyd.

'Ond wela' i mo dy enw yn y llyfr,' meddai'r hanesydd mewn penbleth. Eric yn disgrifio'r tywydd y diwrnod hwnnw a hynny ynghyd â'i ddisgrifiadau o'r ddringfa yn argyhoeddi'r hanesydd fod y Cymro gyda'r mwstash wedi sefyll ar y copa.

'Fel arfer mae pawb yn dod i ddweud wrtha' i eu bod am ddringo'r wyneb,' meddai. Ond nid Eric. Y daith a chyflawni'r gamp yn ei gwmni ei hun oedd yn rhoi pleser iddo ef. Nid clod na phenawdau.

Er gwrando ar oriau o straeon gan Eric dros y blynyddoedd, yr unig dro imi glywed balchder yn ei lais a'i weld ar ei wyneb oedd pan oedd yn disgrifio cerdded heibio i Ysgol y Gorlan yn Nhremadog, lle'r oedd ei ferched Rebecca a Keira. Roedd ar ei ffordd i baragleidio a merch arall yn gofyn os mai ei thaid oedd, ond Keira yn ateb yn syth, 'Dyna 'Nhad.' Gwyliwch hefyd, ymysg y cyfoeth o archif teledu, y gofal a'r anwyldeb y mae'n ei ddangos wrth dywys ei ferch hynaf, Rebecca, ar ddringfa uwch eu cartref yn Nhremadog. Eu henwau nhw a'i wraig sydd ar ei wefusau ar ddiwedd sawl antur.

Sylwch hefyd ar ei ddillad, fel yn y lluniau ohono yn dringo ar Everest yn 1978 gyda Reinhold Messner, sef dringwr gorau'r byd yn ei ddydd. (Dywedodd Messner mewn cyfweliad unwaith, gyda thinc o edmygedd yn ei lais, 'Roedd Eric wedi'n dilyn i'r South Col ar Everest ac roedd yn cario llwyth ychwanegol trwm o gamera ac offer ffilmio.' Nid ar chwarae bach y mae Messner yn cynnig clod.) Yn y lluniau mae'n gwisgo siwt ddringo werdd yn y ffilm o'r '70au. Gwelwn yr un siwt werdd nesaf pan ddringodd wyneb gogleddol yr Eiger ddwy flynedd yn ddiweddarach. Edrychai fel siwt newydd sbon. Ydi mae'n ddyn gofalus, o'i offer, ei ddillad a'i hunan. Gwir y stori hefyd yw mai am baned o de a ofynnodd i'w yfed, gan wrthod *champagne*, wedi concro'r Eiger yn solo – dim ond y pedwerydd erioed i gyflawni'r gamp, a'r cyntaf o wledydd Prydain.

Yn y ffilmiau dringo a wnaed, sylwch hefyd ar y ddraig goch a roddodd Eric ar ei helmed. Yn y ffilmiau hynny gan Leo Dickinson a gafodd eu gweld ledled y byd, mae'r Cymro tawel yn seren yn y canol, a'r ddraig goch yn cael lle amlwg. Pan goncrodd fynydd ym Mhatagonia yn y '70au, Cerro Mimosa a ddewisodd fel enw arno, yn deyrnged i'r Cymry hynny fentrodd yno ganrif ynghynt. Yndi, mae'n dad balch a chenedlaetholwr pybyr. Braint yw galw Eric yn ffrind. Mwynhewch y gyfrol.

Llion Iwan
Waunfawr
Hydref 2014

**Englyn i'r dringwr enwog o Gymro,
Eric Jones, Tremadog,
ar ei gamp yn dringo'r Eiger ei hunan**

I frig uchaf yr Eiger – ei hunan
 Esgynnodd ar fyrder;
 Rhoes Eric fonheddig her
Undyn i'r bythol wynder.

      Gwilym Roberts, Trefriw

Eric Jones, Bwlch y Moch, Tremadog

Rheolwr ei orwelion – a'i antur
 Yw trechu'r entrychion,
 Yn llanc a choncwerwr llon
Ar iach aeliau'r uchelion.

O bobol, nid swydd babi – yw hongian
 Fel angel wrth dresi;
 Er herio yr Eryri, – hyrddia'i bant
O uchel ogoniant ei chlogwyni.

Concwerwr twr y tyrau – yw Eric
 Ac arwr y creigiau,
 Hael wylltedd uchel holltiau
Yr eofn wr gâr fwynhau.

      R. J. Penmorfa

Pennod 1

Y CYCHWYN

Cefais fy ngeni yn Ysbyty Dinbych ym 1936, yr ieuengaf o'r teulu gan fod gennyf ddwy chwaer hŷn, Enid a Menna. O Gynwyd ger Corwen yr hanai fy nhad a'm mam, lle'r oedd teulu 'nhad yn felinwyr a hyfforddwyr ceffylau.

Ganwyd fy nhad ym 1895 ac yn bedair ar bymtheg mlwydd oed bu'n rhaid iddo fynd i ymladd yn y Rhyfel Mawr. Wedi'r rhyfel dychwelodd i'w gartref, Felin Uchaf, Cynwyd, i ffermio. Ryw ddwy flynedd yn ddiweddarach dechreuodd ganlyn Eleanor Jones, merch Brynsaint gerllaw, a oedd ar y pryd yn forwyn yn y Rheithordy, Llanuwchllyn. Blodeuodd y garwriaeth ac ym 1924, priododd y ddau gan symud i dŷ rhent yng Nghynwyd. Yr adeg honno roedd Cyngor Sir Feirionnydd yn gosod nifer o ffermydd bychain ar rent i gyn-filwyr a llwyddodd fy nhad i gael tenantiaeth fferm Capel Farm, Brynsaithmarchog, rhyw saith milltir o Gynwyd. A dweud y gwir, fferm fechan iawn oedd hi gyda dim ond 46 acer o dir. Roedd ganddo rhyw ddeg o wartheg godro, rhyw

Gyda fy chwiorydd, Menna ac Enid

ddwsin o wartheg stôr,
defaid, moch, ieir a
cheffyl i drin y tir. Y prif
gnydau a dyfid oedd
gwair, ceirch, haidd a
thatws, yn ogystal ag
amrywiol gnydau eraill.

Dad, Enid a minnau gyda'r gwartheg a Boyo'r ci

Yr oedd bywyd yn galed
yn ystod y cyfnod hwnnw, gyda dyddiau hir o lafur caled ar
erwau prin a gynhyrchai ond digon o bres i dalu'r ffordd
wrth fagu tri o blant bach. Er bod bywyd yn galed, yr oedd
yn gartref hapus a'm rhieni yn bobl onest a da a wnaent eu
gorau glas er fy mwyn i a'm chwiorydd.

Mae'r atgof cynharaf sydd gen i yn un digon brawychus.
Ar y fferm yr oedd ceiliog gwyn peryglus iawn. Pan oeddwn
yn blentyn ifanc roedd arna i ofn y ceiliog gwyn wrth symud
o gwmpas y fferm. Un diwrnod, wrth gerdded i gyfeiriad yr
adeiladau, dyma'r ceiliog ar fy ôl a rhedais nerth fy nhraed i'r
lloches agosaf – sef cwt y ci! Clywodd Mam fy sgrechiadau
a'm canfod yn cuddio'n y cwt gyda'r ceiliog gwyn yn ceisio
dod i mewn heibio fy nhraed. Rhoddodd andros o gic i'r
ceiliog cyn fy ngodi allan o'r cwt i'm cysuro.

Yn ystod fy mhlentyndod byddwn wrth fy modd yn
crwydro'r fferm gyda Boyo'r ci. Aem i wylio cwningod yn
chwarae, chwilio am nythod yn y gwrychoedd, ac yn
arbennig edrych ar yr eogiaid yn neidio'r argae oedd yng
ngwaelod un o'r caeau, sef argae ar afon Clwyd.

Pan oeddwn ychydig yn hŷn deuthum yn gyfeillgar â'r
bechgyn oedd yn byw yn nhyddyn cyfagos Felin Llwyn.
Credaf mai yn ystod y cyfnod hwnnw y magwyd yr awydd
ynof i i grwydro. Roedd chwech o blant yn Felin Llwyn, dau
ohonynt yn efeilliaid – Meirion a Dafydd, neu Mei a Dei i ni.

Mam (yn ifanc) ar y chwith gyda taid a nain a'r teulu

Dau ddireidus dros ben oeddent, yn gwneud drygau bob munud, bron. Un diwrnod, cawsant waith gan eu mam i warchod Mair, eu chwaer fach ddwyflwydd oed ac i fynd â hi am dro yn ei phram. Unwaith y cyrhaeddwyd y ffordd fawr, dyma godi Mair o'r pram a'i rhoi i eistedd ar y gwair wrth ochr y ffordd. Yna, dringodd y ddau i'r pram ac i ffwrdd â nhw fel y cythraul i lawr y ffordd heibio 'nghartref. Er nad oeddwn yn angel fy hun, mae'n siŵr fod cymysgu gyda'r ddau efaill wedi fy ngwneud yn gan mil gwaith gwaeth. Trychineb o'r mwyaf oedd marwolaeth Dei ac yntau ond yn naw mlwydd oed. Bu farw ar ôl cael ei gicio gan faciwî a'r gwenwyn o'r briw yn ymledu drwy ei gorff. Nid wyf yn cofio llawer am y faciwîs, dim ond ei bod hi'n ddrwg ar adegau rhyngddynt hwy a'r Cymry lleol.

Dros y blynyddoedd daeth Mei a minnau'n gyfeillion agos. I mi, a fagwyd mewn teulu a fynychai'r capel bob dydd Sul, roedd y ddau frawd yn hollol wyllt, yn crwydro'r ardal a byth yn tywyllu capel, ond yn fy ngolwg i roeddent yn byw bywyd delfrydol. Wrth gwrs, nid felly y gwelai fy rhieni bethau ac fe'm gwaharddwyd rhag eu gweld am eu bod yn ddylanwad drwg arnaf. Ond nid oedd hynny'n rhwystr i mi rhag sleifio atynt a chael ambell antur yn cau'r afon er mwyn creu pwll i nofio ynddo, cosi brithyll neu chwarae *chicken* wrth redeg o flaen y trenau oedd yn dod drwy'r ardal yr adeg honno.

Tric arall gan y ddau oedd dwyn tuniau llefrith o gegin eu mam, rhoi twll yn eu topiau a sugno'r hylif melys. Yn ein tŷ ni, y math gwahanol o duniau llefrith heb siwgr a gedwid. Pan ffeindiai Mam beth oedd yn digwydd byddai'n gweiddi 'Eric! ADRE!' (fel arfer, yn Felin Llwyn y byddwn ar yr adegau hynny) a'r gosb wedyn oedd mynd yn syth i'r gwely heb swper.

I bentref Derwen, tua milltir a chwarter o'm cartref, yr awn i i'r ysgol. Roedd hi'n daith i fyny'r allt y rhan fwyaf o'r ffordd a byddwn yn gorfod danfon llefrith i ambell dŷ ym Mrynsaithmarchog wrth fynd – taith galed iawn yn y gaeaf pan fyddai'r eira at fy mhengliniau ambell waith.

Yr hyn a gofiaf am fy nyddiau cynnar yn yr ysgol yw'r 'gystadlaethau piso'! Gan fod toiledau'r bechgyn – sef tair wal a dim to – ar ochr yr iard, y gamp oedd piso dros y wal i'r iard! Ar y ffordd adref o'r ysgol, cystadleuaeth arall oedd piso i lawr yr allt serth o'r ysgol er mwyn gweld dŵr pwy oedd yn llifo bellaf. Cyfrinach y gamp oedd gwasgu rhag mynd i'r toiled drwy'r prynhawn er mwyn cael y llif cryfaf posibl. Mae'n anodd meddwl beth a feddyliai rhai o'r trigolion lleol wrth ddod ar draws y cystadlu!

Pan nad oeddwn yn yr ysgol a dim galwadau gwaith fferm, byddwn yn chwilio am nythod adar – y fronfraith a'r deryn du yn y gwrychoedd, titŵod mewn waliau a rhegen yr ŷd a'r gornchwiglen ar y llawr. Wrth gadw golwg ar y nythod gallwn frolio wrth fy ffrindiau rhyw ffeithiau megis 'dau gyw yn nyth y fronfraith' a phethau eraill! Byddwn hefyd yn cerdded milltiroedd wrth hel cnau yn eu tymor a'u cadw at y gaeaf.

Gyda'r nos byddem yn dwyn afalau. Ni wn pa synnwyr oedd mewn dwyn afalau pobl eraill a pherllan yn llawn o afalau da ac amrywiol yn fy nghartref! Mae'n siŵr mai dyna pryd y deuthum yn gaeth i'r adrenalin a fyddai mor allweddol yn nes ymlaen yn fy mywyd.

Ond cofiwch, wrth edrych yn ôl, nid oedd popeth a wnaem yn ddiniwed o bell ffordd. Fe fyddwn, yng nghwmni Trefor a Wyn, dau frawd o bentref cyfagos Pandy'r Capel, yn taflu peli mwd at geir oedd yn teithio ar hyd y ffordd. Cofiaf daflu mwd at gar *Rover* Maldwyn Williams, gŵr busnes o Ruthun un tro. Glaniodd y belen yn daclus ar ochr drws y gyrrwr. Stopiodd y car ond yr oeddem wedi rhedeg nerth ein traed i guddio yn y sied wair. Galwodd Maldwyn heibio i'r tŷ i gwyno wrth fy nhad. Erbyn inni ddod yn ôl i'r ffordd, yr oedd Trefor wedi mynd adref a dim ond Wyn a minnau ddaeth wyneb yn wyneb â 'nhad – a hwnnw'n flin! Rhoddais y bai ar Trefor – am nad oedd o yno! Wnaeth hynny ddim gwahaniaeth ac yn ogystal â'r ffrae gan fy nhad, cefais gweir gan y ddau frawd, felly cefais ddwy gosb am yr un drosedd.

Peth cyffredin iawn ar ôl yr Ail Ryfel Byd fyddai gweld crwydryn neu dramp ar y ffordd. Byddai croeso iddynt bob tro yn fy nghartref a Mam yn rhoi te a chacen gartref i bob un. Cofiaf un crwydryn yn arbennig. Ei enw oedd Jack a byddai'n cyrraedd ar adeg y cynhaeaf gan roi help llaw am ei gadw a derbyn ychydig o bres poced hefyd. Cysgai yn y sgubor ond byddai 'nhad yn mynnu cymryd ei fatsis oddi arno rhag ofn iddo roi'r lle ar dân! Rwy'n siŵr fod Jack yn cofio hynny ac yn cario dau focs er mwyn sicrhau ei fod yn bodloni 'nhad ac yn cael smôc wedyn!

Wrth imi dyfu byddwn yn rhoi mwy o help i 'nhad ac yn aros ar fy nhraed yn ystod y nos i wylio buwch yn geni llo. Pe bai'r enedigaeth yn un anodd, yna clymid rhaff am goesau'r llo er mwyn i'r ddau ohonom ei dynnu allan. Gwaith diflas arall oedd lladd mochyn unwaith y flwyddyn. Byddai'r creadur yn cael ei lusgo a'i glymu ar fainc, cyn i'r cigydd lleol dorri ei wddf. Fy ngwaith i oedd dal y gwaed mewn bwced a'i droi rhag iddo galedu;

Dad a Boyo'r ci

roedd hyn yn bwysig er mwyn i Mam allu ei ddefnyddio i wneud pwdin gwaed.

O ffynnon ar ochr y mynydd y caem ddŵr i'r tŷ. Fel arfer, yn ystod yr haf, byddai'r ffynnon yn sychu a rhaid oedd cario dŵr am hanner milltir o ffynnon arall ym Mhandy'r Capel. Ysgafnhawyd y gwaith pan luniodd gof lleol dryc i gario cansen laeth deg galwyn ac roedd hi'n bleser tynnu'r tryc o'i gymharu â chario dau fwced. Er bod bywyd yn galed yn ystod fy mhlentyndod a dogni ar lawer o fwydydd, yr oeddem yn gallu cael digon o lefrith, wyau, cig a bara ac felly'n bwyta'n dda.

Lampau olew fyddai'n goleuo'r cartref a'm gwaith i oedd glanhau wig pob lamp wrth iddynt ddechrau mygu. Wedyn, prynodd fy nhad lamp *Tilley* a roddai fwy o olau o lawer a llai o waith cynnal a chadw arni. O'r diwedd, cyrhaeddodd trydan i'n tŷ ni, gan roddi golau a gwres yn syth wrth bwyso'r

Mam yn ifanc

swits, a goleuo'r beudy hyd yn oed! Roedd 'nhad wrth ei fodd; oedd, roedd dyfodiad trydan yn ddigwyddiad mawr yn yr ardal.

Yn ystod y gaeaf byddem yn hel o gwmpas y tân – Mam yn gweu, trwsio sanau neu smwddio dillad tra byddem ni'r plant yn gwneud gwaith cartref ac wedyn, ar ôl gorffen, yn chwarae draffts neu liwdo. Yn aml, cysgai 'nhad o flaen y tân ar ôl diwrnod caled o waith ond weithiau byddai'n sôn am ei brofiadau yn y Rhyfel Mawr yn Ffrainc a Gwlad Belg. O ganlyniad i'w brofiad gyda cheffylau, yr oedd wedi cael ei yrru i'r gad gyda'r *Royal Horse Artillery* ar ôl derbyn hyfforddiant yn Woolwich ger Llundain. Soniai am leoedd megis Arras, Amiens ac Ypres – enwau dieithr iawn i mi ar y pryd – ac am ffrindiau'n cael eu lladd a'r ofn mai fo fyddai nesaf yn sŵn y sielio a'r bwledi parhaus. Soniai hefyd am yr amodau byw dychrynllyd – sut y byddent hyd at eu pengliniau mewn mwd a dŵr ac arogl y ffrwydron a'r cyrff pydredig yn annioddefol. Fel pe na bai hynny'n ddigon, byddai llau yn bla a rhaid fyddai tynnu'r dillad er mwyn tynnu fflam cannwyll ar hyd y godrau i'w lladd. Yn ystod y nos, meddai, pe byddech yn llwyddo i gysgu ychydig ynghanol yr holl sŵn, byddech yn siŵr o gael eich deffro gan y llygod mawr a redai dros eich gwely bync.

Wrth lwc, goroesodd 'nhad y rhyfel ond fe'i poenwyd weddill ei oes gan effeithiau'r nwy mwstard. Cofiaf wrando ar y straeon pan oeddwn yn blentyn, heb werthfawrogi'n llawn yr hyn a ddioddefodd. Flynyddoedd yn ddiweddarach, pan ddechreuais fynd i ddringo i'r Alpau, yr oedd gyrru heibio i'r holl feddau yng ngogledd Ffrainc a gweld enwau Amiens ac Arras yn ddigon i wneud i mi sylweddoli'n llawn faint o uffern y bu o drwyddi a daliaf i deimlo'n euog na ddangosais fwy o ddiddordeb a pharch wrth wrando ar ei straeon.

Roedd 'nhad yn ŵr mwyn a charedig ond yn ffermwr digon aflwyddiannus am ei fod yn caru ei anifeiliad yn ormodol. Yr oedd gwartheg stôr ffermydd cyfagos yn gacen o dail wedi sychu am nad oedd digon o wellt oddi tanynt yn y cytiau ond byddai ein gwartheg ni bob amser yn cael digon o wellt i orwedd arno. Cadwai 'nhad y gwartheg oedd wedi mynd yn rhy hen am eu bod yn rhan o'r teulu, bron. Torrais fy nghalon pan ddaeth yn bryd inni adael y fferm a gwerthu'r stoc am y gwyddwn y byddent ar eu ffordd i'r lladd-dy y diwrnod wedyn.

Yn ogystal â godro a bwydo'r anifeiliaid yn ôl yr arfer, byddem yn mynychu'r capel deirgwaith ar y Sul. Cynhelid cyfarfodydd amrywiol yn ystod yr wythnos hefyd ac fel plant, hoffem y digwyddiadau cymdeithasol a'r 'sosials' yn enwedig gan fod tomennydd o fwyd ar gael a phob gwraig yn cystadlu i ddangos pwy oedd y cogydd gorau (ond heb gyfaddef hynny wrth gwrs!). Byddai cacennau, treiffls, jeli a llu o ddanteithion eraill yn llenwi'r byrddau. Wrth dyfu'n hŷn newidiodd fy agwedd at grefydd; daeth dadrithiad wrth imi ganfod cymaint o ragrithwyr oedd nifer o'r blaenoriaid. Yn raddol, troais yn anffyddiwr, er y daliaf i ddiolch am y ffordd honno o fyw gan iddi ein dysgu sut i barchu pobl ac eiddo, a rhoi sylfaen i safon byw sydd ar goll i raddau helaeth heddiw.

Yr oedd gennyf bedwar cyfaill nad oeddent yn byw ar fferm a byddent allan yn chwarae pêl-droed ar benwythnosau pan fyddwn i'n gorfod helpu ar y fferm. Erbyn iddynt ddod yn un ar ddeg oed, gwisgent drowsus hir a minnau'n gorfod dal i wisgo trowsus byr nes y byddai wedi treulio'n llwyr. Yn ystod y gaeaf byddai'r ymylon yn rhwbio'n erbyn fy nghluniau nes eu bod yn gignoeth bron. Roeddwn yn casáu'r trowsus bach ond yr oedd pethau ar fin gwella. Yn fuan iawn byddwn yn mynd i'r ysgol uwchradd.

Pan oeddwn yn un ar ddeg oed, llwyddais i basio'r hyn oedd yn cyfateb i'r arholiad 11+ a chael mynd i Ysgol Brynhyfryd, Rhuthun. Roedd teithio saith milltir mewn bws yn dipyn haws na'r daith flinedig i ysgol Derwen. Cyffredin oeddwn fel sgolor, yn ei chael hi'n anodd yn y gwersi iaith ond yn weddol dda mewn mathemateg a daearyddiaeth. Am ychydig, bûm yn lwcus yn y gwersi iaith gan fy mod mewn cariad ag Eirys Williams a hithau'n fy helpu gyda'm gwaith cartref, ond yn fuan iawn fe ganfu Mr Harris, yr athro Ffrangeg, fy niffyg gallu yn y dosbarth ac fe fyddai'n gafael yn fy ngwallt a tharo 'mhen yn erbyn waliau pren y dosbarth. A

Fi o flaen y cwt ci y bûm yn cuddio ynddo rhag y ceiliog gwyn

dweud y gwir, byddai curo rhywun, neu fygwth gwneud hynny, yn ddigwyddiad cyffredin a'r gansen yn brysur iawn. Ofnai pawb Bleddyn Griffith, y prifathro. Gŵr pen moel ydoedd, dros chwe throedfedd o daldra, a phan fyddai'n dod ar draws criw o blant afreolus a swnllyd dechreuai daro gyda'i ddwylo mawr a'i freichiau hir. Duw a'ch helpo pe byddech o fewn cyrraedd!

Yn ystod fy nghyfnod yn yr

ysgol uwchradd ac ar ôl gadael, byddai criw yn hel y tu allan i'r siop ym Mrynsaithmarchog, neu ambell noson yn fferm gyfagos Llwyn Brain. Yno, byddem yn chwarae dartiau, cardiau a dominôs. Wrth edrych yn ôl, yr oedd yn amser hapus a chyffrous – er nad wyf yn rhy siŵr erbyn hyn a welai'r trigolion lleol eraill bethau'n union yr un fath. Rhyw hwyl diniwed oedd popeth i ni ond iddynt hwy yr oeddem y pethau tebycaf erioed i anwariaid!

Un targed arbennig oedd Harold Hughes, Brynhyfryd a oedd yn *special constable* ac felly ddim yn y llyfra'. Un tro bythgofiadwy aeth criw ohonom ati i gario'r ysgubau ŷd o gae cyfagos a'u gosod yn erbyn talcen ei dŷ. Wrth gwrs, arweiniodd hynny at ymweliad gan y plismon lleol. Ar y nosweithiau hynny byddwn yn dweud wrth fy rhieni fy mod yn mynd i'r gwely'n gynnar a phan na fyddai neb yn edrych, byddwn yn dringo allan drwy ffenest y llofft ac yn ei hanelu hi am Frynsaithmarchog at fy nghyfeillion. Daliaf i gywilyddio wrth feddwl am yr heddlu'n dod i'm cartref ar ôl y castiau nosweithol hyn a 'nhad druan yn dweud, 'Fedra fo ddim bod yn Eric – roedd o yn ei wely!'

Roedd gan Harold Hughes dair o ferched del ac un ohonynt, Delyth, yn gariad i Eifion, un o'm cyfeillion. Yn ystod y gaeaf byddent yn caru yn y ciosg ffôn lleol. Am nad oedd gan y gweddill ohonom gariadon, yr oeddem yn genfigennus iawn, felly un noson oer yn y gaeaf dyma gael gafael ar raff a'i glymu o gwmpas y ciosg heb iddynt sylwi. Bu'r ddau yno am oriau yn yr oerfel hyd nes i rywun oedd yn digwydd mynd heibio eu gweld a'u rhyddhau. Yn rhyfedd iawn doedd Eifion ddim yn gwerthfawrogi'r hyn a wnaed!

Ychydig fisoedd wedyn, bûm yn ffodus i ddechrau canlyn Elwern, merch ieuengaf Harold Hughes. Digon diniwed oedd y garwriaeth honno. Byddem yn eistedd am oriau mewn hen lori lo, yn gafael dwylo ac anwesu'n gilydd. Ar ôl y cast a wnaethom ar Eifion, soniais yr un gair wrth neb am ein man cyfarfod. (Hanner can mlynedd yn ddiweddarach, a minnau'n rhoi darlith yn fy hen ysgol yn Rhuthun i godi arian at Eisteddfod yr Urdd, dyma Nic Parry yn cyflwyno llun i mi o orsaf trên Derwen o'r hen amser. Ac yn y llun, yr oedd yr hen lori lo!

Wrth i gyn-ddisgyblion yr ysgol ddod ataf i sgwrsio, pwy oedd yn eu mysg ond Elwern, fy hen gariad, a minnau ond wedi ei gweld rhyw unwaith neu ddwywaith ers hynny. Dangosais y llun iddi gan ofyn oedd hi'n cofio'r lori? Ddywedodd hi ddim, ond gwenu a chochi at ei chlustiau.)

Byddai'r dyddiau cyn noson Guto Ffowc bob amser yn ddigon cyffrous. Gwnaem fangars pwerus drwy glymu tair neu bedair yn sownd yn ei gilydd a rhoi darn o sigarét ar wifren fel y byddai'r sigarét yn llosgi'n araf cyn tanio'r fangar. Un noson, gosodwyd tua hanner dwsin o'r 'dyfeisiadau' hyn o amgylch cartref un o'n hoff dargedau – Mr Hughes, prifathro ysgol Derwen. Taniwyd y ffiwsiau sigarét gan roi rhyw bum munud inni allu cyrraedd lle diogel i wylio'r hwyl wrth i'r bangars danio. Rhedodd Hughes yn lloerig o'r tŷ er mwyn ceisio dal y drwgweithredwyr a ninnau'n mwynhau'r cwbl o bell. Un noson wedi hynny, a minnau'n cael torri fy ngwallt gan Mr Jones yng ngorsaf drenau Derwen, dyma adrodd y stori am Hughes yn rhuthro o'r tŷ i geisio'n dal. Chwerthin wnaeth Mr Jones am nad oedd Hughes yn gweld ochr ysgafn y digwyddiad. Ddwy noson wedyn, dyma wneud yr un peth yn Nhŷ'r Orsaf. Wedi andros o glec, daeth Jones allan gyda gwn dau faril yn ei law gan weiddi, 'Mi ca' i chi, y diawliaid drwg!' Taniodd y ddau faril i'r awyr a dyma ni'n rhedeg am ein bywydau – na, doedd o ddim yn gweld y peth yn ddoniol wedi'r cwbl!

Un digwyddiad a allai fod wedi achosi damwain ddifrifol oedd yr hyn a wnaethom i gar y tu allan i dafarn y *Rose and Crown* yng Ngwyddelwern. Roedd ei berchennog wedi mynd i'r dafarn am ddiod a dyma griw ohonom yn codi cefn y car a'i osod ar frics nes bod yr olwynion oddi ar y llawr. Ar ôl cael diferyn neu ddau, daeth y perchennog allan, tanio'r injan a rhoi'r car mewn gêr. Dechreuodd refio'r injan ond gan fod yr olwynion gyrru yn yr awyr, doedd y car ddim yn symud. Yn ei ddiod methai'n lân â deall beth oedd yn digwydd. Yna, wrth iddo refio mwy, dyma ni'n gwthio'r car oddi ar y brics ac i ffwrdd ag o fel y cythraul, er mawr syndod i'r gyrrwr. Ar y pryd roedd y peth yn jôc ond wrth edrych yn ôl mae rhywun yn gweld y gallai'r canlyniad fod wedi achosi damwain ddifrifol iawn.

Drygau eraill a wnaem oedd gwneud galwadau teliffon ganol nos, clymu drysau â gwifren a chastiau eraill sy'n rhy niferus i'w rhestru. Afraid dweud bod nosweithiau'r trigolion lleol truain yn uffern o ganlyniad i'n drwgweithredoedd ni. Ar ddiwedd yr hwyl byddwn i'n dychwelyd adref a dringo'n ôl i'r llofft! Ond o'r diwedd cafodd y cymdogion lonydd, diolch i ddyfodiad y teledu. Jones Llwyn Brain oedd un o'r rhai cyntaf yn yr ardal i gael un a ninnau'n heidio yno i'w weld. Yn fuan iawn, yr oeddem yn gaeth i'r bocs a daeth heddwch i deyrnasu yn y dyffryn.

Bob nos Fercher rhaid oedd mynychu'r seiat yn y capel ac yr oedd hynny'n ddigon diflas. Trawais ar gynllun i gael dipyn o hwyl a chwtogi mymryn ar yr artaith. Gan nad oedd

Hogyn bach del!

cyflenwad trydan yn y capel ar y pryd, cynhyrchid pŵer gan beiriant petrol mewn cwt y tu allan. Un noson, trefnais fod un o'm cyfeillion yn mynd at y peiriant a chau'r tap petrol. Bu'r cynllun yn llwyddiant – ni ellid aildanio'r peiriant ac felly cefais fynd adref yn gynnar. Ychydig wythnosau'n ddiweddarach cynhaliwyd yr eisteddfod leol yn y capel ac yn dilyn y llwyddiant blaenorol dyma ail-greu'r drosedd. Tua un ar ddeg o'r gloch y nos, ar ganol cystadleuaeth y corau, diffoddodd y golau. Roedd hi'n draed moch, gyda phobl yn gweiddi a baglu yn y tywyllwch a'r merched ifainc yn chwerthin a sgrechian wrth i'r hogiau drio'u lwc – pawb ond fi! Mae'n amlwg i rywun ddeall beth oedd wedi digwydd ac fe roddwyd clo cryf ar ddrws cwt y peiriant wedi'r noswaith honno.

Gan fod afon Clwyd yn llifo heibio i Felin Llwyn a'n fferm ni, treuliem lawer o amser ar ei glannau. Un o'm hatgofion cynharaf yw gweld goleuadau rhyfedd ar lan yr afon yn ystod y nos a 'nhad yn dweud bod y 'potsiars allan eto'. Ar y pryd roedd y potsiars hyn yn fodau hudolus a rhyfedd ond ymhen rhai blynyddoedd daeth hogiau Felin Llwyn a minnau yn botsiars ein hunain. Hen felin flawd oedd Felin Llwyn yn yr amser a fu, gyda nant fechan yn cario dŵr o'r afon i droi'r olwyn oedd yn ei thro yn troi'r felin. Ar ochr y nant roedd dôr ddur y gellid ei hagor i yrru'r dŵr y ffordd arall os oedd angen trwsio'r olwyn. Byddem yn gosod sach fawr dros yr agoriad cyn agor y ddôr ddur er mwyn i'r nant wagio a gadael ychydig o frithyll wedi eu dal yn y sach.

Yn nhymor yr haf byddem yn cau'r afon gyda cherrig a thywyrch er mwyn creu pwll nofio ac yna'n cosi'r brithyll o dan y cerrig mawr. Daethom yn fedrus iawn wrth ddefnyddio'r dull hwn o ddal pysgod. Nid yw'n syndod felly fy mod i, ar ôl tyfu'n hŷn, wedi dod yn un o'r dynion hudolus a rhyfedd hynny a allai godi eogiaid o'r afon yng ngolau lamp liw nos!

Yn ystod fy arddegau yr oeddwn yn heliwr brwd hefyd, yn ffureta cwningod, cosi brithyll a saethu ffesantod yn anghyfreithlon. Yr oedd ein fferm ni tua milltir i ffwrdd o stad Nant Clwyd a fyddai'n magu nifer fawr o ffesantod bob blwyddyn ar gyfer y tymor saethu. Bob blwyddyn byddai 'nhad yn plannu cêl er mwyn bwydo'r anifeiliaid ond byddai'r cnwd yn denu'r ffesantod hefyd. Yr oedd fy nhad yn ŵr gonest a gwyddai fod potsio'n weithred anghyfreithlon ond yr oedd yn anghyson braidd wrth beidio rhoi ffrae i mi am botsio – mae'n debyg nad ystyriai hynny'n drosedd go iawn. Wrth dyfu'n hŷn aeth y potsio'n fwy mentrus a chyffrous a byddwn yn crwydro tiroedd y stad yn ystod y nos, ac yng ngolau dydd un tro hyd yn oed, ar ôl imi gael moto-beic. Gyda chyfaill ar y piliwn yn cario fy ngwn dau faril ar ei gefn, aethom i ganol y stad a saethu ffesant mewn cae y drws nesaf i dŷ'r cipar. I ffwrdd â'm cyfaill dros y ffens a chipio'r aderyn tra oeddwn innau'n cadw'r injan i droi. Daeth yn ei ôl cyn pen dim ac i ffwrdd â ni gan weiddi nerth ein pennau a rhyddhad yr adrenalin yn llifo drwy'n gwythiennau.

Cofiaf gyffro'r ffureta: cyrraedd y man lle byddai'r cwningod drwy gamu'n ysgafn rhag eu dychryn, rhoi rhwydi dros y tyllau a chanfod y 'twll dianc' a oedd wedi ei guddio yn y gwair am fod y cwningod wedi ei dyllu o'r tu mewn. Yna gollwng y ffured i mewn (un fanw fel arfer) ac aros i rywbeth ddigwydd. Codai sŵn o'r ddaear, sŵn y cwningod yn rhedeg o flaen y ffured ac yn sydyn, byddai cwningen yn hedfan allan i'r rhwyd. Weithiau byddai'r ffured yn dal cwningen o dan y ddaear, ei lladd, dechrau ei bwyta ac, o'r herwydd, yn cau dod allan. Pan fyddai hynny'n digwydd, byddem yn gollwng ffured wryw ar gortyn hir i mewn i'r twll a phan fyddai'n canfod y fanw, byddai'n ymuno â hi yn y wledd a byddem wedyn yn dechrau tyllu i ddilyn y cortyn – gwaith llafurus a allai gymryd rhai oriau i gyrraedd y fanw. Dros y blynyddoedd, newidiais fy marn ar hela ac erbyn heddiw mae'n gas gen i unrhyw fath o greulondeb tuag at anifeiliaid.

Cofiaf un digwyddiad arbennig gyda'r gwn hyd heddiw. Yn ystod gwaeledd fy nhad roedd Maldwyn, contractiwr lleol, yn torri'r ŷd gyda thractor a beindar. Ar gefn y beindar, yn gyfrifol am yr ysgubau, roedd Eddie, gŵr lleol a weithiai'n rhan-amser ar y fferm. Wrth dorri'r ŷd o du allan i'r cae yn raddol tua'r canol, byddai llawer o'r cwningod oedd yn yr ŷd yn cael eu gyrru tuag at ganol y cae. Yn eu braw wrth glywed yr holl sŵn a gweld eu cuddfan yn lleihau, byddent yn ceisio dianc ac yr oeddwn innau'n disgwyl gyda'r gwn dau faril i'w saethu ar gyfer cinio dydd Sul. Deuent allan fesul dwy neu dair a byddwn bron â drysu wrth feddwl at ba un i saethu. Taniais at un heb sylwi fod y tractor a'r beindar yn union y tu ôl iddi. Methais y gwningen ac yn fy mraw gwelais Eddie

Cynhaeaf ŷd a chwningod! (O'r chwith) Haydn Jones ar y tractor; Eddie Ty'n Celyn (a saethwyd gennyf!); fi; John Felin Llwyn, Dad a John Donald

yn gweiddi mewn poen ac yn gafael yn ei gefn. Gollyngais y gwn a rhedeg ato. Cododd Maldwyn ef oddi ar y beindar a chodi ei ddillad i weld y briw. Er ei bod hi'n haf, gwisgai Eddie wasgod ledr ac o dan honno yr oedd siaced, jersi, crys a chrys isa' tew. Pan ddaethom yn y diwedd i olwg ei gefn, yr oedd un rhan wedi cochi ond gyda rhyddhad gwelais nad oedd yr haels wedi torri'r croen. Plygais fy mhen mewn cywilydd wrth dderbyn llond ceg o regfeydd gan Eddie. Roedd Maldwyn yn chwerthin o weld faint o ddillad a wisgai Eddie yng nghanol yr haf ac fe wylltiai yntau'n waeth fyth wedyn. Bûm yn destun tynnu coes i'm ffrindiau am amser maith wedi'r digwyddiad ac ni thaniais y gwn am tua blwyddyn ar ôl hynny.

Yn draddodiadol, dydd o orffwys yw'r Sul ond ar ein fferm ni yr oedd yn ddiwrnod prysur iawn – mynd i'r capel deirgwaith yn ogystal â godro a bwydo'r stoc. Rhaid oedd codi am chwech i odro deg buwch efo llaw; yna bwydo pymtheg o wartheg stôr, bwyta brecwast am naw ac yna ymolchi a newid cyn mynd i'r gwasanaeth boreol am ddeg o'r gloch. Byddem adref erbyn 11.30 a rhaid fyddai mynd i newid cyn bwyta cinio am hanner dydd; yna aem i gerdded hyd y caeau i weld a oedd y defaid yn iawn cyn newid unwaith eto ac yna mynd i'r ysgol Sul erbyn dau. Caem de am 3.30 cyn newid yn sydyn er mwyn mynd i odro – gyda chryn frys er mwyn medru gorffen a chael amser i newid ar gyfer y gwasanaeth nos am chwech. Wedi dod adref rhaid oedd newid unwaith eto, bwydo'r gwartheg i gyd a tharo golwg sydyn ar y gweddill cyn noswylio. Caem swper am naw a dyna derfyn ein dydd Sul ar y fferm – dydd o orffwys i bawb arall!

Uchafbwyntiau'r flwyddyn fyddai'r Nadolig, trip ysgol Sul i'r Rhyl, a diwrnod dyrnu. Cofiaf y cynnwrf wrth aros i'r injan ddyrnu gyrraedd gyda'r beindar gwellt y tu ôl iddi. Byddai'n achlysur i'w gofio gan fod angen rhyw ddeuddeg o ddynion i wneud yr holl waith – dau neu dri yn llwytho'r ysgubau o'r sied i'r dyrnwr, dau ar y dyrnwr ei hun, dau yn cario'r grawn i'r ysgubor, dau yn glanhau'r ysgubau gwellt o'r beindar, un at alwad y lleill a'r ddau fyddai'n gweithio'r peiriannau. Byddai'n achlysur cymdeithasol iawn gyda chymdogion o'r ffermydd cyfagos yn rhoi help llaw ac yn fy nhro byddwn innau'n mynd i roi help llaw iddynt hwythau ar eu diwrnod dyrnu nhw. Fel yn achos y 'sosials' yn y capel, byddai cryn gystadleuaeth ymysg y gwragedd i baratoi'r bwyd gorau, ac, o'r herwydd, ceid cinio ardderchog ar ddiwrnod dyrnu.

Gweithiai pawb yn galed ar y dyddiau hyn ond byddai llawer o hel straeon a thynnu coes hefyd. Cofiaf un achlysur doniol iawn. Un o'r ffermydd oedd Hafoty Boeth ac yno y trigai dau hen lanc a'u chwaer Meri a oedd yn hen ferch, heb 'run wên ar ei hwyneb ac yn edrych yn reit ffyrnig bob amser. Gosodwyd y cinio ar fwrdd hir o flaen grât hen ffasiwn, gyda lle i chwech bob ochr. Wedi rhannu'r bwyd, safai Meri o flaen y grât â'i breichiau ymhleth yn edrych ar y chwe ffermwr anffodus oedd yn ei hwynebu. Pan ddeuai'r alwad at y bwrdd, rhuthrai pawb am y cyntaf i gael lle heb orfod wynebu Meri. Pe baech â'ch cefn tuag ati, medrech dynnu stumiau ar y dynion oedd gyferbyn â chi. Fel y dywedais, roedd y bwyd yn ardderchog ym mhob man, gyda digon ohono ac anaml y gallai rhywun fwyta ychwaneg. Fodd bynnag, y tro hwn yr oedd un o'r dynion wedi sylwi fod Meri wedi codi llwyaid olaf y pwdin reis o'r sosban fawr ac fe heriodd un o'r lleill i ofyn am fwy, er bod ei stumog yn llawn, er mwyn tynnu ar yr hen wraig. Wedi i bawb orffen, holodd Meri a oedd unrhyw un eisiau mwy. Atebodd cymeriad o'r enw Tomi, 'Wel, Meri, mi oedd o mor dda, gymra' i blatiad fach arall,' gan feddwl creu cryn benbleth iddi. Ond er syndod i bawb, aeth Meri i'r gegin, dod â sosbenaid arall o bwdin reis poeth a llenwi bowlen Tomi i'r ymylon. Ar yr union eiliad, cododd pawb arall oddi wrth y bwrdd a mynd allan gan rowlio chwerthin. Bu'n rhaid i Tomi fwyta'r cwbl gan fod Meri'n sefyll o flaen y tân â'i breichiau ymhleth, heb dynnu llygad oddi arno.

Yr hyn sy'n aros yn y cof yw'r gwaith caled: godro gyda llaw ddwywaith y dydd; torri maip gyda dwylo a oedd mor oer nes gwneud i chi grio, bron; a'r dyddiau poeth yn yr haf yn y gwair a'r cynhaeaf ŷd. Ond fe wnâi hynny i chi werthfawrogi'r trip ysgol Sul i'r Rhyl, y nosweithiau cymdeithasol a'r 'sosials' yn y capel gyda'r holl fwyd cartref blasus. Wrth ymweld â bedd fy nhad a'm mam, teimlaf yn drist wrth weld yr hen gapel wedi cau, er nad ydwyf yn grefyddol bellach.

Pan oeddwn yn bedair ar ddeg oed, trawyd fy nhad yn wael ac ni allai fforddio cyflogi gwas. Felly, pan oeddwn yn bymtheg oed, gadewais yr ysgol i redeg y fferm. Cawn gymorth gan gymdogion ond fe'i cefais yn anodd iawn i'w gweithio. Hyd yn oed heddiw, byddaf yn dal i freuddwydio ambell dro fod yr anifeiliaid heb eu porthi neu fod y sied wair ar dân. Bu 'nhad yn wael am dair blynedd a bu farw bythefnos cyn fy mhen-blwydd yn ddeunaw oed. Daliais ati i ffermio – yr oeddwn wedi derbyn mai dyna a wnawn weddill fy oes.

Yr oedd straen salwch fy nhad wedi dweud ar iechyd mam; aeth ei nerfau'n ddrwg a dioddefai iselder ysbryd. Poenai'n arw am y fferm, yn enwedig am yr anifeiliaid. Tybiem, fel teulu, y byddai rhoi'r gorau i'r fferm yn rhoi llai o bryder iddi ac y byddai ei hiechyd yn gwella. Ar ôl trafod gyda gweddill y teulu, rhoddwyd y gorau i'r denantiaeth, gwerthwyd y stoc a'r celfi a symud i fflat y cyngor ym mhentref cyfagos Gwyddelwern.

Ar ôl gadael y fferm cefais waith fel torrwr cerrig mewn chwarel ithfaen gyfagos. Golygai'r gwaith dorri darnau o ithfaen a oedd wedi cael eu chwythu gyda ffrwydron o'r graig gerllaw. Rhaid oedd eu torri'n ddarnau llai gyda gordd a'u cludo mewn wagenni i lawr yr inclên i'r peiriannau malu cerrig yn y dyffryn islaw. Gweithiai'r torwyr cerrig fesul dau a chael eu talu fesul llwyth. Gweithiwn i gyda gŵr byr, cyhyrog o'r enw Wil. Ar y diwrnod cyntaf wrth y gwaith yr oeddwn yn awyddus i greu argraff gan fod cyflog Wil yn dibynnu ar fy mherfformiad. Ymfalchïwn yn fy nghryfder fel mab fferm ac ymosodais ar y darn carreg yn dreisiol iawn ond bob tro yr oeddwn yn taro'r garreg, bownsio i ffwrdd a wnâi'r ordd. Ar ôl deng munud o hyn, yr oeddwn wedi blino'n lân ac edrychai'r garreg mor galed ag erioed. Gwyliai Wil hyn a'r difyrrwch yn amlwg ar ei wyneb ac wedyn dyma fo'n dweud, 'Wsti be, Eric, am y diwrnod neu ddau cyntaf, beth am i mi dorri'r cerrig ac i tithau lwytho'r wagenni?' Sylweddolai hefyd fod fy methiant i dorri'r garreg yn golygu na fyddai cyflog iddo yntau. Cerddodd o gwmpas y garreg unwaith neu ddwywaith i weld rhediad y graen yn yr ithfaen, yna rhoddodd dri neu bedwar trawiad gyda'r ordd a chwalodd y garreg yn ddarnau mân. Yr oeddwn wedi rhyfeddu. Dyma enghraifft o'r meddwl yn drech na chryfder corfforol. Dros y dyddiau nesaf dysgodd imi gyfrinach ei grefft ac ymhen y mis, yr oeddwn innau'n gallu gwneud y gwaith – ond nid i'r un safon ag ef chwaith.

Daeth fy ffrind, Mei, yn feili ar fferm pan oedd yn weddol ifanc ac fe brynodd foto-beic gwerth chweil, *Norton 500cc ES2*. Yr oeddwn yn eiddigeddus ohono ond fy nghysur oedd cael mynd ar y piliwn y tu cefn iddo a mynd i'r pictiwrs ac i ddawnsfeydd yn Rhuthun, Dinbych a'r Rhyl. Teithiem ar y beic ym mhob tywydd – glaw, eira neu rew ac yn ystod y dyddiau hynny gwisgem gôt law, beret a gogls. Ambell dro, deuem allan o'r pictiwrs yn y Rhyl ar noson o aeaf a hithau'n rhewi'n gorn. Byddai'r ffyrdd yn beryg bywyd am nad oeddent yn cael eu graeanu y dyddiau hynny ac fe fyddai'n daith beryglus dros ben yn ôl adref gyda'n cyrff wedi fferru a'n traed yn sglefrio ar y ffordd wrth geisio cadw'r beic ar ei draed. Wrth edrych yn ôl, mae'n rhaid ein bod yn hollol wallgo'!

Er nad oedd cyflwr y ffyrdd yn dda, taniwyd rhyw frwdfrydedd ynof am foto-beics sydd wedi para ar hyd fy oes – bywyd o freuddwydion, poen a chyffro. Ar ôl i 'nhad farw yr oeddwn yn benderfynol o gael beic i mi fy hun. Gwrthwynebai'r teulu hynny ond ar ôl gweld pa mor benderfynol oeddwn i, ildio a wnaethant, er iddynt fy nghynghori i gael un bychan. Ond ym meddylfryd yr ifanc, rhaid oedd cael un mawr, pwerus, felly anwybyddais y cyngor a phrynu *Triumph Tiger 100*, un 500cc. Deil y camgymeriad hwnnw gyda fi hyd heddiw ar ffurf pen-glin blastig arthritig. Bum diwrnod ar ôl prynu'r beic, yr oeddwn yn dilyn fan ar ffordd wledig, gul pan stopiodd y fan yn sydyn. Gan nad oeddwn wedi dod i ddeall y beic yn iawn na sut i'w reoli, gwyrais heibio i'w hosgoi a bu ond y dim imi fynd heibio, ond bachodd fy mhen-glin yng nghornel y fan a'm taflu oddi ar y beic. Gwelais nad oedd unrhyw ddifrod wedi ei wneud i'r beic a sicrheais y gyrrwr fy mod yn iawn. Reidiais i ffwrdd yn llawn cywilydd ac mewn poen.

Dros nos, chwyddodd y ben-glin ond yr oedd gennyf ormod o gywilydd dweud wrth Mam a'm hewythr gan nad oeddent yn fodlon imi gael beic yn y lle cyntaf. Y bore wedyn, reidiais i weld y meddyg i Gorwen ar y beic gydag un pen-glin wedi chwyddo ac yn cau plygu. Yn ei farn ef, yr oeddwn wedi rhwygo'r gewynnau ond dim byd rhy ddifrifol. Ar ôl pedwar diwrnod, yr oedd y pen-glin wedi chwyddo cymaint fel y cawn drafferth gwisgo fy nhrowsus a sylweddolais y byddai'n rhaid mynd yn ôl at y meddyg. Rywsut, drwy gymryd arnaf fy mod yn sâl a pheidio symud yn ei gŵydd, llwyddais i dwyllo Mam am y ddamwain.

Pan welodd y meddyg fod fy mhen-glin wedi gwaethygu, fe'm cynghorodd i fynd i Ysbyty Gobowen i gael tynnu llun pelydr-X. Felly, i ffwrdd â mi ar y beic, gyda 'nghoes yn sticio am allan fel darn o bren. Dangosodd y llun pelydr-X fy mod wedi torri padell fy mhen-glin. O fewn hanner awr yr oeddwn yn y theatr yn cael tynnu'r hylif o'm pen-glin a hanner awr yn ddiweddarach, yr oeddwn mewn gwely yn yr ysbyty gyda'm coes mewn plastar o 'nghlun hyd at y ffêr. Wedyn daeth y cywilydd o orfod ffônio Mam gyda'r gwir, ond fel pob mam dda, yr oedd yn llawn trugaredd.

I unrhyw un call, byddai'r ddamwain wedi bod yn wers go iawn, ond na, arweiniodd at gyfnod gwallgo' o ddamweiniau ac ambell ddihangfa agos. Wrth edrych yn ôl, mae'n siŵr mai hwn oedd cyfnod peryclaf fy mywyd.

Wedi dod ataf fy hun, yr oeddwn yn ôl ar y beic, heb wisgo dillad lledr na dim arall i amddiffyn y corff rhag codymau. Na, côt law, beret a hen gogls y Llu Awyr a wisgwn i ac i ffwrdd â mi. Ar y pryd, yr oeddwn yn gweithio mewn uned sychu gwair ger Dinbych a phob bore ar y ffordd yno, dyna lle'r oeddwn, yn gyrru i lawr ffordd union Brynsaithmarchog gan orwedd ar y tanc a gwylio'r nodwydd yn codi dros gant milltir yr awr, yna i gant a phump ac yn ysu ei chael i gyrraedd cant a deg, ond ddim cweit yn llwyddo. Er bod gan y *Triumph* injan dda, doedd y ffrâm ddim cystal ac felly byddai cadw'r beic ar y ffordd wrth yrru yn dipyn o gamp.

Un bore, cefais godwm. Gyda chyfuniad o deiar moel a dail ar y ffordd, collodd y teiar ei afael ac mi es ar fy mol ar hyd y ffordd. Gan fod fy nhun bwyd mewn poced y tu mewn i'm côt law, llithrais ar hwnnw fel petawn ar sled mewn eira ar hyd y ffordd wleb! Heblaw am ychydig o friwiau bach, nid oeddwn wedi brifo ond yr oedd y tun bwyd wedi gwisgo a'r cyfan oedd ar ôl o'r caead oedd yr ymylon. Er bod dipyn o olwg ar y beic, llwyddais i gyrraedd fy ngwaith. Treuliais yr awr ginio yn tynnu darnau o fetel o'm brechdanau!

Dro arall, wrth ddychwelyd adref ar ôl bod yn caru ym Metws-y-coed, bu ond y dim i mi fynd ar fy mhen i ddwy fuwch oedd yn crwydro ar y ffordd. Llithrais ar hyd y tar a bu bron i mi fynd o dan draed y gwartheg a oedd wedi cynhyrfu'n lân.

O'r diwedd, gwelais fy mod yn dibynnu gormod ar fy lwc, a hynny ar ôl gorffen fy nghyfnod yn y fyddin. Roeddwn yn dychwelyd adref ar ôl bod yn gweld cariad yn Tamworth. Gan fod y ffordd yn rhewllyd, nid oeddwn yn gyrru. Wrth ddod rownd tro, gwelais lori fawr yn troi ar draws y ffordd. Ceisiais stopio drwy wasgu cyn lleied ag y gallwn ar y brêc am ei bod mor llithrig, ond yn ofer. Cloeodd yr olwynion ac yr oeddwn yn llyfu'r ffordd unwaith eto. Wrth lwc, gwelodd gyrrwr y lori beth oedd yn digwydd a stopio'r cerbyd fel yr oeddwn i a'r beic yn dod i stop o dan ei lori.

Yr wythnos ganlynol, prynais fan mini a gwerthu'r beic.

Pennod 2

GWASANAETH MILWROL
A FFATRI COURTALDS

Pasiwyd y Ddeddf Gwasanaeth Milwrol ym 1947 ac fe ddaeth i rym ym 1949. Golygai hynny fod yn rhaid i bob dyn heini gwblhau dwy flynedd o wasanaeth milwrol gyda dwy flynedd arall wrth gefn ar alwad. Pan oeddwn yn rhedeg y fferm, nid oedd raid imi wneud y gwasanaeth milwrol ond ar ôl iddi gael ei gwerthu derbyniais yr 'alwad'. Felly, aeth y bachgen diniwed o gefn gwlad i gofrestru yng ngwersyll ymarfer catrawd y *Royal Artillery*, Park Hall, Croesoswallt.

Roedd y dyddiau cyntaf yn sioc ofnadwy i bob un o'r newydd-ddyfodiaid. Gwaeddai'r sarjants arnoch yn ddibaid, rhaid oedd rhedeg i bobman, nid oedd sôn am amser hamdden a chaem ein deffro am 6.30 bob bore. Gwae chi os nad oeddech allan o'r gwely erbyn i'r N.C.O. (*Non-Commissioned Officer*) gyrraedd neu fe fyddai'n eich troi chi a'r gwely ar y llawr. Yna, ymolchi ac eillio'n sydyn, tacluso'r gwely, brecwast am 7.30 ac allan ar y sgwâr erbyn 8.30 am arolygiad. Wedi diwrnod caled o ymarfer martsio ac archwilio'r gêr, rhaid oedd treulio'r min nosau yn glanhau'r offer personol ar gyfer y diwrnod wedyn. Doedd dim llonydd i'w gael tan amser diffodd y golau am 10.30. Cofiaf orwedd yng nghlydwch dillad y gwely yn teimlo'n unig ac yn

Tim pêl-droed Corwen ar ddiwedd y pum degau a minnau'r trydydd o'r chwith yn y cefn

hiraethu am fy nghartref ond gan wybod y cawn heddwch am yr wyth awr nesaf, er nad oedd hwnnw'n hedd perffaith chwaith, oherwydd gwyddwn y byddai'r 6.30 ofnadwy yn cyrraedd yn rhy fuan.

Ar ôl pythefnos cawsom ein hasesu gan y prif swyddog. Pan ddaeth fy nhro i, holodd pa adran o'r fyddin yr oeddwn â'm bryd arni. Feiddiwn i ddim dweud wrtho y byddai'n well gen i fynd adref! Yr unig beth perthnasol a ddaeth i'm meddwl oedd gyrrwr moto-beic. Dywedodd fy mod wedi gwneud yn rhy dda yn fy asesiad i fod yn yrrwr moto-beic a gariai negeseuon o le i le a gofynnodd a oedd gen i awydd ymuno â'r Heddlu Milwrol. I mi, yr oedd hynny gystal ag unrhyw beth arall, felly i ffwrdd â mi ar y trên i Woking yn Surrey a chartref yr Heddlu Milwrol ym Marics Inkerman, a oedd yn andros o hen farics bygythiol yr olwg, yn llawn milwyr anhygoel o smart yn martsio i fyny ac i lawr y sgwâr. Bwriad pythefnos cyntaf y cwrs un wythnos ar bymtheg oedd ceisio torri ein hysbryd ac uwch ein pennau'n fygythiol roedd yr *R.T.U.* (*Return to Unit*) dieflig a fyddai'n golygu ein bod yn cael ein gyrru'n ôl i'r uned wreiddiol, fwy neu lai o dan gwmwl cywilydd am na allech gyrraedd y safon angenrheidiol ar gwrs hyfforddiant yr Heddlu Milwrol. Yn ogystal â'r hyfforddiant arferol, yn ystod y pythefnos cyntaf rhaid oedd mynd i'r gegin am 4.30 y bore i gynorthwyo i baratoi brecwast ar gyfer y saith gant o filwyr oedd yn y barics.

Ar ôl gorffen ymarfer am 5.30 y prynhawn, yn ôl â ni i'r gegin tan 8.30-10.00 i sgwrio a glanhau'r sosbenni anferth a oedd yn saim i gyd, a hynny'n aml gyda dŵr llugoer. Wedyn, am 10.00, yn ôl i'r barics i lanhau'r offer ar gyfer y diwrnod canlynol. Pe byddai'n bryd cael yr archwiliad wythnosol a phob dim i fod yn hollol lân ac wedi eu gosod yn ôl yr angen ar y gwely, byddem yn cysgu mewn blanced ar y llawr gan y byddai'n rhaid bod yn ôl yn y gegin am 4.30 y bore wedyn.

Erbyn diwedd y pythefnos cyntaf, roedd tua thraean y criw wedi rhoi'r gorau iddi ac yn cael eu gyrru'n ôl i'w catrodau ond yr oeddwn i'n benderfynol o ddal ati ac er fy mod wedi blino'n lân ar ôl pythefnos, cefais rhyw foddhad rhyfedd o wybod imi oroesi'r cyfan. Yr oedd gweddill y cwrs yn gymysgedd o wersi dosbarth ar gyfraith filwrol, ymladd heb arfau, ymarfer gyda gynnau (ond dim reiffl am nad oedd *M.P.'s* – sef yr Heddlu Milwrol – yn gwneud ymarfer reiffl) a dysgu gyrru a reidio moto-beic (yn iawn y tro yma!). Drwy hyn i gyd, daliem i fartsio ac ymarfer corff yn ddi-baid bob dydd. Hyd at y ddeuddegfed wythnos, yr oeddem yn dal yn ein lifrai gwreiddiol gyda bathodynnau cap ein gwahanol gatrodau, ond ar ôl gorffen y cyfnod hwn, newidiwyd ein bathodynnau i rai'r Heddlu Milwrol gan ffeirio'r beret du am

gap pig gloyw corun coch. Yr oeddem i
gyd mor falch ac o'r diwedd yn teimlo
fel milwyr go iawn. Ond ni fu llaesu
dwylo ar yr ymarfer caled gyda'r
bygythiad *R.T.U.* uwch ein pennau'n
barhaol.

Wrth i ddiwedd y cwrs agosáu,
caem ein hyfforddi fel uned am oriau
bob dydd ar gyfer yr 'un mawr', sef y
Passing out Parade. Roedd hwnnw'n
ddiwrnod mawr i bawb a'r staff
hyfforddi bron yn gyfeillgar wrth inni
orymdeithio allan i'r sgwâr gyda'r
band yn chwarae o flaen y teuluoedd
balch. Teimlem mai ni oedd y bobl

Yn ugain oed ac yn yr Heddlu Milwrol

bwysicaf yn y fyddin i gyd. Yr oeddwn yn siomedig nad oedd
neb o'm teulu yno, ond o leiaf yr oeddwn yn gorporal yn yr
Heddlu Milwrol ac yn gwybod na fyddai raid imi dreulio
gweddill fy ngwasanaeth milwrol gyda'r gynnau.

Cyn y seremoni, arddangosodwyd rhestr a oedd yn nodi
i ble yr oeddem i gyd yn cael ein hanfon: Yr Almaen, Cyprus,
Singapore, Hong Kong, SHAPE (Paris) neu Loegr.
Dymunai'r mwyafrif fynd i Hong Kong ac ofnai pawb
SHAPE (*Supreme Hedquarters Allied Powers Europe*) ym
Mharis. Yno, byddai'r Heddlu Milwrol ar ddyletswyddau
gwarchod a nifer o ddyletswyddau seremonïol a olygai lawer
o archwilio offer a rwtsh arall, rhywbeth yr oedd pawb yn
awyddus i'w osgoi ar ôl dioddef un wythnos ar bymtheg
ohono'n barod. Trafodwyd y dewisiadau hyn gan bawb ond
yn y diwedd, nid oedd gan neb ddewis. Singapore oedd wrth
ymyl fy enw i ond gan fod Mam yn wael ar y pryd, cefais fy
lleoli yn y Deyrnas Unedig. Fe'm gyrrwyd i'r *166 Provost*

Company, sef Heddlu Milwrol yng ngwersyll Nesscliff ger yr Amwythig, gydag adrannau yn Warwick a Lichfield. Ar ôl ychydig ddyddiau yn Nesscliff, cefais fy ngyrru i adran Lichfield ac i farics Whittington, hanner ffordd rhwng Tamworth a Lichfield. Dyma gychwyn cyfnod o ddeunaw mis pleserus a chyffrous. Yr oedd wyth ohonom yn yr adran – un sarjant, un corpral a chwe is-gorpral – yn byw mewn bloc y tu allan i'r prif farics.

Yr oedd ein hardal yn ymestyn dros Firmingham a Stoke ac yn nyddiau'r gwasanaeth milwrol yr oedd milwyr ym mhobman. Ein prif ddyletswyddau oedd cadw trefn yn nhrefi garsiwn Tamworth a Lichfield a chwilio am filwyr absennol oedd ar ffo yn Stoke a Birmingham. Ar nosweithiau cyflog ac ar benwythnosau gallai pethau fod yn wyllt iawn yn Lichfiel a Tamworth, gyda chwffio yn y tafarnau a'r neuaddau dawns rhwng y bechgyn lleol a'r milwyr a rhwng aelodau'r gwahanol gatrodau. Gallem roi terfyn ar gwffio rhwng milwyr yn sydyn iawn gan eu bod yn ofni rheolau caeth y fyddin a roddai lawer mwy o rym i ni nag i'r heddlu lleol. Câi'r milwyr eu harestio am y rheswm lleiaf ac oherwydd hynny a gorddefnydd ambell aelod o'r Heddlu Milwrol o fôn braich, roedd arnynt ein hofn ac o ganlyniad byddent yn ein casáu. Ymysg yr enwau 'parchus' arnom ni yr oedd *Monkeys* a *Redcap bastards!* Y llanciau mwyaf trafferthus oedd y rhai yn eu hugeiniau a oedd wedi bod mewn helynt â'r Heddlu Milwrol yn ystod eu gwasanaeth milwrol ac felly'n gweld eu cyfle i dalu'r pwyth yn ôl. Er enghraifft, os oeddem yn ceisio dod â ffrwgwd rhwng dau filwr i ben mewn dawns, byddent yn ymuno yn y sgarmes ac yn ein cicio, am y gwyddent nad oedd gennym unrhyw reolaeth drostynt. Yn yr adran, byddai'r sarjant, y corpral a dau arall yn filwyr rheolaidd tra bo'r gweddill yn gwneud gwasanaeth milwrol. Y milwyr rheolaidd oedd yn rhoi enw drwg i'r Heddlu Milwrol drwy fod yn bwysig a'u hawdurdod wedi mynd i'w pennau. Fûm i erioed felly. Cael llonydd i wneud fy ngwaith oeddwn i yn ei ddymuno, a chyn lleied â phosibl o drafferth – a chael amser da wrth gwrs. Er enghraifft, os oedd milwr wedi meddwi ac yn go dawel, awn ag ef yn ei ôl i'r barics ond byddai'r lleill wedi ei gloi mewn cell.

Caem fywyd reit braf yn yr adran a neb yn ein poeni rhyw lawer. Yr unig gyffro fyddai ymweliad 'dirybudd' y prif swyddog. Er ei fod yn dymuno galw'n annisgwyl, byddai ei staff yn yr Amwythig wedi ein rhybuddio y diwrnod cynt ac felly byddem wedi paratoi ar ei gyfer.

Byddai chwilio am filwyr absennol neu ar ffo yn gyffrous iawn. Bob mis caem restr o'r holl filwyr yn y Fyddin Brydeinig oedd yn absennol heb ganiatâd a chyfeiriad eu cartrefi yn ein hardal ni. Byddem yn cysylltu â'r heddlu lleol ac yn mynd yn eu cwmni i gartref y milwr coll, fel arfer yng nghanol nos, gan amgylchynu'r tŷ a deffro'r sawl oedd yn byw yno. Weithiau byddai'r milwr yn ildio ond yn amlach na pheidio byddai'n ceisio dianc drwy'r drws neu ffenest gefn. Unwaith y câi ei ddal, fe'i rhoddid yng nghelloedd y swyddfa heddlu leol cyn i filwyr o'i gatrawd ddod i'w nôl.

Byddai rhywun yn credu mai'r dynion caletaf a'r rhai mwyaf trafferthus fyddai aelodau'r Marines a'r Paras ond yn ystod fy amser i canfûm mai aelodau corff arlwyo'r fyddin oedd yr ymladdwyr ffyrnicaf mewn tafarnau. Galwem yr ACC (*Army Catering Corps*) yn *Andy Clyde's Commandos* gyda'r mwyafrif ohonynt wedi cael eu magu mewn ardaloedd digon caled yn Lerpwl a Glasgow. Fe'm cynghorwyd yn gynnar i fod yn drugarog gyda'r cogyddion neu fe fyddai'r bwyd yn cael 'triniaeth arbennig'!

Fy nyletswydd gyntaf ar ôl gadael ein canolfan hyfforddi

yn Woking oedd cael fy ngalw i'r hyn a oedd bron yn derfysg yn Aldershot, sef pencadlys y Fyddin Brydeinig. Gyrrwyd tua deugain ohonom yno i roi trefn ar frwydr symudol rhwng y *Paras* a'r *ACC*. Yn y diwedd, llwyddwyd i ddod â phethau i drefn a rhyfeddais at y nifer o'r *Paras* clwyfedig a'u berets coch ar lawr ym mhobman o'u cymharu â'r *ACC*.

Fel sy'n arferol i fechgyn ifainc, ein blaenoriaeth oedd hel merched a chyda'n lifrai crand a'n cerbydau, nid oedd hynny fawr o broblem! Felly âi ambell batrôl yn Stoke a Birmingham yn esgus i gael gafael ar ferched. Y ddyletswydd a hoffem leiaf oedd y patrôl nos Sul yng ngorsafoedd trenau Birmingham – Snow Hill a New Street. Byddai cannoedd o filwyr yn dychwelyd i'w catrodau ar ôl cael penwythnos rhydd. Y drefn oedd i ddau fod ar batrôl ar y platfformau a dau arall mewn cerbyd gerllaw. Wrth gerdded ar hyd y platfform, gwaeddai cannoedd o filwyr yn heriol arnom o'r platfform gyferbyn ac fe fyddai'r awyrgylch yn fygythiol dros ben. Un noson, wrth archwilio milwr wrth fynedfa New Street, ac yntau'n amlwg yn chwil ac yn heriol, trawodd y milwr fy mhartner yn sydyn yn ei wyneb, felly fe giciais ei draed oddi tano a'i dynnu i'r llawr. Wrth i'r ddau ohonom geisio tawelu'r milwr, daeth ei wraig a'i fam (am wn i) atom a dechrau ymosod arnom gyda'u hambaréls. Yn fuan iawn, daeth eraill atynt. Wrth lwc, y funud honno, daeth ein cerbyd heibio ac wrth gael ein cicio a'n taro, taflwyd y milwr gwyllt i gefn y cerbyd. Neidiodd y ddau ohonom i mewn ar ei ôl ac i ffwrdd â'r cerbyd. Yn ystod fy ngyrfa yn y fyddin, fy nghyflog oedd punt ac wyth swllt ac ar ôl digwyddiadau fel hyn, teimlwn fod y fyddin yn cael gwerth pob ceiniog.

Yn achlysurol, byddem yn cyflawni dyletswyddau eraill y tu allan i'n hardal, ar gonfoi neu ddyletswyddau seremonïol. Un o'r rhai hynny oedd Chwaraeon yr Ymerodraeth (neu'r

Gymanwlad heddiw) yng Nghaerdydd ym 1958. Gwarchod y blwch brenhinol ym Mharc yr Arfau oeddem ac fe ymfalchïai un o'm cyd-heddweision yn y ffaith ei fod wedi defnyddio'r un toiled â'r teulu brenhinol!

Un noson, yn ystod ein harhosiad yng Nghaerdydd, aethom i ddawns yng nghanol y ddinas. Aeth un o'm ffrindiau i ddawnsio efo merch leol a chyd-dynnu'n dda gyda hi. Yn hwyrach y noson honno, a ninnau'n cerdded yn ôl i farics Maendy, cawsom ein bygwth gan bedwar o lanciau oedd yn cario cyllyll a raseli agored. Mae'n debyg bod y ferch ifanc yn gariad i arweinydd un o'r gangiau lleol. Camodd y tri ohonom yn ôl i safle amddiffynnol. Am bum munud, safem yno'n barod am ymosodiad, gyda'r pedwar yn dal i'n bygwth ond yn oedi o weld ein bod yn dal ein tir. Yna, ymddangosodd dau blismon y tu ôl iddynt a galw arnynt i ollwng eu harfau. Gan fod hynny wedi tynnu sylw'r llanciau, dyma ni'n neidio arnynt a chyda chymorth y ddau blismon, tynnwyd yr arfau oddi wrthynt a'u harestio. Ychydig wythnosau'n ddiweddarach, bu'n rhaid dychwelyd i Gaerdydd ar gyfer yr achos llys. Cafwyd y pedwar yn euog, er i dad un ohonynt ddweud mai ei rasel ef oedd gan ei fab ac mai ar y ffordd i'w hogi mewn siop leol yr oedd o. Doedd y barnwr ddim yn coelio'r fath stori. Yn ystod yr achos cawsom amser caled gan y cyfreithiwr a oedd yn amddiffyn y llanciau; honnai ei bod yn hysbys fod gan yr Heddlu Milwrol enw am fod yn dreisgar a bygythiol a cheisiai awgrymu mai ni oedd ar fai am yr helynt.

Y ddwy flynedd a dreuliais yn y fyddin oedd y profiad gorau a gefais yn ystod y cyfnod hwnnw yn fy mywyd. Tyfais o fod yn hogyn cefn gwlad diniwed i fod yn ddyn gwydn, disgybledig. Gwelais ddigon o drais corfforol (canlyniad yfed gormod o gwrw fel arfer) i sylweddoli pa mor wirion o ddiwerth ydyw, a deuthum i weld bod yn rhaid ymateb gyntaf wrth wynebu bygythiad, gan nad oes y ffasiwn beth â ffeit 'lân' yn bodoli. Os bydd rhywun yn ceisio eich brifo, bydd unrhyw ddull o ymateb yn werthfawr – cicio, gafael mewn ceilliau ac yn y blaen. Petai rhywun yn ymateb i ymosodiad, fe roddid y disgrifiad 'defnyddio'r grym lleiaf posibl' yn adroddiad yr Heddlu Milwrol a byddai hynny'n eich amddiffyn rhag bob cwyn a allai godi wedyn.

Dysgodd y fyddin bwysigrwydd disgyblaeth a chyfeillgarwch imi hefyd. Roedd y misoedd cyntaf a dreuliais yno yn uffern ar y ddaear ond wrth edrych yn ôl, bu'n brofiad yr wyf wedi ei werthfawrogi fyth ers hynny.

Pan oeddwn yn Lichfield, syrthiais mewn cariad â geneth leol hyfryd. Mi ddaru ni ddyweddïo ac roedd hi'n awyddus inni briodi. Ond doeddwn i ddim yn siŵr, ac ar ôl cyfnod o ansicrwydd, cafodd lond bol a'm gadael. Yr oedd hi'n awyddus imi ymuno â'r heddlu ym Mirmingham gan fod sicrwydd yn y swydd ac fe gaem dŷ i fyw ynddo ond roeddwn i wedi cael digon ar wisgo iwnifform. Yr oeddwn wedi fy mrifo a bu clwyf y gwahanu gyda mi am flynyddoedd.

Er bod y mwyafrif o unigolion yn cyfri'r dyddiau a oedd yn weddill tan i'w cyfnod o wasanaeth milwrol ddod i ben er mwyn cael gadael y fyddin, teimladau cymysg oedd gen i, mae'n rhaid cyfaddef. Gwyddwn fod y cyflog yn isel ond teimlwn rhyw sicrwydd yn y fyddin ac ar yr un pryd yr oeddwn, fel y dywedais, mewn cariad â merch leol a oedd yn awyddus imi ymuno â'r heddlu sifil. Ond eto, nid oeddwn yn or-hoff o fod dan awdurdod rhywun arall, a hyd yn oed yn yr heddlu sifil, gallwn gael fy nhrosglwyddo i ardal newydd, ddieithr. Wrth edrych yn ôl, sylweddolaf mai hon oedd yr ail groesffordd fawr a wynebais o fewn pedair blynedd yn fy mywyd. Y gyntaf oedd gorfod gadael y ffordd – petai Mam heb gael ei tharo'n wael, dal i ffermio fyddwn i heddiw efallai. Hefyd, petawn wedi ymuno â Heddlu Birmingham, yna byddwn wedi ymddeol ers blynyddoedd lawer ac yn trin yr ardd ym modlonrwydd fy nghartref ar gyrion y ddinas. Y tebygolrwydd mwyaf yw na fyddwn i erioed wedi dechrau dringo chwaith.

* * *

Nid oedd y blynyddoedd cyntaf ar ôl gadael y fyddin yn rhai hapus iawn. Roedd Mam yn wael, fy nghariad wedi gorffen gyda mi ac nid oedd gen i gyfeiriad i'm bywyd. Gweithiwn yn chwarel Graig Lelo ar y pryd ond doedd y cyflog ddim yn dda a dim llawer o ddyfodol, felly ystyriais yrfa gyda Heddlu Hong Kong; ystyriais fynd yn athro hefyd ac er imi lwyddo i basio arholiad y Gwasanaeth Sifil, methais yn y cyfweliad. Yn y diwedd, cefais waith ar shifftiau yn ffatri Courtaulds yn y Fflint – ffatri a gynhyrchai ffibrau synthetig.

Yr oedd hi'n daith hir iawn o'm cartref yng Ngwyddelwern ger Corwen i'r gwaith ond yr oedd y cyflog yn llawer gwell. Gweithiwn shifftiau nos a phenwythnosau. Mewn cylch o bythefnos, yn ystod yr wythnos gyntaf byddem yn mynd i mewn i'r gwaith ar nosweithiau Mercher, Iau a Gwener o ddeg tan chwech y bore, yna ar ddyddiau Sadwrn, Sul, chwech y nos tan chwech y bore, ac yn ôl ddydd Llun a dydd Mawrth o ddeg tan chwech y bore. Byddai dydd Iau a dydd Gwener yn rhydd cyn mynd yn ôl ar shifftiau dydd Sadwrn a dydd Sul o chwech tan chwech, gyda dydd Llun a dydd Mawrth yn rhydd. Wedyn, ailddechrau'r drefn nos Fercher. Mantais gweithio'r shifftiau hyn oedd y gallech weithio oriau ychwanegol ar y dyddiau rhydd ond ei fod yn cwtogi amser cwsg a gorffwys. Bûm yn gweithio'r shifftiau hyn ac yn gwneud gwaith ychwanegol am ddeuddeng mlynedd er mwyn ariannu'r teithiau dringo i'r Alpau.

Fy ngwaith yn y ffatri oedd edrych ar ôl y peiriannau yn yr adran ddyblu (roedd y peiriannau hyn yn rhoi tro yn yr edau synthetig). A dweud y gwir, gwaith i'r merched oedd hwn ond gan nad oeddent yn cael gweithio shifft nos, rhaid oedd cael dynion i'w wneud. Byddai'r peiriannau'n troi bedair awr ar hugain y dydd, y merched yn eu gweithio yn ystod y dydd a'r dynion yn y nos ac ar benwythnosau. Roedd yn waith andros o undonog ac rwy'n synnu fy mod wedi aros yno am ddeuddeng mlynedd.

Cydweithiwr i mi oedd Gordon Rees, bachgen o Ddinbych. Yr oedd yn fachgen golygus, byr o gorff ond yn gryf iawn a'i brif bleser mewn bywyd, pan ddaru ni gyfarfod, oedd crwydro tafarnau niferus Dinbych. Daethom yn gyfeillion agos gan ddechrau treulio ein hamser hamdden gyda'n gilydd. Yn ystod y cyfnod hwnnw byddem yn teithio i Eryri gyda'n pebyll er mwyn cerdded y mynyddoedd. Ni wyddem ni fawr amdanynt ond byddem yn cael hwyl yn ein cotiau glaw a'n welingtons.

Cydweithiwr arall i mi oedd Ken Price; byddai ganddo oriau gwaith ychwanegol i'w cynnig bob amser. Un diwrnod, holodd a oeddwn yn gallu gyrru lori fawr. Atebais braidd yn ddiniwed fy mod wedi arfer gyrru tractor ar y fferm. Y dyddiau hynny, nid oedd angen trwydded arbennig (*HGV*) i yrru lori fawr – yr oedd trwydded gyffredin yn ddigon da. Ychydig nosweithiau'n ddiweddarach, a hynny ar ôl gweithio shifft wyth awr, yr oeddwn y tu ôl i olwyn *Ford Thames Trader* ar y ffordd i waith dur Shotton er mwyn codi un dunnell ar bymtheg o ddur i'w ddanfon i ffatri geir *Ford* yn Halewood ger Lerpwl. Roedd y lori wedi gweld dyddiau gwell a rhan o lawr y cab wedi rhydu; wrth yrru, gwelwn y ffordd yn hedfan heibio o dan fy nhraed. Ar ôl cyrraedd y gwaith dur, canfûm fod bacio lori dwy ran fel hon yn wahanol i facio tractor a threlar i mewn i sied wair! Roedd y lle llwytho braidd yn gul ac ar ôl sawl ymdrech, cefais gymorth gyrrwr lori arall i'w bacio. Wrth yrru o'r gwaith dur, yr oeddwn yn bryderus iawn wrth feddwl am yrru drwy'r twnnel o dan ddyfroedd Merswy gan fod y llwyth yn ymddangos yn lletach na'r twnnel. Cefais gryn ryddhad wrth gyrraedd y ffatri yn ddiogel ond ar ôl tynnu'r tarpolin gwelais fod y llwyth wedi symud a'i bod hi'n wyrth na fu i ddim ohono syrthio oddi ar y lori. Rhaid oedd dod yn arbenigwr ar unwaith a chyda llawer o lwc bûm yn gyrru'r lori am rai misoedd wedyn ar ôl gorffen y shifft nos yn Courtaulds.

Pan orffennodd y gwaith gyrru lori, fe ddaeth Ken o hyd i joban arall ar fferm ieir. Roedd y cywion yn cael eu magu mewn siediau mawr – hyd at bum mil ohonynt gyda'i gilydd – am tua 5-6 wythnos cyn cael eu cario i'r ffatri. Ein gwaith ni oedd glanhau'r siediau gwag, glanhau'r offer a threfnu pob dim ar gyfer y llwyth nesaf o gywion – gwaith budur a llychlyd iawn. Y drefn oedd gorffen shifft nos am 6.00 y bore, yna mynd i'r fferm erbyn 7.00, gweithio tan tua 3-4.00, mynd yn ôl adref i gael bàth ac wedyn cysgu tan tua 8.30-9.00 ac yn ôl ar y shifft nos erbyn 10.00. Gwnawn hyn o ddydd Llun i ddydd Gwener, felly erbyn y penwythnos yr oedd hi'n rhyddhad gweithio shifft deuddeg awr yn unig! Âi hyn ymlaen am dair wythnos hyd nes y byddai'r siediau'n barod a minnau'n cael toriad tan y byddent angen cael eu glanhau unwaith eto ymhen chwe wythnos. Peth hollol hurt i'w wneud, rhaid cyfaddef, ond o leiaf yr oedd yn caniatáu imi gynilo pres er mwyn cael cyfnodau hir o ddringo yn yr Alpau yn ystod yr haf.

Yn ystod y shifftiau nos byddai'r goruchwylio'n tueddu i fod yn fwy llac nag yn ystod y dydd, felly gwneud cyn lleied o waith â phosibl oedd agwedd y gweithwyr. Byddai'r toiledau'n brysur iawn fodd bynnag, gyda'r dynion yn smocio, piso a rhechan, eraill yn trafod pêl-droed a phethau'n gyffredinol, eraill yn pendwmpian ar seddau'r toiledau nes i'r goruchwylwyr, ar ôl cael llond bol o weld y peiriannau heb neb wrthynt, ddod i mewn i'r toiledau a hel pawb allan.

Nid oedd Gordon na Ken yn hidio dim am hyn. Yn eu cwmni nhw, awn i archwilio'r toeau. Dim ond rhan fechan o'r ffatri oedd yn cael ei defnyddio a'r gweddill wedi cau ers blynyddoedd ac yn adfail i bob pwrpas. Mewn adran arall roedd tua phymtheg o ddynion yn gwneud conau i roi'r edau arnynt ac yno yr awn i i 'fenthyg' conau. Yna, awn i ben y to, a thrwy dwll ynddo byddwn yn taflu'r conau at un o'r gweithwyr. Wedyn byddai'r gweithwyr yn yr adran yn dechrau pledu ei gilydd efo'r conau am na wyddent pwy oedd wedi taflu'r rhai cyntaf. Hogyn ifanc, mawreddog a wisgai wallt gosod oedd eu goruchwyliwr. Un noson, tarodd Ken ef ar gefn ei ben gydag un o'r conau cardbord gan wthio'r gwallt gosod ymlaen dros ei lygaid. Aeth y goruchwyliwr yn hollol wallgo' a dechrau chwilio am y gweithiwr oedd wedi meiddio gwneud y ffasiwn beth; yr oeddem ninnau'n glanna' chwerthin yn afreolus ar ben y to.

Yn y rhan hon o'r ffatri safai tŵr cloc gant a hanner o droedfeddi o uchder a chorn simnai tri chan troedfedd. Un noswaith, penderfynais drio dringo'r simnai. Addawodd cyfaill i mi weithio fy mheiriannau a dweud wrth y rheolwr fy mod yn y toiled wedi cael y bîb yn ddrwg. Yr oeddwn wedi nodi llwybr ac amser y patrôl diogelwch – byddai'n rhaid iddynt alw yng ngwahanol adrannau'r ffatri

Yr Eiger – ail-wneud y gamp ar gyfer
ffilm yn 1981

Cychwyn am y Pilar Brouillard

Y ddwy falŵn uwch Llyn Gokyo cyn codi dros Everest;
mynydd Cho Oyo yn y cefndir.

Leo a Chris Dewhurst yn croesi copa Everest

Yr ail falŵn wedi dod i lawr yn Nhibet, gyda minnau, y Ddraig Goch ac Andy y peilot

Yr ogof eira ar Cerro Torre y buom yn byw ynddi, gyda golygfa o Fitzroy

Leo, y ffotograffydd, yn tywallt y te yn yr ogof eira ar Cerro Torre

Yn y 'Death Bivouac' wrth ddringo'r Eiger ar fy mhen fy hun

Cerro Torre (ar y chwith) a Torre Egger gyda'r ogof eira yn y cylch

Dringo ar Cerro Torre

Newydd dod i lawr o'r Eiger ym 1970. O'r chwith – Cliff Phillips, Pete Minks, Leo Dickinson a minnau.

Copa Cerro Mimosa gyda Mick ar y chwith a Leo yn y canol.

Teithio dros y Cap Rhew gyda'r parasiwt yn tynnu'r ddwy sled

Nesáu at ben y daith ar y Cap Rhew gyda Mick ac wedi blino'n lân

Asado wedi i ni ddod yn ôl o'r Cap Rhew. Mick Coffey ar y chwith, un o'r gauchos yn y canol a minnau ar y dde.

Ar wyneb gogleddol y Matterhorn yn y gaeaf

Yng nghwmni rhyw actor bach di-nod o'r enw Sean Connery wrth ffilmio 'Maiden Maiden'

Troi'r eira ar ben mynydd yn yr Alpau ar gyfer ffilmio 'Maiden Maiden'

Neidio crefas wrth ffilmio 'Five Days One Summer'

Chwarae rhan yn ffilm HTV 'The Only Genuine Jones' – sef hanes Owain Glyn Jones, y dringwr enwog

Cartŵn gan y diweddar Meirion Roberts

Ffilmio 'Cefn Gwlad' yn yr hen gartref

Llun ohonof yn edrych fel pry copyn wrth ddringo'r
'White Spider' ar yr Eiger.

Wyneb deheuol Mont Blanc yn dangos 1. rhewlif y Brouillard; 2. piler canolog y Brouillard; 3. crib Roches Gruber; 4. crib ddeheuol yr Aig Noire

Gyda Heckmair a'i wraig, Harrer a Leo o flaen yr Eiger

Y cwt ar y Badille gyda'r Eidalwr y meddwais ar ei win

*Neidio oddi ar bont New River Gorge, West Virginia
pan oeddwn yn 75 oed*

O dan barasiwt ac uwchlaw Pegwn y Gogledd

Paladr o olau yn taro i mewn i Ogof y Gwenoliaid

Sefyll ym Mhegwn y Gogledd a gweld Tremadog yn bell iawn!

Neidio oddi ar Bont Menai i ddathlu fy mhen-blwydd

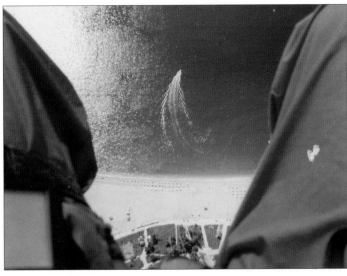

Ar fin neidio oddi ar fy mharagleidar a'r cwch yn disgwyl oddi tanaf

Ar gopa'r Eiger wrth iddi fachlud

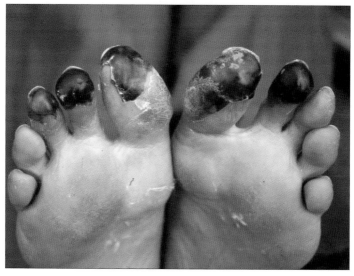

Yr ewinrhew ar fy nhraed wedi i mi fod ar Everest

Awyrblymio

Ann a minnau gyda'r genod – Rebecca (ar y chwith) a Keira

ar amseroedd penodedig. Gwyddwn felly pa bryd i ddiffodd y lamp ar fy mhen rhag ofn iddynt fy ngweld. Dringais y corn gan ddal gafael yn y stribyn cario mellt. Dringwn drwy roi sling neilon o gwmpas y bolltau a ddaliai'r stribyn yn ei le. Gan fod gormod o bellter rhwng y bolltau, cariwn ddarn bach o bren i'w wthio rhwng y stribyn a'r wal. Drwy osod y sling am y pren gallwn gyrraedd y follt nesaf ac ailadrodd hyn yr holl ffordd i fyny. Hefyd, defnyddiwn ddwy ysgol raff fechan i osod fy nhraed ynddynt. Gan fod y bolltau wedi rhydu dros y blynyddoedd ac yn llac, yr oedd o'n beth peryglus iawn i'w wneud. Yr oeddwn yn ymwybodol o hyn wrth ddringo'n uwch ar y corn simnai a cheisiwn symud mor ofalus â phosibl er mwyn rhoi llai o straen ar y bolltau.

Ymhen llai na dwyawr, cyrhaeddais ben y corn, a oedd wedi ei orchuddio â chymysgedd fudr o huddygl a chemegau. Er mwyn dod i lawr, yr oedd gennyf ddwy raff i lithro (abseilio) yn ôl i'r llawr. Wrth edrych yn ôl, peth gwirion iawn oedd gwneud hyn gan na ddibynnwn ar fy ngallu i ddringo ond yn hytrach ar y gobaith y byddai'r hen folltiau rhydlyd yn dal fy mhwysau. Erbyn heddiw, mae'r corn simnai wedi hen fynd ac wrth feddwl yn ôl am y ddringfa, sylweddolaf fod y gamp yn wallgofrwydd i'r eithaf.

Ar ôl dychwelyd o un o'm teithiau i'r Alpau, yr oeddwn yn digwydd cael gair gyda'm swyddog gwaith cyfeillgar i adrodd hanes y daith (am ei fod yn rhoi cyfnodau hir, di-dâl imi allu mynd i ddringo) pan soniodd fod rhywun ar shifft un dydd Sadwrn pan oeddwn i i ffwrdd o'r gwaith wedi dweud wrth y swyddogion diogelwch fod yna fwriad i ddringo'r corn. Pan gyrhaeddwyd gwaelod y corn, gwelsant tua ugain o weithwyr yn eistedd yn yr haul yn gwylio cydweithiwr iddynt ar fin dechrau dringo. Roedd pob peiriant yn yr adran yn segur a phawb allan yn mwynhau'r tywydd braf. Cafodd y darpar ddringwr ei gardiau'n syth a chafodd y gweddill eu ceryddu'n hallt. Ar ôl adrodd y stori wrthyf, dywedodd y swyddog gwaith, 'Eric, gobeithio nad wyt ti am wneud peth gwirion fel yna.' Feiddiwn i ddim dweud wrtho fod y dyn hwnnw wedi bod yn fy holi'n dwll ynghylch dringo'r corn, ond dringwr sâl iawn a gordrwm oedd o, bob tro yn brolio, ac mae'n debyg fod cael ei ddal wedi arbed ei fywyd am fod dringo'r corn yn beryglus ac yn frawychus iawn.

Yn ystod un o'r teithiau nosol hynny cefais ddihangfa ffodus. Er mwyn cyrraedd to y rhan o'r ffatri nad oedd yn cael ei defnyddio, rhaid oedd dringo peipen landar hanner can troedfedd o hyd. Un noson, yn dilyn cyfnod anturus ar dŵr y cloc, daethom yn ôl at y beipen landar. Ken aeth yn gyntaf a dringo i lawr y beipen. Fel yr oeddwn innau'n cychwyn dringo i lawr, daeth y beipen yn rhydd o'r wal a chyda fy mhwysau i arni, siglai tua dwy droedfedd oddi wrth y wal. Sylweddolais y byddai'r dynfa arni yn ddigon i dynnu'r cwbl o'r wal a minnau'n syrthio hanner can troedfedd i'r llawr, felly euthum i lawr fel cath i gythraul gan gyrraedd y gwaelod gydag ochenaid o ryddhad. Wrth edrych i fyny o'r gwaelod, yr oedd Ken wedi cael cymaint o fraw â minnau. Cyfaddefodd yn ddiweddarach petawn wedi cael codwm y byddai wedi fy llusgo i waelod y grisiau oedd yn arwain at y toiledau a dweud fy mod wedi syrthio i lawr y rheiny. Dychrynais wrth feddwl amdanaf yn cael fy llusgo ar hyd y llawr gydag asgwrn fy nghefn wedi torri – er mwyn cael esgus da i gadw ein swyddi!

Er fy mod yn ystyried fy hun yn ŵr gonest a geirwir, wrth edrych yn ôl ar fy nghyfnod yn Courtaulds byddai rhywun yn cael yr argraff ein bod yn griw anwaraidd a oedd yn osgoi gwaith. Yr oeddwn, ac yr wyf, yn hollol onest wrth ymdrin ag unigolion ond wrth ymdrin â chwmni rhyngwladol anferth fel Courtaulds, roedd fy nghampau'n ddibwys. Wrth weithio'n galed am gyfnodau hir ar y shifftiau, byddwn yn gwneud iawn am ein campau, nad oedd yn ddim mwy na dull o ysgafnhau undonedd y gwaith.

Am fod ganddo ddiddordeb mewn dringo, roedd y swyddog gwaith yn ystyriol iawn wrth roi amser rhydd, di-dâl i mi allu mynd i ddringo, yn enwedig gan mai gweithiwr cyffredin yn rheoli peiriant oeddwn i. Ond daeth fy nghyfnod yn Courtaulds i ben. Yr oeddwn newydd ddychwelyd o Batagonia a hithau'n ganol mis Mehefin. Trafodai fy nghyfeillion dringo eu cynlluniau ar gyfer tymor yr haf yn yr Alpau. Er fy mod yn awyddus i fynd gyda nhw, doedd gen i ddim calon i ofyn i'r swyddog gwaith cyfeillgar am fwy o amser rhydd ar ôl bod i ffwrdd am ddeng wythnos. Felly, y diwrnod canlynol, rhoddais rybudd gadael ac ar ôl pythefnos, gyda dim ond ychydig o arian yn fy mhoced, gadewais am yr Alpau.

Wedi i mi roi'r gorau i weithio yn ffatri Courtaulds, byddwn yn canfod gwaith yn ymwneud â dringo, yn y Swistir fel arfer – swyddi hyfforddi dringwyr dibrofiad yn bennaf. Gweithiwn yno am gyfnodau i hel pres er mwyn cynnal fy niddordeb. Gwneuthum hynny am sawl blwyddyn tan i mi brynu'r caffi ym Mwlch Moch, Tremadog. Drwy redeg y caffi a maes gwersylla, gallwn hel mwy o arian ar gyfer fy nheithiau ac fel y deuthum yn fwy adnabyddus yn y byd dringo, byddai Leo yn llwyddo i gael arian gan gwmnïau teledu megis HTV i dalu am y mentrau dringo (ac yn ddiweddarach, balŵnio a neidio *BASE* hefyd).

Pennod 3

DECHRAU DRINGO

Yng nghwmni Gordon Rees, cydweithiwr imi yn ffatri Courtaulds, y dechreuais ymweld ag Eryri. Ar y cychwyn, mynd yno i gerdded a wnaem ond wrth weld rhai yn dringo'r creigiau, daeth rhyw awydd arnom i roi cynnig arni. Cawsom ar ddeall fod Ron James, tywysydd mynydd lleol, yn rhedeg ysgol ddringo yn Ogwen Cottage, Dyffryn Ogwen, felly dyma gysylltu ag ef a mynd ar gwrs tridiau i ddechreuwyr. Dave Yates, hyfforddwr yn yr ysgol, oedd yn ein dysgu. Bwriodd iddi'n syth ac ar ddiwedd y tridiau teimlem fel petaem eisoes yn arbenigwyr! Caem wefr wrth ddringo clogwyni a edrychai'n amhosibl i ni. Dysgwyd ni sut i amddiffyn ein cyrff ar y rhaff a'r gafaelion gwahanol. Ar ôl y tridiau yma, yr oeddem ar ben ein hunain ac ar ôl prynu rhywfaint o offer, daeth dringo creigiau yn brif amcan ein bywydau. Treuliwyd amser sbâr ar shifft nos yn darllen am ddringo ac yn cynllunio'r dringfeydd y byddem yn eu dilyn yn ystod ein dyddiau rhydd nesaf. Wedyn, i ffwrdd â ni yn fy hen fan neu ar sgwter Gordon (cyn iddo brynu *Robin Reliant*). Byddai'r daith i Eryri bob tro yn un gyflym a gwyllt wrth inni edrych ymlaen yn eiddgar, ond yn hollol groes ar y ffordd yn ôl a ninnau wedi gadael ein hegni ar y clogwyni.

Byr iawn fyddai'r digalondid ar ôl gadael Eryri oherwydd byddem â'n pennau yn yr arweinlyfr dringo er mwyn cynllunio'r daith nesaf i'r mynyddoedd. Ers hynny, yr wyf wedi dringo dros y byd i gyd ond yr anturiaethau dringo cynharaf hynny yw'r rhai mwyaf cofiadwy.

Un diwrnod ym Mwlch Llanberis, yr oeddem yn ceisio dringo dringfa o'r enw 'Trilon' a ystyrid yn weddol galed (*'very severe'* ar y raddfa dringfeydd). Ar ddringfa gerllaw yr oedd Ron James, yn awyddus i weld sut yr oedd ei gyn-fyfyrwyr yn datblygu.

Ar gopa Tryfan

Gordon oedd yn arwain a phan gyrhaeddodd y rhan allweddol, llithrodd a syrthio rhyw ddeg troedfedd gyda'r rhaff yn cael ei dal gan un piton yn unig. Dychwelodd ataf wedi dychryn braidd, felly dyma newid lle er mwyn i minnau roi cynnig arni. Gan fod fy mreichiau'n hirach, llwyddais i gyrraedd pen y ddringfa. Yr oedd Ron wedi bod yn gwylio ein hymdrechion ac awgrymodd i Gordon y dylai adael i mi arwain drwy'r amser. Teimlais fel petawn yn ddeng troedfedd o daldra!

Y diwrnod canlynol, yn llawn hyder, awgrymais i Gordon fy mod am roi cynning ar ddringfa anoddach fyth (*'hard very severe'*) o'r enw 'Kaiserberge Wall'. Dringais at y rhan anodd yn weddol hawdd, ei feistroli ar ôl rhyw ddwy ymgais a chyrraedd rhan a oedd yn haws na'r gweddill. Er bod y gafaelion yn addas ac yn wastad, yr oedd fy mysedd yn gwanhau a dechreuodd fy nghoesau grynu – arwydd pendant o banig cynyddol. Y funud nesaf, mi wnes 'Gordon' a hedfan oddi ar y graig, syrthio tua phum troedfedd ar hugain hyd nes i un piton ddal fy ngwymp. Islaw yr oedd bachgen bach yn gwylio'r cyfan ac fe waeddodd arnaf, 'Hei mistar, mae 'na ffordd haws i fyny rownd y gornel.'

Yn y fan honno, gan grogi'n rhydd ar y rhaff heb ddim ond fy malchder wedi ei frifo, gallwn fod wedi lladd y diawl bach yn hawdd! Ond fe ddysgais wers, sef peidio cerdded cyn cropian ac ar ôl hynny yr oeddem yn llai mentrus hyd nes inni ddod yn fwy profiadol.

Gan ein bod yn gweithio bob penwythnos, ni fyddem yn gweld llawer o ddringwyr eraill, felly ychydig iawn o wybodaeth 'fewnol' a gaem ynghylch gwahanol ddringfeydd, pa rai i'w dringo a pha rai i'w hosgoi. Wrth ddod yn fwy profiadol a mentrus, caem amser gwych yn gweithio'n ffordd drwy'r graddfeydd – o rai gweddol hawdd i rai anodd dros ben. Ein 'ffynnon' oedd y *Vaynol Arms* (Ty'n Llan ar lafar) yn Nant Peris a threuliem lawer awr yno yn ail-fyw anturiaethau'r diwrnod. Yn raddol, daethom i adnabod dringwyr eraill wrth gymdeithasu yn y dafarn. Yr oedd pwrpas bywyd wedi newid a dringo oedd popeth, bellach.

Yn ystod y shifftiau nos yn y ffatri, y llyfrau tywys ar ddringfeydd creigiau Eryri oedd ein beiblau a threuliem lawer awr yn eu hastudio'n fanwl ar gyfer y dyddiau rhydd nesaf. Byddem yn sleifio oddi wrth y peiriannau i ymarfer ein technegau ar wal y ffatri – dull peryglus o ymarfer a hithau'n dywyll.

Llogwyd cwt pren gan ffermwr Bryn Fforch ym Mwlch Llanberis ac fe ddaeth yn ail gartref i ni, gyda'n horiau hamdden i gyd yn cael eu treulio yno. Y drws nesaf i'n cwt ni yr oedd cwt ieir yn cael ei logi gan griw o Wolverhampton.

Ar ddringfa anodd ar Glogwyn Du'r Arddu o'r enw 'Shrike' (tua 1965)

Bedyddiwyd ef yn *The Bird Cage* ganddynt ac roedd Gordon, 'Smiler', Dan a Mick yn griw gwych o fechgyn a phan fyddai ganddynt amser rhydd yn ystod yr wythnos, byddem yn dringo gyda nhw.

Yr oedd ein gallu wrth ddringo yn bur gyfartal: Gordon yn fyr a chryf a minnau'n dal gyda breichiau hirion. Gyda'n gilydd llwyddasom i ddringo dringfeydd cynyddol anodd. Daethom yn ddringwyr digonol, heb fod o'r un safon â'r goreuon megis Brown, Whillans, Boyson a Crew ond yn gymwys. Wedi nifer o flynyddoedd, dechreuodd Gordon golli diddordeb a threulio mwy o amser yn cerdded neu'n pysgota, ond byddem yn dringo'n achlysurol a chyfarfod gyda'r nos yn y dafarn i gymdeithasu. Diwedd y gân fu i Gordon ddechrau canlyn. Syrthiodd mewn cariad â Sheila, geneth fach ddel o Lanberis a chollodd ddiddordeb yn y dringo. Yr oedd hon yn ergyd drom i'm dringo i ond bu

*Ar waelod clogwyn Malham
yn Swydd Efrog*

hefyd yn groesffordd. Heb gyd-ddringwr, dechreuais fentro ar y graig ar fy mhen fy hun.

Nid yw dringo ar eich pen eich hun yn beth poblogaidd ymysg dringwyr, am resymau amlwg, sef ei fod yn beryglus ac fe all un camgymeriad eich lladd. Byddai dringwyr eraill yn meddwl fy mod yn wallgo' ac yn aml iawn yn cega arnaf pan fyddwn yn dod ar eu traws ar y clogwyni. Hefyd, dydi o ddim o bwys pa mor alluog ydych chi – gall gafael llaw neu droed dorri'n rhydd, felly mae angen llawer o lwc. Yn fuan iawn canfûm fod dringo ar fy mhen fy hun wedi mynd i'm gwaed – yr oeddwn yn mwynhau'r teimlad o ryddid ar wyneb y creigiau heb gyfyngiadau rhaffau ac ati, a'm tynged yn llythrennol yn fy nwylo fi fy hun. Ar y dechrau, pan wnawn rhyw symudiad anodd, deuai ton o banig drosof a sylweddolais fod hyn yn gosod mwy o straen arnaf ac yn cynyddu'r perygl o syrthio, felly byddwn yn siarad â mi fy hun ac yn raddol, dysgais reoli fy ofnau. Wrth imi wneud hynny, cynyddodd safon y dringo ar yr un pryd. Ymhen hir a hwyr, gallwn ddringo bron cystal ar fy mhen fy hun ag y gallwn ar raff.

Pan nad oeddwn yn dringo ar fy mhen fy hun, dringwn gyda chyfeillion. Un yn arbennig oedd Ray Evans, bachgen tawel, cadarn a oedd yn ddigon annhebyg i'r dringwr nodweddiadol. Er hynny, yr oedd o'n andros o gryf, gyda thechneg ardderchog a meddwl clir bob amser. Yn y dyddiau cynnar dewisem esgidiau cerdded yn hytrach nag esgidiau arbenigol ar gyfer dringo creigiau. Synnai dringwyr eraill o weld Ray yn taclo dringfa eithriadol o anodd yn ei esgidiau trwsgl. Tynnwn i lai o sylw at fy esgidiau am fy mod yn dringo ganol yr wythnos pan na fyddai cymaint o ddringwyr o gwmpas. Yn yr esgidiau hyn, llwyddodd y ddau ohonom i daclo llawer o ddringfeydd eithriadol o anodd ym Mhrydain a bu hynny'n gymorth i mi er mwyn dechrau dringo yn yr Alpau. Uchelgais Harry Smith, aelod o'r clwb chwedlonol *Rock and Ice Club* oedd dringo dringfa 'Cenotaph Corner' yn gwisgo esgidiau mawr pan oedd yn hanner cant oed. Gan fy mod yn gythraul cystadleuol, es innau a'i dringo pan oeddwn yn 55! Er bod fy esgidiau'n fwy addas na'r hen rai y tro hwnnw, teimlwn y ddringfa'n anoddach ac roedd yn codi ofn arnaf wrth i henaint ddechrau gafael ynof.

Yn ystod y cyfnod hwnnw, yr oedd dringwyr eraill, Cliff Phillips, Peter Minks, Alan Rouse a Richard McHardy yn mentro ar ddringfeydd anodd yn Eryri ar eu pennau'u hunain ac er ein bod yn cyd-gymdeithasu, byddwn yn cadw'n glir oddi wrthynt wrth ddringo am fod yr unigedd yn rhan o'r profiad. Ond bu un eithriad. Un prynhawn gwlyb roedd Richard McHardy a minnau'n yfed cwrw yn y *Vaenol Arms*. Tua thri o'r gloch, peidiodd y glaw a daeth yr haul allan ac wrth i'r graig sychu, dyma ni'n penderfynu mynd i ddringo heb raffau. Dewiswyd dringfa a elwir yn 'Sickle' ar Glogwyn y Crochan, un eithriadol o anodd ond o fewn fy ngallu. Cychwynnodd Richard a dilynais innau tua ugain troedfedd y tu ôl iddo. Ar y cychwyn, chefais i ddim trafferth ond ar y drawstaith, yr oedd hi'n stori'n wahanol. Roedd gafaelion i'r traed ond ychydig iawn i'r dwylo a dibynnwn ar gydbwysedd. Yn sydyn, teimlais yn benysgafn, a hynny o ganlyniad i'r cwrw. Daeth ton o banig drosof felly dechreuais y drefn arferol o siarad â mi fy hun, ond chawn i ddim llawer o lwyddiant gyda hynny oherwydd yr alcohol. Rywsut euthum ar hyd y drawstaith a chyrraedd pen y ddringfa ond wedi dychryn yn arw. Dywedais 'byth eto' wrth Richard, am nad yw alcohol a dringo yn gyfuniad da.

Rai blynyddoedd yn ddiweddarach, cefais brofiad 'byth eto' arall. Yn y *Vaynol Arms* siaradwn gyda dringwr o Dde'r Affrig a'm holodd a gâi o ddringo gyda mi. Sicrhaodd fi ei fod wedi dringo dipyn ar ei ben ei hun yn Ne'r Affrig. Cytunais, ac ar ddiwrnod heulog, braf cynigiais Gyrn Las (ym Mwlch Llanberis) a Chlogwyn y Ddysgl. Byddem yn dringo ychydig gannoedd o droedfeddi, eistedd ar silff, sgwrsio ac yna dal ati i ddringo. Yr oedd yn gwmni da. Pan ddaethom i lawr i Fwlch Llanberis yr oedd, erbyn hyn, yn gynnar fin nos ac awgrymais orffen y dydd drwy ddringo 'Brant Direct', sef hafn serth gan troedfedd ar Glogwyn y Crochan. Dywedodd fy nghyfaill newydd ei fod wedi ei dringo gyda chyfaill yr wythnos cynt. Yr oedd hon yn un o'm dringfeydd 'dangos fy hun' a gallwn ei gwneud o fewn pum neu chwe munud. Cychwynnais, ac wrth ddringo, gwaeddais er mwyn egluro rhai o'm symudiadau. Ar ben y ddringfa, eisteddais ar ochr yr hafn er mwyn gwylio fy nghyfaill yn dringo. Chafodd o ddim trafferth am y trigain troedfedd cyntaf, ond wedyn ymddangosai'n ansicr a nerfus. Dechreuais bryderu amdano a cheisiais egluro'r symudiadau iddo heb ymddangos fel petawn yn poeni. Cododd yn araf a chlywn ef yn anadlu'n drwm ac roedd ei goesau'n crynu. Dychreuais yn arw wrth sylweddoli pe bai'n syrthio, byddai'n siŵr o gael ei ladd. Pan gyrhaeddodd y troedfeddi olaf, llwyddais i gael gafael da gyda'm llaw dde ac estyn ato gyda'r llaw chwith. Gafaelodd ynddi a chodais ef i'r top. Yr oedd wedi blino'n lân yn gorfforol ac yn feddyliol a minnau wedi blino'n feddyliol hefyd. Gwnaethom addunedau: y fo i beidio dringo ar ei ben ei hun eto a minnau i ddringo ar fy mhen fy hun heb gwmni. (Er gwaetha'r

Wrthi'n ymarfer yn Ogwen pan oeddwn yn dechrau dringo

adduned a wnes, fe'i torrais ymhen blynyddoedd wrth fynd gyda Cliff Phillips i'r Alpau. Ond yr oedd Cliff yn ddringwr arbennig iawn ar ei ben ei hun, un yr oedd gennyf hyder llwyr yn ei ddawn.)

Un o'r dyddiau mwyaf cofiadwy o ddringo yn Eryri oedd ar ddiwrnod o aeaf pan ddringais y 'Main Wall' ar Gyrn Las ar fy mhen fy hun. Clogwyn uchel a saif uwch ochr ddeheuol Bwlch Llanberis yw hwn ac mae'n un o'r dringfeydd clasurol yn Eryri, yn weddol hawdd yn yr haf ond yn ddifrifol iawn yn y gaeaf. Roedd gorchudd tenau o rew ar rannau o'r ddringfa ond heb ddigon o drwch rhew i'r cramponau gael gafael iawn. Felly, roedd angen techneg dringo creigiau ond gan wisgo cramponau ac fe gymrodd rhyw ddwyawr o fysedd oer, cyhyrau'r coesau yn brifo a dringo brawychus i'w chwblhau. Y cynllun oedd croesi ar draws yr Wyddfa ac i lawr Cwm Cwellyn. Er fy mod wedi blino ar ôl dringo'r

'Main Wall', penderfynais ddal ati am fod y trafferthion o'm blaen ar Glogwyn y Ddysgl yn fach iawn o'u cymharu â'r hyn oedd islaw. Ddwyawr yn ddiweddarach, cyrhaeddais gopa'r Wyddfa, cael tamaid o fwyd a sgwrs gyda dringwyr eraill cyn cychwyn i lawr am Ryd-ddu. Erbyn hyn, roedd y tywydd wedi gwaethygu a hithau'n dechrau nosi ond yr oeddwn yn hyderus y gallwn gael lifft ar ôl cyrraedd y ffordd.

Yr oeddwn yn wlyb at fy nghroen, yn oer ac yn flinedig ac erbyn imi gyrraedd Rhyd-ddu roedd y nos yn hollol dywyll. Ychydig o geir a aeth heibio ac nid oedd yr un ohonynt am aros i godi rhywun a edrychai fel tramp. Taith ddiddiwedd oedd y ddeuddeng milltir ac yr oedd hi'n ddeg o'r gloch y nos arnaf yn cyrraedd y *Vaynol Arms*, wedi blino'n lân a bron â llwgu. Dyma sut y daeth diwrnod bythgofiadwy yn y mynyddoedd i ben – diwrnod a fyddai wedi bod â diweddglo gwell fyth petai gyrrwr car calon-feddal wedi dod heibio!

Deuthum i adnabod Cliff Phillips yn gyntaf yn y *Vaynol Arms* ar ddiwedd y 1960au. Gŵr tenau, cymharol fyr ond yn un o'r dringwyr gorau yn yr ardal am ei fod yn defnyddio techneg a'i allu yn hytrach na nerth bôn braich. Yr oedd y ddau ohonom yn dringo cymaint o ddringfeydd caled ar greigiau ar ein pen ein hunain ag y gallem, er y byddem yn dringo dipyn gyda'n gilydd ar raffau. Yr oedd gŵr o'r enw Leo Dickinson wedi gwahodd y ddau ohonom i ddod yn rhan o'i dîm a fyddai'n cael ei ffilmio'n dringo ar yr Eiger ym 1970. Ddeufis a hanner cyn gadael am yr Alpau cafodd Cliff ddamwain sydd, erbyn hyn, yn rhan o chwedloniaeth dringo yn Eryri.

Ar noson braf ym mis Mai, aeth y ddau ohonom i ddringo ar ein pen ein hunain gan addo cyfarfod wedyn yn y *Vaynol* am beint a sgwrs. Dringais i ar ochr ogleddol Bwlch

Llanberis gyda Cliff yn dringo'r ochr ddeheuol. Wrth iddi nosi, yr oeddwn wedi gorffen dringo ac ar y ffordd i'r dafarn. Doedd dim golwg o Cliff ond gwyddwn ei fod â'i lygad ar eneth oedd yn gweithio yng ngwesty Penygwryd, rhyw ddwy filltir i'r dwyrain, ac ni welwn unrhyw fai arno'n dewis ei chwmni hi yn lle fy nghwmni i.

Yn ystod y nos, a minnau'n cysgu yn y cwt, cefais fy neffro gan ddringwr arall, Robin Kirkwood, a ddywedodd fod Cliff wedi cael damwain. Wrth ddringo'r 'Black Spring' ar Ddinas Mot yr oedd wedi llithro tua chant ac ugain o droedfeddi a syrthio yr holl ffordd i'r gwaelod. Yn wyrthiol, yr oedd yn dal yn fyw. Fel arfer, byddai codwm o'r uchder hwnnw wedi eich lladd yn syth ond yr hyn a arbedodd Cliff oedd ei ysgafnder a'r ffaith iddo daro silff wedi ei gorchuddio â gwair tua hanner y ffordd i lawr a fu'n gymorth iddo arafu ei gwymp. Nid oedd neb arall o fewn cyrraedd iddo felly dechreuodd gropian ar ei bedwar dros y cerrig mawr ar ochr y mynydd. Fe gymerodd hi dros ddwyawr iddo gyrraedd ei fan, gan fynd yn anymwybodol fwy nag unwaith wrth gropian. Rywsut, aeth i mewn i'r fan a'i gyrru i lawr y Bwlch gan ei pharcio y tu allan i dŷ ffrind. Ond yn anffodus, yr oedd hwnnw yn ei wely heb ddeall fod Cliff y tu allan. Wrth lwc, yr oedd Robin Kirkwood yn aros mewn cwt dringo gyferbyn â'r tŷ ac fe sylwodd fod fan Cliff wedi ei pharcio gyda'r goleuadau heb eu diffodd felly aeth draw i weld beth oedd yn bod. Yno fe ganfu Cliff yn gorwedd ar yr olwyn lywio yn waed i gyd. Galwodd am ambiwlans ac fe aed â Cliff i'r ysbyty ym Mangor.

Euthum i'w weld y diwrnod wedyn ac yr oedd yn ddigon hwyliog, er ei fod wedi cracio ei belfis, ei foch a'i arddwrn a chyda nifer go lew o bwythau – yn union fel petai wedi bod yn ymladd deg rownd gyda Mohammed Ali. Yn ddiweddarach y diwrnod hwnnw euthum i Ddinas Mot i nôl rhywfaint o'i bethau. Gwaith hawdd oedd eu canfod – dim ond dilyn y llwybr gwaed o'r ffordd. Ar waelod y clogwyn yr oedd pwll o waed, ei lyfr dringo tua decllath i ffwrdd, yna'i waled a mân bethau eraill wedi eu gwasgaru ar hyd ac ar led ardal bur eang. Wrth edrych i fyny, rhyfeddwn ei fod wedi goroesi ac fe ymledodd y chwedl am y diawl Phillips – nid yn unig ei fod yn dringo ar ei ben ei hun ond yn achub ei fywyd ei hun hefyd!

Flynyddoedd yn ddiweddarach, daeth Robin Evans, cynhyrchydd gyda Ffilmiau'r Nant yng Nghaernarfon ataf. Yr oedd yn gwneud rhaglenni ar gyfer S4C. Holodd a fyddai gennyf ddiddordeb dringo ar gyfer telediad byw. Cynigiais ddringo ar fy mhen fy hun i fyny'r 'Cemetery Gates' ar Ddinas y Gromlech ym Mwlch Llanberis. Dringfa yw hon sy'n dilyn hollt yn wal ddeheuol syth y 'Cenotaph Corner'. Mae'n ddringfa anhygoel, gyda safleoedd camera da. Cynigiodd Robin y syniad i ITV ac yr oeddent yn awyddus i'w darlledu'n fyw ar '*World of Sport*' ar brynhawn Sadwrn. Felly daeth yr egin syniad am raglen Gymraeg ar gyfer S4C yn rhaglen fyw i gael ei dangos yn y ddwy iaith drwy Brydain gyfan – y rhaglen gyntaf o'i bath erioed.

Pan drafodais y syniad gyda Leo Dickinson a oedd yn trefnu'r ochr ariannol ar fy rhan, nid oedd yn frwdfrydig iawn. Dywedodd fy mod yn nerfus wrth siarad o flaen ei gamera ef ar gyfer rhaglen wedi ei recordio, felly sut fyddwn i wrth ddringo ar fy mhen fy hun gyda phum camera yn fy nilyn a minnau'n siarad ar ddarllediad byw mewn dwy iaith? Penderfynais wneud y rhaglen beth bynnag.

Ron Fawcett oedd yr 'arbenigwr' yn y blwch sylwebu, gyda Jim Rosenthal yn sylwebu yn ystod y dringo. Y diwrnod cyn dringo, cafwyd glaw trwm a bu gosod y

camerâu yn eu lle yn
waith anodd iawn. Ar
fore'r diwrnod mawr yr
oedd hi'n dal heb
sychu'n iawn a chan fod
nifer o rannau gwlyb ar
y 'Cemetery Gates',
ceisiodd Ron fy
mherswadio i'w dringo
ar raff gyda phartner.
Amheuwn ei fod yn
ceisio canfod esgus i
ddod allan o'r blwch
sylwebu a'i fod yn

Gordon Rees a minnau ar gopa Tryfan

awchu am gyfle i ddringo ond yr oeddwn yn benderfynol o
fynd ar fy mhen fy hun. Gan fod y meicroffon yn sownd
ynof, bwriadwn siarad wrth ddringo ar gyfer y sianelau
Cymraeg a Saesneg. Fel ar ddechrau pob dringfa, teimlwn
ychydig yn nerfus ac yn awyddus i gychwyn am fy mod yn
gwybod y byddwn yn iawn wedyn. Ar ôl oedi er mwyn aros
am yr arwydd o'r stiwdio yn Llundain, oediad a'm gwnaeth
ychydig yn bryderus, daeth yr arwydd o'r diwedd ac i ffwrdd
â mi. Dringais yn raddol gan fod y gafaelion ar y ddringfa
hon yn weddol fawr ond gan fod y graig yn frau, tueddwn i
ddefnyddio gafaelion llai a oedd yn fwy diogel. Mae'r wyneb
yn serth, gydag ychydig o orgraig mewn rhannau a wnâi'r
dringo'n galed ar y breichiau.

    Wrth ddringo, siaradwn yn Gymraeg a Saesneg am yn ail
ac fe ffoniai'r gwylwyr y stiwdio i holi cwestiynau i'r
cyflwynydd (Saesneg) Dickie Davies am y dringo ac yntau
wedyn yn eu rhoi i mi. Y cwestiwn mwyaf dadleuol oedd
'pam nad oeddwn yn gwisgo helmed?' Atebais innau nad

oeddwn yn hoffi gwisgo un, ond y gwnawn hynny pe teimlwn fod rhyw berygl ar y ddringfa oedd yn galw am ei gwisgo. Wrth gwrs, byddwn yn gwisgo helmed ar ddringfa Alpaidd beryglus neu wrth ddringo creigiau rhydd a chyda dringwyr eraill ar y ddringfa. Nid oedd yr un dringwr arall ar y 'Cemetery Gates' y diwrnod hwnnw, dim perygl o greigiau'n syrthio a phe byddech yn cael codwm o waelod y ddringfa, byddech yn syrthio dros gan troedfedd ac ni fyddai'r un helmed yn arbed eich bywyd petaech yn syrthio.

Wrth gyrraedd rhan galetaf y ddringfa, ddwy ran o dair o'r ffordd i fyny, sylwais fod y gafaelion allweddol yn wlyb. Tynnais hances o'm poced a'u sychu, rhywbeth a welai'r dynion camera yn ddoniol iawn, ond nid oeddwn am gymryd unrhyw siawns oherwydd fe fyddai un llithriad, mwy na thebyg, yn fy lladd. Cyrhaeddais ben y ddringfa mewn ugain munud ac yr oeddwn yn fodlon iawn â fi fy hun – un o'r dyddiau prin hynny pan aeth pob dim yn iawn. Teimlais fod popeth dan reolaeth, er yr amodau anffafriol yn ystod y dringo. Aeth y sgwrsio yn Gymraeg a Saesneg yn iawn ac fe ddywedwyd wrthyf fod naw miliwn o wylwyr wedi gwylio'r darllediad byw. Yr oedd yr ofn y byddwn yn 'rhewi' ar deledu byw (nid ar y graig!) wedi diflannu, diolch i'r adrenalin a'r canolbwyntio ar y dringo ac fe ffoniais Leo i ddweud hynny wrtho. Wedyn fe euthum at weddill y criw i geisio yfed tafarnau Llanberis yn sych!

Pennod 4

DRINGO YN Y DOLOMITI A'R ALPAU

Yn ystod y 1960au, y lle i fynd ar gyfer dringo creigiau mawr a serth oedd y Dolomiti yn yr Eidal. Ar y ddau ymweliad cyntaf, euthum yng nghwmni dau fyfyriwr – Mike Spring a John Harwood. Roedd Mike, neu 'Percy' fel y câi ei alw, yn hollol ddigynnwrf, yn ecsentrig ac yn debyg i ryw 'athro gwallgof' ac yn chwaraewr gwyddbwyll gwych. Byddai Ray Evans a minnau'n chwarae gyda'n gilydd yn ei erbyn ac er na fyddai ond yn cael edrych ar y bwrdd bob yn ail symudiad, llwyddai i'n curo bob tro. Un noson, dyma daro ar gynllun er mwyn ei guro. Aethom ag ef i'r *Vaynol Arms*, prynu cwrw iddo a'i feddwi. Yn ddiweddarach, yn ôl yn ein cwt, dyma chwarae gêm yn yr un drefn ag arfer, ond pan nad oedd yn sylwi byddem yn newid rhai o'r symudiadau er mwyn i ni gael mantais. Ond nid oedd ots am hynny, y cyfan a wnâi ef oedd chwerthin, gan ddeall yn syth beth oedd wedi digwydd. Daliai i'n curo, felly dyna roi'r gorau iddi.

Penderfynais, yng nghwmni Percy a dau arall, fynd i ddringo i'r Dolomiti sydd ar y ffin rhwng yr Eidal ac Awstria. Maent yn fynyddoedd ardderchog gyda thyrau trawiadol yr olwg. Teithiwyd yno yn fy nghar bach *Mini Countryman* a oedd wedi ei lwytho i'r ymylon ag offer a bwyd. Teithiwyd

Pilar Bonatti oedd y ddringfa fawr gyntaf yn yr Alpau i mi roi cynnig arni ar fy mhen fy hun

yn sydyn i lawr y ffyrdd *autobahn* yn yr Almaen ond unwaith y cyrhaeddwyd y bylchau Alpaidd, dechreuodd y car bach gorlawn nogio. Bob hyn a hyn byddai'r injan yn berwi, felly rhaid oedd stopio am ychydig. Dipyn o embaras oedd gorfod sefyll ar ochr y ffordd mewn cwmwl o stêm tra âi'r teithwyr Almaenig heibio yn eu *Mercs* crand gan chwerthin ar ein pennau.

Cododd problem arall yn ystod y 1960au gan fod traffordd newydd yn cael ei hadeiladu drwy Fwlch Brenner, gyda'r ciw traffig yn bymtheng milltir o hyd ac o ganlyniad i oriau o oedi, byddai'r injan yn berwi. Yn ystod y cyfnodau o oedi, diddorol iawn oedd sylwi ar effeithiolrwydd y gwaith ar ochr Awstria ond unwaith y croeswyd i'r Eidal byddai'n draed moch!

Yn y diwedd, llwyddwyd i gyrraedd pen y daith, sef cwt Lavaredo, 7,000 o droedfeddi uwchlaw arwynebedd y môr, gan anelu am ddringfa 'Comici' ar wyneb gogleddol y Tre Cima. Mae'r ddringfa hon yn codi 1,800 troedfedd yn unionsyth tuag at ryw 10,000 troedfedd ac fe'i dringwyd am y tro cyntaf gan un o'r arloeswyr dringo Eidalaidd enwocaf, sef Emilio Comici. Y bore wedyn, gan obeithio cwblhau'r ddringfa mewn diwrnod, codasom yn gynnar a cherdded tuag at yr wyneb gogleddol. Dilynai'r ddringfa hollt ar hyd yr wyneb fertigol a chan fod y tymheredd yn oer, dim ond yn araf iawn y symudem ymlaen. Un peth nad oeddwn eto wedi ei ddeall am ddringo yn yr Alpau oedd yr angen am gyflymdra, er mwyn ein diogelwch ac i osgoi gorfod gwersylla, neu 'gael *bivouac*' fel y dywed dringwyr. Er mai mathemateg a gwyddbwyll oedd dau o gryfderau Percy, nid oedd symud yn gyflym yn flaenoriaeth ganddo. Newidiem ein safle ar y blaen am yn ail a phan fyddai Percy'n arwain, arafai'r amser dringo yn arw. Ceisiwn ei frysio ond i ddim diben – trigai yn ei fyd bach ei hun ac fe wnâi hynny fi'n fwy blin.

Ddwy ran o dair o'r ffordd i fyny, dechreuodd nosi a gwyddem y byddai'n rhaid treulio'r noson honno mewn *bivouac* ar silff fechan. Er nad oedd y syniad o dreulio'r nos heb ddillad cynnes yn apelio, nid oedd Percy i'w weld yn poeni. Aeth i chwilota yn ei sach gefn cyn estyn jersi yr oedd ei fam wedi ei gweu iddo. Yr oeddwn wedi gweld y jersi honno yng Nghymru a hithau o leiaf ddau faint yn rhy fawr iddo. Gwisgodd hi, ei thynnu dros ei bengliniau ac at ei fferau, codi ei goler dros ei ben a diflannu – cysgodfa *bivouac* berffaith. Wrth imi dreulio'r noson honno yn crynu gan oerfel, yr oeddwn i'n casáu'r diawl clyfar!

Cwblhawyd y ddringfa y diwrnod wedyn ac ar ôl pryd da o fwyd a thipyn go lew o win, teimlwn nad oedd Percy cynddrwg â hynny wedi'r cwbl. Yn rhyfedd iawn, ar ôl y daith honno, dim ond yng Nghymru y buom yn dringo gyda'n gilydd wedyn. Rai blynyddoedd yn ddiweddarach bu Percy mewn damwain car ddifrifol a'i gadawodd wedi ei barlysu o'i wasg i lawr. Dechreuodd hwylio ar ei ben ei hun. Hwyliodd i'r Azores ac fe ymddangosodd ar y rhaglen deledu enwog *'This is your Life'*. Hogyn digynnwrf ond hogyn caled ac annibynnol.

Ar gyfer y daith nesaf, ymunais â bechgyn Wolverhampton, Gordon Cain, Dave 'Smiler' Cuthbertson a 'Tiger' Mick Coffey, sef y rhai yr oeddwn wedi dod i'w hadnabod yn Nant Peris. Roedd Gordon a Smiler yn gyfeillion agos ac yn dringo gyda'i gilydd fel arfer. Ymunais innau â Tiger, nad oedd fawr o ddringwr am ei fod yn rhy brysur yn hel merched ac yfed cwrw. Er hynny, yr oedd yn gymeriad carismataidd ac yn gwmni ardderchog. Yr oedd yn gyfaill mawr i Pete Minks ond yn tynnu arno drwy'r amser. Flynyddoedd yn ddiweddarach, wrth ddychwelyd o fynyddoedd Patagonia, cawsant sesiwn feddw iawn yng nghwmni dringwyr o wlad Pwyl a *gauchos* o Batagonia. Wrth i'r sesiwn fynd rhagddi, dywedodd Pete wrth Mick ei fod am berfformio'r hyn a elwid ganddo yn *Flaming Arseholes Dance*. Byddai'n rowlio darn o bapur newydd, gollwng ei drowsus, tanio'r papur a rhoi'r pen arall i fyny ei din gan ddawnsio o gwmpas y lle a chanu '*Old Reilly's Daughter*'. Cytunodd Mick ac aeth i nôl papur, ond heb sôn gair wrth Pete rhwbiodd eli *Deep Heat* dros y papur. Taniodd y papur a'i roi i Pete. Rhoddodd hwnnw ben y papur yn ei din ond ymhen deng eiliad yr oedd yn gweiddi mewn poen ac yn dawnsio ei ddawns fwyaf anhygoel erioed ar ei ffordd i eistedd mewn afon oer, gan ddiawlio Coffey a dweud, '*You bastard, Coffey. I thought you were my friend!*'

Yr oeddwn yn ddigon bodlon arwain Mick ar bob dringfa gan ei fod bob amser yn llawn hwyl. Dyma gychwyn ar y daith fil o filltiroedd i'r Dolomiti mewn dau gar wedi eu gorlwytho â phebyll, offer dringo a bwyd. Gyda'r nosau ar y ffordd i lawr, cysgwyd yn yr awyr iach y tu allan i dafarnau yn dilyn sesiynau meddwol. Treuliwyd un noson fythgofiadwy mewn tafarn yn Kempten yn ne'r Almaen lle treuliodd Mick y noswaith yn siarad â merch y tafarnwr a oedd wedi torri ei dwy goes. Erbyn inni faglu allan yn simsan tua dau o'r gloch y bore, clywais sôn am briodas ac ofnwn y byddwn wedi colli fy mhartner dringo cyn gweld y Dolomiti! Un arall a oedd yn ail da i Mick am hel merched oedd Smiler. Un noson, a ninnau wedi gwersylla y tu allan i'r Rifugio Paolina yn y Roda de Vael, llygadai Smiler un o'r gweinyddesau ifanc ac fe lwyddodd i'w smyglo fo i'w hystafell ar ôl amser cau. Tua dwyawr wedyn, cefais fy neffro gan andros o gynnwrf. Edrychais allan o'm pabell a gweld Smiler yn cael ei daflu allan drwy ddrws ffrynt y cwt gerfydd ei war gan fam Eidalaidd anferth a sgrechiai arno mewn Eidaleg. Cofiwch, yr oeddem yn dringo ambell waith hefyd!

Er bod Gordon a Smiler yn bartneriaeth fwy cytbwys a minnau'n anffodus gyda'r dihiryn 'Tiger' Mick, cawsom andros o hwyl. Yn ystod y daith honno, dringwyd tair dringfa eithriadol o anodd, 'Phillip-Flamm' ar y Civetta, 'Brandler Hasse' ar y Cima a 'Schrott Abram' ar y Roda de Vael.

Bryd hynny, ystyrid bod 'Phillip-Flamm' ar y Civetta yn un o'r dringfeydd creigiau anoddaf yn y Dolomiti a'r Alpau'n gyfan gwbl; 3,000 troedfedd serth gyda dringo ar ordo, rhan ohono'n graig rydd ac ansad iawn. Cychwynnodd Mick Coffey a minnau o'r cwt dan yr wyneb ar doriad gwawr. Wrth agosáu at y clogwyn, gwelais bedwar dringwr yn dod o gyfeiriad cwt Coldai a safai i'r dwyrain. Roedd hi'n amlwg eu bod yn anelu at yr un man â ni. Anogais Mick i frysio ond nid oedd yn heini iawn ac yr oedd yn dioddef o effeithiau gormod o'r *vino rosso* y noson cynt. Deuthum i'r casgliad fod cymdeithasu yn y cytiau ar y mynydd yn bwysicach iddo na'r dringo. Ond, er hynny, gan ei fod yn gymeriad mor garismataidd ac yn ffrind ffyddlon, cawsom lawer o hwyl.

Llwyddais i achub y blaen ar y pedwar dringwr arall at

ddechrau'r ddringfa ond yr oedd Mick yn bell ar ôl. Cyfnewidiwyd cyfarchion; yr oeddent yn bedwar dringwr enwog iawn – gŵr a gwraig o'r Swistir, Michele ac Yvette Vaucher a dau Almaenwr, Jorge Lehne a Dietrich Hasse. Cyn pen dim, yr oeddent yn barod i ddringo a chan fod Mick yn brwydro i ddod i fyny'r sgri, dywedais wrthynt am fynd o'n blaenau.

Yr oedd y pedwar rhyw dri chan troedfedd i fyny'r ddringfa pan ddaeth ein tro ni i gychwyn. Profodd yn ddringfa serth gydag ambell ordo. Yr oeddwn yn dringo'n dda ond câi Mick drafferth gyda'r uchder ac effeithiau yfed y noson cynt. Dringai'r pedwar o'n blaenau yn sydyn ac yn amlwg yn heini iawn. Cyn pen dim yr oeddent wedi mynd o'r golwg i rannau uchaf y ddringfa. Wrth i'r diwrnod fynd rhagddo, rhaid oedd rhoi cymorth i Mick ar y rhaff ac yn araf iawn y symudem ymlaen cyn i mi sylweddoli na fyddem yn cyrraedd y copa a dychwelyd i'r dyffryn y noson honno. Yr hyn a'm poenai oedd y diffyg offer *bivouac* gan mai'r bwriad oedd dringo i fyny ac yn ôl i lawr yr un diwrnod.

Wrth iddi ddechrau nosi, a ninnau ar y rhan a elwir yn 'Summit Chimneys', âi'r dringo'n anoddach gan fod y graig yn wlyb. Doedd hi ddim yn bosibl cael *bivouac* yma a dim dewis arall ond brwydro ymlaen yn oer ac annifyr gan gyrraedd y copa mewn tywyllwch, bron. Er ein bod yn ddiolchgar o fod ar le cymharol wastad, yr oeddem ar uchder o 10,000 troedfedd yn y tywyllwch heb offer bivouac. Dyma yfed ychydig o ddŵr, bwyta'r mymryn bwyd oedd gennym a gwasgu'n dynn at ein gilydd gan grynu drwy'r nos. Er bod y nos yn hir, drwy lwc fe ddaliodd y tywydd yn iawn. Dechreuodd wawrio tua phedwar o'r gloch y bore ac fe gychwynnodd y ddau ohonom ar i lawr yn syth.

Gan ein bod yn oer ac wedi blino, araf iawn oedd ein disgyniad i lawr y ddringfa.

Ar ôl rhai oriau o ddringo i lawr ac ar drawstaith, dechreuodd ein llwybr fynd ar i fyny. O ddarllen y tywyslyfr, cofiais fod yn rhaid croesi col cyn dod i lawr at gwt Coldai. Tybiais ein bod yn agosáu ato ond wrth fynd ymlaen, daethom at geblau ac ysgolion haearn. Yn raddol, sylweddolais ein bod yn dechrau dringo'r mynydd unwaith eto, i fyny'r ffordd hawdd arferol ar yr wyneb dwyreiniol. Rywsut, yn ein blinder a'n syrthni, yr oeddem wedi dilyn y llwybr anghywir. Yn wanllyd, aethom yn ôl nes canfod y llwybr cywir ac ymhen yr awr, yr oeddem yn ôl yng nghwt Coldai yn cael ein cyfarch ar y balconi gan y pedwar dringwr arall. Dros baned o goffi yn haul y bore ar ôl cael noson dda o gwsg yn y cwt, buont yn chwerthin wrth inni adrodd hanes ein taith epig. Yr oedd Mick yn ei hwyliau erbyn hyn ac yntau'n ôl yn y dyffryn ond addewais y byddwn yn ei gadw oddi ar y gwin cyn dringo gyda'n gilydd eto.

Tri thŵr anhygoel yn y Dolomiti, heb fod ymhell o Cortina yw'r Tre Cime di Lavaredo. Mae eu hwynebau gogleddol yn serth ofnadwy ac yn gordoi. Yn ystod fy ymweliad cyntaf â'r Dolomiti, dringais un o'r dringfeydd clasurol ar y tŵr canol, sef llwybr 'Comici' ar y Cima Grande. Yn ystod fy nhymor haf gyda Mick, buom yn llygadu 'Diretissima' i'r dwyrain o 'Comici', dringfa 'Brandler-Hasse'. Yn y 1960au yr oedd y ddringfa hon yn enwog am fod yn anodd dros ben. 1,800 troedfedd o uchder a'r 600 troedfedd cyntaf yn syth gydag ychydig o ordo, yn cael ei ddilyn gan 400 troedfedd yn gordoi ond y gweddill yn weddol hawdd i'w ddringo.

Cychwynnwyd yn gynnar yn y bore gan obeithio cyrraedd y silff gyntaf, lle rhesymol ar ôl mil o droedfeddi, i wneud *bivouac*. Dyma brofiad cyntaf Mick o ddringo serth a oedd yn parhau am gyfnod go lew ac ar y 600 troedfedd cyntaf gallwn roi cymorth iddo gyda rhaff ond ar yr ail ran, y gordo go iawn, rhaid oedd defnyddio *etrierau*. Doedd hi ddim yn hawdd rhoi cymorth iddo. Codem yn araf iawn ac wrth iddi dywyllu, yr oeddem yn dal rhyw gan troedfedd yn fyr o'r silff. Treuliwyd noson hir ac anghyfforddus yn hongian ar yr *etrierau* a minnau'n fewnol yn diawlio Mick am fod mor araf, ond hefyd yn fy melltithio fy hun am ddod ag ef ar ddringfa oedd y tu hwnt i'w allu a'i ffitrwydd. Nid oeddwn wedi ystyried hyn gan ei fod yn gyfaill agos ac yn gwmni da a lwyddai i'n cynnal drwy'r oriau hirion gyda'i hiwmor.

Ar draws y dyffryn mae cwt Locatelli ac yn ystod y min nos fe glywsom sŵn nodau côr meibion arbennig. Erbyn deall, yr oedd criw o fynachod yn aros yn y cwt dros nos a'u harmoni hardd yn afreal, bron, wrth iddo godi dros y dyffryn a ninnau'n hongian ar ddau sling heb ddim oddi tanom am fil o droedfeddi. Y bore wedyn, cawsom drafferth ailgychwyn gan ein bod yn oer a ninnau wedi cyffio a'r straen o fod ar sling bron wedi torri cylchrediad y gwaed. O'r diwedd, dyma gychwyn a chyrraedd y silff gan fwynhau gallu sefyll ar ein traed ar ôl wyth awr ar hugain yn hongian dros y dibyn. Dyma estyn y stof fach a pharatoi diod boeth. Daeth yr hwyliau'n ôl wedi deall fod y dringo caled ar ben ac y byddem i lawr yn y dyffryn erbyn diwedd y prynhawn. Ers y tro hwnnw, yr wyf wedi cael llawer *bivouac* annifyr ac anghyfforddus ond erys yr un yn hongian ar sling ar y Cima Grande yn fyw iawn yn y cof.

Dro arall cyn hynny yn y Dolomiti gyda John Harwood, dringwyd dringfa arall gan Brandler a Hasse, sef un ar y Roda de Vael yn y grŵp Catinaccio gyda'r enw 'Bulhweg', er cof am Hermann Buhl, un o'r dringwyr gorau erioed. Ar y ddringfa hon dyma gyfarfod dau ddringwr Eidalaidd, Erich Abram a Sepp Schrott ac yn ystod ein sgyrsiau ar y silffoedd, dywedodd y ddau wrthym eu bod wedi rhoi dringfa newydd, anodd ar wyneb gorllewinol y Roda de Vael. Yr oedd y ddringfa hon ar ein rhestr yn ystod yr haf poenus hwnnw yng nghwmni Mick Coffey. Llwyddwyd i'w chwblhau ymhen deuddeng awr heb drafferthion mawr ond yr oedd yn ddringfa frawychus ofnadwy oherwydd y creigiau rhydd a'r gordo du, annifyr, tua dwy ran o dair o'r ffordd i fyny. Chwe chan troedfedd i fyny, yn union o dan y gordo, yr oedd safle *bivouac* cyntaf Abram a Schrott. Yr oedd y graig mor feddal fel ei bod hi'n bosib tyllu neu naddu dwy hafn ynddi er mwyn iddynt fedru eistedd ar y silff yn eu *bivouac* dros nos, ac ar y gordo uwchben, defnyddiwyd pitonau rhew hir, naw modfedd, gan fod y rhai arferol yn rhy fyr. Serch hynny, yr oedd y rhai hir yn dal yn rhydd yn y graig ac yn bosibl eu tynnu a'u hailosod heb drafferth.

Ar ddringfa beryglus ac arswydus, llwyddwyd i gyrraedd y copa, heb deimlad o lwyddiant, dim ond y rhyddhad o fod yn dal yn fyw. Ni oedd y trydydd criw i gwblhau'r ddringfa, a'r Prydeinwyr cyntaf.

Wedi pedwar tymor yn olynol yn y Dolomiti, dechreuais gymryd diddordeb yng nghopaon rhew ac eira mawr yr Alpau gorllewinol, felly yn ystod yr haf dilynol euthum i wersylla yn Chamonix, wrth droed Mont Blanc yn Ffrainc gyda Cliff Phillips. Yr adeg honno, yr oedd y ddau ohonom yn dringo creigiau ar ein pen ein hunain yng Nghymru ac am roi prawf ar ein sgiliau ar y mynyddoedd mawr. Rhyw drefniant llac oedd gennym i ddringo gyda'n gilydd ond, hefyd, fe roddai'r rhyddid inni fynd i ddringo ar ein pen ein hunain pan fyddai'r awydd yn codi.

Ar ôl ymarfer ar ddringfeydd haws ac addasu'r corff i'r uchder, llygadwn Pilar Bonatti ar yr Aiguille du Dru a phenderfynodd Cliff groesi i'r Eidal i geisio dringo crib ddeheuol yr Aiguille Noire. Mae'r Dru yn fynydd trawiadol sy'n sefyll uwch dyffryn Chamonix ac wedi denu dringwyr ers cyfnod cynharaf y gamp. Dringwyd yr wyneb gorllewinol gan dîm o Ffrancwyr ym 1952 ond y ddringfa fwyaf uniongyrchol a thrawiadol oedd y piler de-orllewinol. Dringwyd ef am y tro cyntaf ym 1959 gan y dringwr enwog o'r Eidal, Walter Bonatti a ddaeth yn rhan o chwedloniaeth dringo. Dringodd y piler ar ei ben ei hun dros gyfnod o chwe diwrnod llawn pryder – camp anhygoel.

Yr oeddwn wedi dringo dringfeydd anodd ar fy mhen fy hun ym Mhrydain am rai blynyddoedd ac wedyn rhai yn y Dolomiti, ond yr oedd dringo'r ddringfa ar Pilar Bonatti yn gam mawr ymlaen i mi. Fy nymuniad oedd cael bod yr ail i'w ddringo ar ei ben ei hun. Er ei bod hi'n llawer haws dringo wrth ddilyn disgrifiad Bonatti a defnyddio'r pitonau a osodwyd ganddo ef a rhai eraill a fu'n dringo ar raff yn ddiweddarach, yr oeddwn yn ymwybodol o'r problemau seicolegol a bygythiad yr oerfel a'r amodau gwael eraill y byddwn yn eu hwynebu.

Wrth baratoi am y ddringfa hon y cyfarfûm â Leo Dickinson am y tro cyntaf, digwyddiad a fu'n garreg filltir bwysig yn fy mywyd. Yr oedd yntau hefyd â'i fryd ar ddringo Pilar Bonatti yng nghwmni ei gyfaill Brian Molyneaux. Ar y pryd yr oedd Leo, a oedd yn ddringwr da ac yn ffotograffydd, wrthi'n dysgu sut i ddefnyddio camera teledu. Estynnodd wahoddiad i mi ymuno â'i gyfaill ac yntau i gerdded i waelod y mynydd.

Dechreuodd Leo weithio fel ffotograffydd yn gyntaf, ond yn raddol meistrolodd y gamp o lunio rhaglenni dogfen.

Mae'n debyg mai fo yw'r gwneuthurwr ffilmiau campau antur gorau yn y byd. Ni allaf feddwl am neb arall sydd wedi cymryd rhan a ffilmio cymaint o amrywiaeth o gampau eithafol na Leo. Mae'n ddringwr, mynyddwr, awyrblymiwr, neidiwr *BASE*, balwnydd, deifiwr sgwba a phlymiwr tanddwr mewn ogofâu ac mae wedi cynhyrchu ffilmiau sydd wedi ennill gwobrau ym mhob un o'r meysydd hyn.

Er i'n perthynas fod yn gymysg ei natur dros y blynyddoedd, does gen i ond y parch mwyaf tuag at Leo o ganlyniad i'w frwdfrydedd a'i ddycnwch. Doedd hi ddim o bwys pa mor ddrwg neu anobeithiol fyddai dod i derfyn llwyddiannus ar ddringfa neu daith, byddai gan Leo gynllun cyfrwys a gobeithiol. Yn ystod *bivouac* tywydd gwael, byddai'n ymdrechu i ffilmio ac edmygwn ef am hynny. Heb Leo, fyddwn i ddim wedi cyflawni llawer o'r hyn y bûm yn anelu tuag atynt wrth ddringo ac awyrblymio ac am hynny, byddaf yn ddiolchgar iddo am byth.

Daliwyd trên i Montenverts a cherdded i lawr y llwybr serth a'r ysgolion haearn at rewlif y Mer de Glace. Gwaith hawdd oedd croesi'r rhewlif gan fod pob crefas yn amlwg ac yn hawdd i'w hosgoi. Ar yr ochr arall, dringai llwybr serth o gerrig rhydd i fyny at waelod y Dru ac ymhen dwyawr a hanner o Montenverts, yr oeddem wedi cyrraedd *bivouac* addas gan setlo yno i dreulio'r noson. Treuliwyd y min nos yn gwneud ein *bivouac* yn gyfforddus ac yn yfed te a diod lemon boeth. Âi'r sgwrsio ymlaen yn hwyliog fel arfer, gan drafod profiadau dringo, cynlluniau ar gyfer y dyfodol a merched, ond rhyw frolio gwag oedd hyn i guddio'r tensiwn wrth feddwl am y dringo oedd i ddod. Wrth i'm cyfeillion fynd i gysgu, amheuwn fy mhenderfyniad i ddringo ar fy mhen fy hun, a meddwl efallai y byddai'n ddiogelach rhaffu gyda'r ddau arall, gan hyderu y byddent yn fy nghroesawu i arwain y blaen gyda nhw. Am oriau bûm yn troi a throsi'r meddyliau hyn ond gwyddwn yn y bôn mai fy ystyfnigrwydd fyddai'n goroesi yn y diwedd.

Ymhen dim, bron, daeth hi'n amser cychwyn ac ar doriad gwawr, anelodd y tri ohonom at y mil troedfedd cyntaf a arweiniai tuag at Pilar Bonatti. Ar ei waelod, dyma drefnu pob dim, minnau'n gosod y cramponau ar yr esgidiau a Leo a Brian yn rhaffu ei gilydd. Roedd llawer o greigiau wedi syrthio yn y *couloir* ond dim gorchudd o rew ac eira i ddal y cerrig rhydd. Achosai hyn gryn bryder inni ond i ffwrdd â ni beth bynnag. Wrth godi, âi'r cwymp cerrig yn waeth a sylweddolais mai peth gwirion fyddai parhau gan y byddwn yn siŵr o gael fy nharo. Gwaeddais i lawr at y lleill fy mod yn troi'n ôl, a chytunodd y ddau. Ymhen awr yr oeddem yn ôl yn y *bivouac*. Gwyddem y byddai modd cyrraedd gwaelod y ddringfa oddi uchod drwy abseilio i lawr o'r col a elwir 'Flammes du Pierre'. Fe gymerai hyn fwy o amser ond byddai'n llawer mwy diogel ac felly, aethom yn ôl i Chamonix.

Ddeuddydd yn ddiweddarach, gydag addewid o dywydd braf, dyma ailgychwyn. Dringwyd rhewlif y Mer de Glace am ychydig hyd nes cyrraedd llwybr serth a oedd yn arwain i gwt Charpoa. Ychydig o adnoddau oedd yn y cwt hwnnw ond yr oedd yn llawer mwy derbyniol na'r *bivouac*. Yn gynnar cyn iddi ddyddio'r bore wedyn, gadawyd y cwt, croesi rhewlif crefasog Charpoa a dringo'n serth i'r 'Flammes du Pierre' a'i gyrraedd wrth iddi wawrio. Yn union gyferbyn yr oedd y piler mawreddog ac aeth amheuon drwy fy meddwl a fyddwn yn gallu ei ddringo ai peidio. Er fy mod yn brofiadol iawn, yr oedd hwn yn fwy o her nag unrhyw beth a ddringais ar fy mhen fy hun o'r blaen.

Rhoddais yr amheuon o'r neilltu a threfnu'r offer cyn

dechrau abseilio. Gan fod dwy raff gan Leo a Brian ac un gen i, dyma ddefnyddio'r tair er mwyn disgyn gant a hanner o droedfeddi ar y tro ac arbed amser wrth gyrraedd gwaelod y *couloir*. Oddi yma, doedd hi ond trawstaith fer ar hyd wyneb rhew serth i gyrraedd cychwyn y ddringfa. Ond y funud honno, dyma ddioddef un o sgil effeithiau'r adrenalin yn llifo – rhaid oedd 'datod clos'! Wrth imi 'wneud fy musnes', yr oedd y ddau arall wedi cyrraedd gwaelod y piler ac wedi dechrau dringo. Euthum innau ar eu holau ac ar ôl dau gan troedfedd, yr oeddwn wedi eu cyrraedd. Gan ddymuno pob lwc, i ffwrdd â mi ar fy mhen fy hun gan ddefnyddio dull a elwir yn *self belay*, lle defnyddir rhaff i ddiogelu eich hun wrth fynd i fyny'r rhannau anodd iawn. Ar bapur, mae'r system hon yn swnio'n iawn ond llanast fu'r profiad a gefais i a dweud y gwir. Yr oeddwn mewn cymaint o ddryswch gyda'r rhaff nes imi golli fy nhymer, dadwneud y llanast a stwffio'r rhaff i mewn i'm sach gefn. Ni ddefnyddiais y dull hwnnw wedyn.

Gan i'r tri ohonom gychwyn yn weddol hwyr yn y dydd, dechreuodd nosi pan oeddwn tua hanner y ffordd i fyny'r piler ac felly setlais mewn *bivouac* ar silff weddol. Ychydig wedyn, cyrhaeddodd y ddau arall ac er nad oedd rhannu *bivouac* yn nhraddodiad gorau dringo ar eich pen eich hun, mi wnes fwynhau eu cwmni a threulio noson ddigon braf yno.

Cychwynnais ar doriad gwawr y bore wedyn. Ar y dechrau yr oedd hi'n oer a'm dwylo'n ddiffrwyth, gan wneud y dringo'n anodd, ond yn raddol ac wrth imi gynhesu, cynyddodd fy hyder. Dechreuais fwynhau'r profiad gan ddal ati i ddringo drwy ddefnyddio gafaelion bach. Roedd hi'n gannoedd o droedfeddi i'r ddaear oddi tanaf a byddai un camgymeriad wedi bod yn angheuol, ond roedd y wefr (neu'r *buzz*) yn anhygoel. Cymerwn ofal wrth afael yn y graig a'r pitonau gan fod y graig yn frau a rhai o'r pitonau'n hen ac yn rhydlyd. Ar y rhannau gordo serth, rhaid oedd gosod fy ffydd yn y pitonau (a oedd yno'n barod) ac fe ddefnyddiwn ddau sling neilon a'u gosod yn sownd mewn dau biton bob tro, rhag ofn i un ddod i ffwrdd o'r graig, yn y gobaith y byddai'r llall yn dal rhag imi gael codwm!

Erbyn canol dydd, yr oeddwn wedi cyrraedd y rhan o'r piler a elwir yn 'Red Walls'. Arhosais ar silff dair troedfedd o hyd a throedfedd o led i orffwys. Uwch fy mhen yr oedd wal lefn heb afaelion. Wrth ymestyn fy mraich, gallwn gyrraedd piton a chysylltais *etrier* gyda chymorth bachyn ffiffi er mwyn bachu yn yr *etrier*. Ar ben y bachyn yr oedd twll bach a thrwy hwnnw rhedais bedair troedfedd o gortyn neilon o drwch carrai esgidiau, gan gysylltu'r pen arall i'm harnais dringo. Y syniad oedd i'r cortyn neilon dynhau ar ôl dringo'r *etrier* a thynnu'r bachyn ffiffi oddi ar y piton heb y drafferth o orfod estyn i lawr i'w nôl. O'r silff uwchben y piton gallwn weld bod hollt mewn cornel o'r graig ac y gallwn orwedd yn ôl a defnyddio fy mreichiau a'm coesau i groeswthio, gyda'm corff bron yn llorweddol. Dringais yr *etrier* yn ddidrafferth gan gamu o'r ffon uchaf i'r safle llorweddol. Gan fy mod yn defnyddio esgidiau mynydda trymion, llithrais wrth wthio a heb fedru dal gafael gyda fy nwylo, syrthiais tua deg troedfedd. Trwy ryw lwc anhygoel, glaniais ar fy nhraed ar y silff ond heb gael fy nghydbwysedd yn iawn a dechreuais syrthio wysg fy nghefn heb allu gafael mewn dim. Yn ystod yr eiliadau hynny, sylweddolais fy mod yn mynd i farw o ganlyniad i syrthio ddwy fil o droedfeddi a glanio yng ngwaelod y piler, ac wedyn syrthio pymtheg can troedfedd ar ôl hynny. Doedd dim gobaith arbed fy mywyd – dim ond ychydig o eiliadau brawychus fyddai ar ôl cyn taro'r gwaelod.

Wrth imi ddechrau syrthio dros ymyl y silff – twang! Stopiais yn sydyn wrth gael fy arbed gan y cortyn neilon oedd yn dal yn sownd yn y bachyn ffiffi. Drwy ryw ryfedd wyrth, yr oedd ffiffi wedi cloi am y piton ac wedi achub fy mywyd. Methwn â choelio hynny achos fe gynlluniwyd y ffiffi i ollwng yn rhydd o'r piton o ba bynnag ongl y'i tynnwyd ef. Llusgais fy hun yn ôl ar y silff, ac yno y sylweddolais pa mor frawychus fu'r hyn oedd newydd (neu bron!) â digwydd i mi. Eisteddais ar y silff mewn sioc, yn chwys oer i gyd, heb allu amgyffred pa mor lwcus y bûm i ac yn dychmygu sut deimlad fyddai syrthio i lawr y mynydd yn ystod yr eiliadau olaf cyn marw.

Wn i ddim am ba hyd y bûm yn eistedd yno ond mae'n siŵr ei fod yn dipyn go lew achos fe glywn sŵn lleisiau Leo a Brian wrth iddynt ddringo tuag ataf. Pan welsant fy ngwedd, holodd Leo beth oedd yn bod. Disgrifiais yr hyn a ddigwyddodd a chynhyrfodd Leo gymaint nes gweiddi arnaf i glymu rhaff yn sownd iddynt hwy. Eisteddodd y ddau wrth fy ochr ar y silff a dyma rannu dŵr a siocled. Ymhen rhyw chwarter awr, yr oeddwn wedi tawelu a dywedais fy mod yn benderfynol o orffen y ddringfa ar fy mhen fy hun. Er iddynt geisio newid fy meddwl, methu a wnaethant.

Dringais yn ôl i fyny'r *etrier* ac i fyny'r hollt yn ofalus a nerfus, a chyn pen dim yr oeddwn ar fy mhen fy hun unwaith eto. Wrth ddringo'n uwch, dychwelodd fy hyder yn araf ac yr oedd y dringo'n ardderchog, a phrofais y mwynhad unigryw a ddaw o'r rhyddid wrth ddringo ar eich pen eich hun. Wrth gyrraedd y rhannau anodd olaf, deuthum ar draws pedwar dringwr o Siapan. Yr oeddent i gyd wedi eu clymu ar un rhaff ac yn araf iawn. Gofynnais yn fonheddig a gawn i ddringo heibio iddynt ond anwybyddu fy nghais a wnaethant, felly rhaid oedd aros yn rhwystredig hyd nes y gallwn fynd heibio iddynt nid nepell o'r copa. Ymhen awr wedyn, yr oeddwn ar y copa.

Gorweddais yn haul y prynhawn i aros am Leo a Brian a chefais amser i gnoi cil dros yr hyn a ddigwyddodd, a sut y bu bron i'm profiad dringo Alpaidd ar fy mhen fy hun orffen cyn iddo ddechrau. Teimlwn falchder yn y ffaith fy mod wedi cwblhau'r ddringfa a'r bodlonrwydd o gofio imi wrthod ymuno â Leo a Brian ar y rhaff. Wrth edrych ar yr olygfa anhygoel o'm cwmpas yn ardal Mont Blanc, teimlwn fod bywyd yn felys iawn.

Yn ystod y blynyddoedd diwethaf, bu sawl cwymp creigiau anferthol ar y Dru ac erbyn hyn mae'r rhan fwyaf o'r piler ithfaen coch anhygoel a elwid yn Bilar Bonatti bellach yn gorwedd yn un twr o sgri toredig uwchlaw'r rhewlif. Yn ei le ar y mynydd mae craith hagr, lwyd.

Yn y deng mlynedd a ddilynodd fy llwyddiant ar Bilar Bonatti, teithiais i'r Alpau lawer gwaith gan ddringo llawer dringfa, rhai ar fy mhen fy hun ac eraill gyda chyfeillion. Y methiannau amlwg oedd 'Walker Spur' ar y Grande Jorrasses a dringfa 'Comici' ar y Cima Grande. Cefais ddau gynnig ar 'Walker', unwaith pan oeddwn yn brin o bres gwnes *fivouac* ar rewlif Leschaux a'r tro arall pan arhosais yng nghwt Leschaux. Bob tro, rhoddais y gorau iddi ar y *bergschund* o dan y piler o ganlyniad i dywydd gwael. Yr oedd y penderfyniad cyntaf yn iawn ond yr ail yn anghywir oherwydd pan ddychwelais i Chamonix, yr oedd hi'n ddiwrnod heulog, braf.

Methiant arall fu llwybr 'Comici' – dringfa ar y Cima Grande yn y Dolomiti. Yr oeddwn wedi ei ddringo o'r blaen gyda chyfaill ac wedi dringo'r 'Brandler Hasse' anoddach o lawer tua thri chan troedfedd i'r chwith, felly ni ddylai fod wedi bod yn ormod o broblem. Wrth ddechrau dringo, fedrwn i ddim ymlacio, efallai am fod ychydig o ordo o'r cychwyn a dim cyfle i gynhesu'n iawn ac yn waith dringo anodd. Efallai mai cachgïo a wnes, ond dyma droi'n ôl a cherdded ar draws y dyffryn at y man lle safai Leo gyda'i gamerâu. Nid wyf yn cofio'r rheswm a roddais am fy methiant ond cofiaf ei siom o golli cyfle i dynnu lluniau a'm rhwystredigaeth innau gyda'm diffyg penderfyniad y diwrnod hwnnw. Yr wyf wedi meddwl lawer gwaith pam y troais yn fy ôl ar adegau fel hyn – ai cachgïo wnes i, ynteu a gefais i ryw deimlad nad oedd pethau'n iawn. Ar ôl trafod gyda dringwyr eraill, gwn eu bod hwythau hefyd wedi profi'r teimladau hyn. Dros y blynyddoedd, penderfynais ddilyn y teimladau greddfol hyn; wn i ddim a oeddwn yn iawn ond bu'n help imi oroesi ar y mynyddoedd.

Treuliodd Cliff Phillips a minnau ychydig o dymhorau Alpaidd yn dringo gyda'n gilydd a phan ddeuai'r awydd drosom, aem i ddringo ar ein pen ein hunain. Cafwyd sawl epig yn ei thro, un ohonynt lle bu bron inni â chael ein lladd. Ar ôl cwblhau'r esgyniad Prydeinig cyntaf ar wyneb gogleddol yr Aiguille Blanche de Peuterey, copa sydd gyferbyn â Mont Blanc, ac wedi dringo'n dda mewn tywydd braf a chwblhau'r ddringfa mewn amser cyflym heb yr un broblem, daeth hi'n amser mynd i lawr. Byddai'n rhaid dod i lawr yn yr Eidal a dychwelyd i Chamonix drwy dwnnel Mont Blanc.

Wrth ddechrau dod oddi ar y mynydd, rhaid dringo ac abseilio i lawr y Roches Gruber, crib greigiog 1,500 troedfedd gyda chlogwyn rhew bygythiol pedwar can troedfedd wrth ei ochr. Daeth y rhan hon yn enwog pan fu farw pedwar o griw Walter Bonatti mewn storm ofnadwy wrth geisio dod i lawr ar ôl eu hymgais i ddringo piler canol y Freney ar Mont Blanc ym 1961. Wrth i Cliff a minnau ddod lawr, deuai'r clogwyn rhew yn fwy o faint ac yn fwy peryglus wrth ein hochrau. Clywyd ambell glec uchel ac yn achlysurol byddai darnau mawr o rew yn torri ac yn dod yn rhydd, gan syrthio gannoedd o droedfeddi i'r rhewlif oddi tanom. Pan oeddem yn sefydlu'r can troedfedd olaf o'r abseil i'r rhewlif, dyma andros o glec a thorrodd darn anferth o'r clogwyn i ffwrdd. Syrthiodd cannoedd o dunelli o rew heibio i ni gan lanio ar y rhewlif. Dyma ni'n swatio mewn ofn ac fe'n trawyd gan chwythiad y gwynt o'r codwm anferth a bu bron i ni gael ein chwythu ymaith. Yn sydyn, yr oedd y cwbl drosodd a'r ddau ohonom wedi dychryn yn arw ac wedi ein gorchuddio â darnau o rew. Ar y rhewlif oddi tanom, gwelem fôr symudol o ddarnau rhew yn symud i lawr rhewlif dyrys Freney.

Yr unig ffordd i gyrraedd pen y daith yn ddiogel oedd ar hyd llwybr yr eirlithrad, felly, yn bryderus iawn, dyma osod yr abseil olaf, tynnu'r rhaff i lawr a rhedeg am ein bywydau drwy'r darnau rhew a ffurfiai ran o'n man diogel rai munudau'n ôl. Wedyn, mewn lle gweddol ddiogel, eisteddodd y ddau ohonom i orffwyso ar ôl colli'n gwynt yn lân ond yn falch o fod yn fyw. Ar y funud honno, teimlai bywyd yn braf ac wrth gymryd cipolwg yn ôl, gallem weld darnau rhew o'r un maint â cheir mawr tua chwarter milltir o'r gwymp. Petaem wedi dod i lawr bum munud ynghynt, byddem wedi cael ein lladd. Ar ôl cael seibiant yno, mewn cryn syndod a dweud y lleiaf, dyma Cliff yn gweiddi 'i ffwrdd â ni' ac i lawr â ni.

Yn ystod y 1960au a'r 1970au byddai'r mwyafrif o'r dringwyr Prydeinig yn Chamonix yn gwersylla yn y Biolay, safle anghyfreithlon tua milltir i'r dwyrain o'r dref. Yr oedd yn flêr ac yn fudur – ond am ddim! Yn ystod y nos byddai'n swnllyd iawn, gyda dringwyr yn dychwelyd ac yn dathlu llwyddiant gyda'r gwin coch rhataf a'r garwaf a gynhyrchwyd erioed, a 'phenmaen-mawr' anferthol yn dilyn erbyn y bore. Byddai'r Siapaneaid yn gwersylla yno hefyd, yn gyfeillgar ac fel ninnau'n byw'n rhad. Teithient hwy i'r Alpau ar y trên Trans-Siberia, gan dreulio dyddiau lawer mewn amodau clòs ac anodd. Yn ôl un stori ar y pryd, pe byddai pymtheg ohonynt yn dod i ddringo, prynid tri ar ddeg o docynnau 'nôl a blaen a dau docyn unffordd gan y byddai un neu ddau yn siŵr o gael ei ladd yn ystod y tymor. Ai gwir neu beidio, wn i ddim, ond anaml iawn y byddai'r criw i gyd yn dychwelyd adref ar ddiwedd y tymor. Byddem yn gwybod yn iawn pan fyddai un ohonynt wedi ei ladd – casglent yn griw o gwmpas tân mawr yn y gwersyll a llosgi offer y dringwr. Gwastraff offer da efallai, ond dyna'r traddodiad.

Fel yn achos pob camp anturus, mae anafiadau a marwolaethau yn rhan o fywyd dringwr, a thros y blynyddoedd collais nifer o gyfeillion o ganlyniad i ddamweiniau dringo a neidio drwy'r awyr. Ar y pryd, daw teimlad o dristwch dwys wrth feddwl nad yw unrhyw gamp hamdden yn werth bywyd rhywun. Ond fel y dywedodd rhywun wrthyf unwaith, mae'r hen fedelwr mawr yn stelcian yn y cefndir a bydd rhywun yn tueddu i'w anwybyddu drwy gredu na fydd dim yn digwydd i chi. Dros y blynyddoedd bûm mewn sawl sefyllfa lle credwn fod y diwedd wedi dod – cael fy nal mewn dau eirlif bychan ar y Matterhorn, cael codwm ar y Dru, cael fy nharo gan fellten ar yr Eiger, y parasiwt ddim yn gweithio'n iawn yng Nghaliffornia a hedfan mewn balŵn dros Everest.

Do, yr wyf wedi colli llawer o gyfeillion dringo. Mae dau ohonynt, Arthur de Kuessel a Roger Baxter Jones, yn y fynwent yn Chamonix.

Yn ôl yr arfer, yr oeddem yn y Biolay a Mick Coffey a

minnau'n cynllunio ymgais uniongyrchol i gopa trawiadol y Grand Capucin uwchlaw'r Valle Blanche. Gofynnodd Arthur a'i gyfaill Rick Knight a gaent ein dilyn a chytunwyd ar hynny. Wrth baratoi i adael, dywedodd dau dîm arall eu bod am roi cynnig ar yr un ddringfa. Gan fod wyth o ddringwyr am fentro'r un ddringfa bellach, penderfynodd Mick a minnau newid ein cynlluniau ac aros yn y dyffryn. Fues i erioed yn hoff o fod ar ddringfa gyda chriw o ddringwyr eraill – mae'n drysu'r llonyddwch sy'n apelio cymaint ataf, yn ogystal â chynyddu'r perygl o gwymp creigiau wedi ei achosi gan ddringwyr eraill.

Beth bynnag, penderfynodd Arthur a Rick barhau gyda'r ymgais a'r prynhawn hwnnw, gadawsant Chamonix i dreulio'r nos yng nghwt Torino cyn dechrau dringo y diwrnod wedyn. Y diwrnod hwnnw, llwyddodd y ddau i ddringo hanner ffordd i fyny'r piler cyn aros mewn *bivouac*. Yn ystod y nos, trawyd ardal Mont Blanc gan storm ffyrnig, y storm waethaf yn yr ardal ers blynyddoedd. Roedd Mick a minnau mewn bar yn y dref ac yn diolch i'r nefoedd nad oeddem ar y mynydd. Diffoddodd y trydan yn y dref ond roedd y mellt mor niferus nes ei bod fel canol dydd a'r taranau'n fyddarol. Poenem am ein cyfeillion ar y Grand Capucin am ei fod, oherwydd ei safle a'i siâp, yn ddargludwr mellt naturiol. Y diwrnod canlynol clywsom fod ein cyfeillion wedi marw, yn ogystal â thri dringwr arall ar yr un mynydd. Y noson honno lladdwyd pymtheg dringwr gan fellt yn ardal Mont Blanc. Ers hynny, bûm ar lawer mynydd mewn storm ond mae bygythiad mellt yn codi mwy o ofn arnaf nag eirlithriad na chwymp cerrig a rhew.

Lladdwyd Roger Baxter Jones, a fu'n gweithio gyda mi yn yr ysgol ddringo Americanaidd yn Zermatt, rai blynyddoedd yn ddiweddarach, yn ogystal â thri dringwr arall pan syrthiodd piler mawr o rew arnynt ar wyneb gogleddol yr Aig du Triolet.

Yn dilyn digwyddiadau fel hyn, byddaf yn holi fy hun paham ydym yn dal i ddringo a chynifer o'n cyfeillion yn cael eu lladd?

Pennod 5

BADILE A PHILAR BROUILLARD

Mynydd yw'r Piz Badile yng ngrŵp Bregaglia sydd ar y ffin rhwng yr Eidal a'r Swistir. Mae'n mesur tua 11,000 o droedfeddi ac fe'i dringwyd am y tro cyntaf ym 1867 gan Sais o'r enw W. A. B. Coolidge a dau dywysydd. Ddeg a thrigain mlynedd yn ddiweddarach, ym 1937, dringwyd yr wyneb gogledd-ddwyreiniol gan dri Eidalwr gan gynnwys yr enwog Riccardo Cassin. Yn ystod y ddringfa, ymunodd dau ddringwr Eidalaidd arall gyda hwy. Cawsant eu dal mewn storm enbyd ac ar ôl tridiau cyrhaeddwyd y copa. Bu farw un o'r dringwyr o orflinder ac un arall ar y ffordd i lawr ar yr ochr Eidalaidd. Dros y blynyddoedd, daeth y ddringfa hon yn adnabyddus fel un o chwe dringfa glasurol wynebau gogleddol yr Alpau.

Gan fy mod wedi darllen hanes y Badile, yr oedd ar y rhestr yn fy meddwl o'r dringfeydd yr oeddwn am eu gwneud, un y byddwn yn rhoi cynnig arni ar fy mhen fy hun. Petai'r tywydd yn dda, gwyddwn mai dringo creigiau fyddwn i, ond roedd unrhyw dywydd gwael yn troi wyneb y graig fel gwydr. Dringo dros rew llyfn ar graig yw'r math anoddaf o ddringo gan nad oes digon o ddyfnder rhew i flaen crampon dyllu iddo ond mae bron yn amhosib dringo hebddynt. Felly, rhaid dringo ar flaenau'r traed gan ddefnyddio'r gafaelion ar flaen y cramponau. Gan gofio hyn, penderfynais y byddwn yn dringo gyda sach ysgafn ar fy nghefn er mwyn imi allu dringo'n gyflym gan leihau'r perygl o gael fy nal mewn tywydd drwg. Ffaith arall oedd bod cwt *bivouac* ychydig islaw'r copa ar yr ochr ddeheuol. Er bod presenoldeb y cytiau *bivouac* hyn yn lleihau'r her wrth ddringo'r mynyddoedd, maent yn fodd i arbed bywydau ac yn ystod fy mlynyddoedd ar y mynyddoedd buont yn noddfa ddiogel lawer tro.

Ar ôl derbyn rhagolygon tywydd sefydlog o'r swyddfa twristiaeth yn St Moritz, aeth Bett, fy nghariad ar y pryd, a minnau i lawr drwy Fwlch Majola i Bondo ac oddi yno i fyny'r ffordd arw drwy'r goedwig at ei phen pellaf. Ffarweliais â Bett gan ddweud y byddwn yn ôl y noson ganlynol, rhoi'r sach gefn drom ar fy ysgwyddau a chychwyn am gwt lloches Sasc Fura. Roedd y llwybr drwy'r coed yn hir a serth yng ngwres haul y prynhawn ac ar ôl tua phedair awr, cyrhaeddais y cwt. Yn y dyddiau hynny, gan nad oedd gennyf lawer o arian, byddwn yn cysgu y tu allan i'r cytiau rhag gorfod talu. Cariwn ddigon o fwyd ar gyfer y pryd nos, sach gysgu a sach *bivouac* yn y sach gefn a byddwn yn eu gadael yn y cwt y bore canlynol. Cyn setlo am y nos, euthum i gael golwg ar y llwybr tuag at yr wyneb gogleddol cyn setlo yn y *bivouac* – testun difyrrwch i'r rhai a gysgai y tu mewn i'r cwt. (Mae'n amlwg eu bod yn gyfoethocach na mi!) Yn ystod y nos, dechreuodd fwrw glaw ac erbyn y bore yr oedd pob dim yn wlyb domen. Euthum i mewn i'r cwt a gwario ychydig o'm pres Swistir prin ar bowliad o goffi trwy lefrith poeth.

Erbyn canol y bore yr oedd y tywydd wedi clirio, felly penderfynais ddringo, gan gofio bod gennyf dri dewis unwaith y byddwn ar y copa – naill ai aros yn y cwt *bivouac* ger y copa os oeddwn yn hwyr, dod i lawr y grib i Sasc Fura, neu fynd i lawr yr ochr ddeheuol i'r Eidal pe bai gen i ddigon o amser. Am yr hanner can troedfedd cyntaf, yr oedd y graig yn wlyb a chan nad oeddwn wedi cynhesu, yr oeddwn yn falch o gael defnyddio rhai pitonau a oedd eisoes yn eu lle er mwyn tynnu fy hun i fyny. Unwaith yr oeddwn uwch y darn cyntaf, dechreuais fwynhau fy hun gan fod y graig yn sychu a fawr o bwysau ar fy nghefn – dim ond fy nghôt law, trowsus a chant a hanner troedfedd o raff tenau ar gyfer unrhyw argyfwng. Gan fod y dringo o fewn fy ngallu, dringwn yr wyneb yn weddol sydyn. Erbyn diwedd y prynhawn, yr oeddwn wedi cyrraedd yr hyn a elwir yn 'Summit Chimneys'. Yr oeddent yn dal yn wlyb ond yn ddringadwy, er, fe allai'r sefyllfa newid yn llwyr petai'r tymheredd yn gostwng a'r wyneb yn rhewi. Gallwn ddychmygu ymdrech arwrol Cassin a'i gyfeillion yn y fan honno wrth frwydro i gyrraedd y copa mewn storm. Cyrhaeddais innau'r copa mewn amodau mor wahanol – min nos anhygoel gyda'r haul yn machlud dros gopaon Bernina. Gan eistedd ar y copa, teimlwn foddhad a balchder yn yr hyn yr oeddwn wedi ei gyflawni, ond rhywsut, yr oedd rhywbeth ar goll, fel petai'r cyfan wedi bod yn rhy hawdd a minnau heb ddioddef digon!

Wrth hel meddyliau fel hyn, wnes i ddim sylwi ar ddyn yn dod tuag ataf o gyfeiriad y cwt *bivouac* o dan y copa ar yr ochr ddeheuol. Gwaeddodd gyfarchiad mewn Eidaleg cyn dod ataf, ysgwyd llaw a chyfeirio i lawr at y grib ogleddol. *'Spigolo solo?'* ('Ar hyd y grib?') holodd. *'No nordwand solo,'* (Na, o wyneb gogleddol ar fy mhen fy hun') atebais innau. Gwaeddodd yn gynhyrfus, *'Bellissimo, bellissimo!'* ('Gwych! Gwych!) gan ysgwyd fy llaw unwaith eto. Gyda'r ychydig eiriau o Saesneg oedd ganddo ef a'r chwe gair Eidaleg oedd gen i, deallais ei fod wedi dringo i fyny'r ochr ddeheuol haws o gwt Gianetti yn yr Eidal i dreulio'r noson yn y cwt *bivouac* ger y copa. Ystyriwn fynd i lawr i gwt Gianetti yng ngolau'r lamp oedd gen i ond nid oedd fy nghyfaill newydd yn fodlon gwrando ar hynny: *'You stay bivouac hut mucho vino.'*

Nid oedd angen troi fy mraich! I lawr â fo i'r cwt a dod yn ôl gyda photel fawr o win ac ychydig o gaws a bara. Yno, ar y copa, yn bwyta a dechrau meddwi gan edrych ar yr haul yn machlud, teimlem mai copa Piz Badile oedd y lle gorau ar y ddaear. Yna, yn ddigon simsan, aethom i lawr i'r cwt a'r ddau ohonom erbyn hynny yn gyfeillion mynwesol. Yr oedd yntau, fel finnau, wedi bod yn dringo ym Mhatagonia. Coginiodd gawl ac yn wyrthiol, ymddangosodd potel arall o win o'i sach. Noson hyfryd!

Deffrais mewn panig; yr oedd gennyf gur pen ofnadwy a'r Eidalwr yn y sach gysgu wrth fy ochr yn chwyrnu dros y lle. Daeth yr atgofion am y dathlu yn ôl a sylweddolais yn sydyn y byddai Bett yn poeni am nad oeddwn wedi dychwelyd y noson cynt fel yr addewais iddi.

Gan fod barrug y nos wedi rhewi'r dŵr ar yr ochr ogleddol, yr oedd hi'n debygol fod dringo ac abseilio i lawr y grib i gwt Sacs Fura yn mynd i fod yn broblem. Y ffordd gyflymaf yn ôl i'r Swistir felly oedd mynd i lawr i gwt Gianetti ac yn ôl am Bondo drwy Fwlch Trubinasca. Pan oeddwn ar fin cychwyn, dyma Guiseppi, fy ffrind Eidalaidd yn mynnu fy mod yn cael ychydig o *gluvine* (gwin cynnes gyda llysiau ynddo) i'm cynhesu cyn cychwyn. Felly, yn ansad ar fy nhraed a chyda pen fel meipen y dechreuais fynd i lawr i'r Gianetti. Er bod y daith yn weddol hawdd, bu bron imi gael codwm o ganlyniad i effaith y gwin a byddai hynny wedi bod yn ddiweddglo trist i daith ddringo fythgofiadwy.

Yn ddigon simsan yr euthum heibio cwt Gianetti ac i fyny Bwlch Trubinasca. Ymhen dwyawr, dyma gyrraedd 'Frontier Ridge' a dechreuais fynd i lawr i'r Swistir. Dipyn o'r ffordd i lawr y llwybr serth mae cwt *bivouac* bach Vanietti a'r tu allan iddo yr oedd gwraig nobl yn coginio gyda chrochan anferth. Rhyfeddais o weld y wraig mewn lle mor anghysbell a hithau'n amlwg ddim yn ddringwraig. Galwodd arnaf a chynnig pasta i mi. Derbyniais ef yn ddiolchgar. '*Vino?*' holodd. Gwrthodais ei chynnig gan fod fy mhen yn dal i droi ond gwthiodd lond gwydraid i'm llaw a mynnu fy mod yn ei yfed. Coginio ar gyfer criw o syrfewyr a ollyngwyd o hofrennydd oedd hi erbyn deall. Tua awr yn ddiweddarach, dyma ailgychwyn ar i lawr ac er imi chwysu gormodedd y noswaith cynt allan o'm corff ar y ffordd o'r Eidal, yr oeddwn yn bur simsan unwaith eto, diolch i'r wraig wrth *fivouac* Vanietti! Gyda'r nos, cyrhaeddais y maes gwersylla yn Bondo a hynny bedair awr ar hugain yn hwyr. Roedd Bett wedi poeni amdanaf a gwylltiodd wrth glywed fy hanes yn yfed ar y mynydd ond cefais faddeuant ganddi wedi i mi adrodd hanes y deuddydd bythgofiadwy ar Piz Badile. Y newydd drwg oedd bod pedair awr o chwysu i'r Sasc Fura o'm blaen, er mwyn nôl fy offer *bivouac*.

* * *

Mae dringo Mont Blanc o'r ochr ogleddol (o Chamonix) yn gymharol ddidrafferth i ddringwr profiadol ond gwaith anodd yw cyrraedd rhan ddeheuol anghysbell ac anial Mont Blanc, a hynny o ganlyniad i arwyneb llawn crefasau peryglus rhewlifau Freney a Brouillard. Ym mhen y Brouillard mae tri philer carreg mil a hanner o droedfeddi o uchder. Ym 1970 Piler Canol y Brouillard oedd yr her fawr olaf nad oedd wedi cael ei ddringo ar Mont Blanc a chredai ein tîm ni, braidd yn uchelgeisiol, y byddai'n ymarfer da ar gyfer ein bwriad i ffilmio dringo wyneb gogleddol yr Eiger.

Aelodau'r tîm oedd Leo Dickinson, 24 oed, a oedd yn prysur wneud enw iddo'i hun fel gwneuthurwr ffilmiau dogfen ac ef oedd yn annog ein hymdrech ar yr Eiger; yr oedd Cliff Phillips, dringwr dawnus a oedd i fod yn ail ddyn camera ar yr Eiger, yr un oed â Dickinson ac er nad oedd Cliff wedi dod ato'i hun yn hollol yn dilyn y godwm a gafodd ym Mwlch Llanberis ddeufis ynghynt, nid oedd dim am ei rwystro rhag ymuno â'r tîm pan gychwynnwyd am yr Alpau; blwyddyn yn ieuengach na'r ddau hyn oedd Pete Minks, partïwr hoff o'i beint, yn gryf iawn ac yn ddringwr ardderchog unwaith y câi ei gyflyru.

Yn ystod haf 1970 dyma yrru i lawr am yr Alpau gan aros yn Chamonix ar ochr Ffrainc i Mont Blanc. Dyma lle byddem yn ymarfer ar gyfer yr Alpau yn ogystal â chael nosweithiau o hwyl – ac ambell i botel o win rhad! Wrth edrych yn ôl, mae'n siŵr y byddem wedi bod yn llawer mwy llwyddiannus petaem wedi cymryd y dringo fwy o ddifrif ac wedi gofalu am ein cyrff yn lle eu hambygio. Wedi rhai dyddiau o yfed ac ychydig o ddringo, dyma yrru drwy dwnnel Mont Blanc i dref Courmayeur yn yr Eidal, ar ochr ddeheuol y mynydd. Wedyn, gosod ein pebyll yn Val Veny, dyffryn hardd yn uchel uwchben Coumayeur.

Wedi rhai dyddiau er mwyn setlo a chael trefn ar yr offer a'r bwyd, dyma gychwyn am gwt Monzino, tua thair awr i ffwrdd wrth fôn rhewlif Brouillard a'r cerdded yn galed. Ar ôl cyrraedd y cwt ar tua 9,000 troedfedd, wedi blino'n lân ar ôl cario'r sachau trwm, cawsom gipolwg syfrdanol ar ein nod, 4,000 troedfedd uwchben, uwchlaw'r rhewlif, sef tri philer ithfaen ar ben rhewlif Brouillard. Ar y chwith mae'r Pilastro Rosso a ddringwyd, yn dilyn nifer o ymdrechion arwrol, gan yr Eidalwr enwog Walter Bonatti ym 1959. Dringwyd yr un ar y dde gan John Harlin, Brian Robertson a Chris Bonington ym 1965. Doedd ein targed ni, y Piler Canol, ddim wedi cael ei ddringo ac er nad oedd mor drawiadol â'r Pilastro Rosso (Y Piler Coch), yr oedd yn llawer mwy peryglus gan fod eirlithradau yn ysgubo i lawr o'r llethrau serth dan grib y Brouillard.

Wedi noson yng ngwt Monzino, dyma gychwyn y bore canlynol am gwt *bivouac* Eccles: ymdrech galed a barodd saith awr i fyny rhewlif anhrefnus a pheryglus Brouillard. Yr oedd llawer o grefasau cudd a rhaid oedd bod yn ofalus iawn. Yn y diwedd, cyraeddasom y *bivouac*, gyda'r holl ymdrech wedi ein blino ni'n llwyr gan fod rhaid cadw golwg am grefasau cudd drwy'r amser wrth groesi rhewlifau peryglus.

Mae cwt *bivouac* Eccles tua chwe throedfedd o uchder, chwe throedfedd o led a deg troedfedd o hyd, gyda phedwar gwely, felly nid oedd fawr o le gyda'r holl offer. Cysgais yn anwadal yn ôl fy arfer, gan gasáu'r lleill oedd yn chwyrnu wrth gysgu'n fodlon braf. Yr oedd fy meddwl yn rhuthro ar ras wyllt wrth ystyried yr hyn oedd o'n blaenau y bore canlynol. Unwaith y byddem wedi dringo'r daith i waelod y piler, byddem ar dir anghyfarwydd. Y bore wedyn, aildrefnwyd yr offer yn bryderus wrth feddwl am yr hyn oedd o'n blaenau, ond unwaith yr oeddem wedi cychwyn, fe wellodd pethau. Gwaith anodd iawn oedd croesi'r *bergschrund* llydan a dwfn sy'n gwahanu'r piler oddi wrth y rhewlif, a hynny am fod y rhewlif yn symud drwy'r amser. Y diwrnod hwnnw, dyma ddringo tri chan troedfedd i fyny'r piler gyda'r tywydd yn prysur ddirywio, Pete a minnau ar y blaen a Leo, gyda chymorth Cliff, yn ffilmio. Ar ddiwedd y prynhawn, penderfynwyd creu *bivouac* ar ddwy silff fach. Yr oeddent yn anghyffordus, gyda'r gwynt yn codi a hithau'n bwrw eira. Nid oedd y rhagolygon ar gyfer y diwrnod wedyn yn dda. Bu'n bwrw eira drwy'r nos ac erbyn y bore wedyn, nid oedd angen trafodaeth gan mai'r unig ddewis oedd mynd yn ôl. Cadwyd yr offer mewn tywydd oedd yn dirywio'n gyflym, gyda'r gwynt cryf yn gyrru'r eira gan droi ein hoffer a'n dillad yn wlyb yn y lluwch. Daethom i lawr y piler yn weddol rwydd drwy abseilio ac wedi croesi'r *bergschrund*, yr oeddem yn ôl ar rewlif Brouillard. O dan amodau gwael, o leiaf dwy droedfedd o eira newydd a phob man yn wyn, edrychem ymlaen at gyrraedd diogelwch cwt Eccles oedd heb fod ymhell i ffwrdd tua'r dwyrain.

Wrth edrych draw i gyfeiriad y cwt, dyma sylweddoli y byddai'r cymal nesaf yn beryglus iawn gan fod angen croesi'r rhan rhwng y golofn ganol a'r un ar y dde o dan fygythiad eirlithradau parhaol. Felly, yn hytrach na dringo'r pellter cymharol fyr i gwt Eccles, yr unig ddewis oedd mynd i lawr y rhewlif at ddiogelwch cwt Monzino. Gyda'r eira'n lluwchio i'n hwynebau a thrwy drwch mawr o eira, yr oedd perygl drwy'r amser y byddem yn syrthio i grefas cuddiedig, felly yr oedd y pedwar ohonom wedi ein rhaffu wrth ein gilydd. Pete a minnau oedd ar y blaen yn torri llwybr ac yn angori'r cefn gyda'r ddau arall yn y canol.

Wedi rhai oriau o symud ymlaen fel hyn, daethom at lethr oedd yn drwm dan eira. Gyda Pete ar y blaen a minnau yn y cefn, yn sydyn, torrodd yr eira ac fe lusgwyd Pete i lawr y llethr gyda'r ddau arall yn dilyn. Plannais fy nghaib rhew yn yr eira meddal cyn galeted ag y gallwn er mwyn dal y lleill, ond nid oeddwn yn hyderus iawn y gallwn eu dal gan fod yr eira mor feddal. Ymhen eiliadau, tynhaodd y rhaff yn sydyn gan fygwth fy llusgo i lawr y llethr. Pwysais ar y gaib gyda'm holl nerth a thyllu'r cramponau i mewn i'r eira. Llwyddais i ddal fy ngafael gan feddwl fy mod wedi llwyddo i arbed y tri arall. Ond yn sydyn, dyna fi'n cael cythgam o blwc a'm taflodd ar fy mhen i lawr llethr yr eirlithrad yn sydyn iawn a chanlyn y lleill i gyfeiriad crefas anferth. (Mae'n debyg mai'r godwm a ataliais yn wreiddiol oedd codwm un dringwr, gyda'r ddau arall yn dal i syrthio, felly pan dynhaodd y rhaff arnynt, cefais fy nhynnu i lawr gyda nhw.) Ysgubwyd ni tua chant a hanner o droedfeddi i lawr y llethr gan syrthio ddeugain troedfedd i grefas. Yr oeddwn wedi dychryn yn arw a theimlwn mai dyma'r diwedd. Wrth syrthio i lawr y llethr, ceisiwn atal y gwymp gyda'r gaib ond yna, syrthiais drwy'r awyr gan lanio ar fy nghefn, rywle yn y crefas, bron â'm claddu mewn eira. Wyddwn i ddim ble'r oeddwn i ac ofnwn godi rhag syrthio ymhellach. Yna, clywais Cliff yn gweiddi, *'You're OK Eric, we are on a good snow bridge.'*

Codais o ganol y rhaff, y gaib a'r eira a chyda rhyddhad, sylweddolais nad oeddwn wedi brifo – wedi cael ysgytiad go lew ond yn iawn. Cododd fy ysbryd wrth weld y byddai'n weddol hawdd dod o'r crefas a oedd ar lechwedd serth ond gyda'r ymyl isaf heb fod yn ddwfn iawn, a byddai rhyw bymtheg troedfedd o ddringo'n ddigon i ddod â ni allan.

Yr oedd y lleill mewn cyflwr gwaeth na mi, gyda Pete yn anymwybodol a Leo'n sgrechian mewn poen bob tro y symudai. Er bod Cliff yn iawn, nid oedd ar ei orau yn dilyn y ddamwain a gafodd ym Mwlch Llanberis. Ymhen ychydig, daeth Pete ato'i hun ond yn fwy na thebyg wedi torri ei asennau wrth lanio ar ei gaib rhew, ond prin y gallai Leo symud gan iddo anafu ei nerf clunol (*sciatic*) ac felly yr oedd mewn cryn boen.

Ymhen hir a hwyr, llwyddodd Cliff a minnau i gael y ddau arall allan o'r crefas a chan ddefnyddio un o'r sachau cefn fel sled, llusgwyd Leo i lawr y rhewlif. Dilynai Pete yn edrych fel drychiolaeth ac mewn poen. Yr oedd y storm wedi gostegu erbyn hyn ond ni allem weld yn bell eto. Treuliwyd y diwrnod mewn byd gwyn (neu *whiteout*) yn cerdded yn igam ogam rhwng y crefasau wrth geisio dod i lawr heb syrthio i grefas arall. Ar ôl cyrraedd rhan lai serth wrth iddi nosi, dyma fi'n dweud wrth y lleill am aros yn y fan honno hyd nes y byddwn yn cael hyd i le addas i osod *bivouac*. Yn dal yn y *whiteout*, nid oedd gennym syniad ymhle'r oeddem. Cerddais i'r dwyrain am tua chan troedfedd, canfod lle addawol rhwng creigiau a rhew a dechrau clirio i wneud lle. Yna, deuthum ar draws pibell fetel ar y llawr – pibell a gariai'r cyflenwad dŵr i gwt Monzino. O, am lwc – brysiais yn ôl at y lleill gyda'r newyddion da. Gallem yn awr edrych ymlaen at noson gyfforddus yn y cwt yn lle noson oer, annifyr mewn *bivouac*. Dyma ddilyn y bibell ac ymhen hanner can llath cyrhaeddwyd y cwt. Er yr anafiadau i Pete a Leo, yr oedd pawb wrth eu bodd o gael bod yn ddiogel a chynnes yng nghwt Monzino. Yn ddiweddarach y diwrnod canlynol, aethom yn araf i lawr i Val Veny ac ymlaen i Courmayeur er mwyn derbyn cymorth meddygol. Ar y ffordd i lawr, edrychais dros fy ysgwydd ac addewais y byddwn yn dod yn ôl.

Chwe mis yn ddiweddarach, yr oedd Pete a minnau'n ôl yng nghwmni Tom Herley, dringwr Alpaidd profiadol iawn. Gan mai ymgais yn ystod y gaeaf fyddai hon, cawsom gwrs brys gan Bob Brigham (o Ellis Brigham, Capel Curig) ar sgïo. Efallai bod y term Saesneg *crash course* yn fwy addas i ddisgrifio ymdrechion Leo! Ar ei ail ddiwrnod, torrodd ei goes gan roi terfyn ar ei ddringo am rai misoedd, felly daeth Tom atom i'r tîm. Aeth y tri ohonom allan i Courmayeur yn fy fan *Mini* a oedd hefyd yn gartref inni, yn ogystal â phabell fechan. Yn yr haf, mae'r ffordd i Val Veni yn serth i geir ond yn y gaeaf bydd y ffordd ar gau, felly mae'n rhaid teithio ar sgïs, gyda'r bygythiad o eirlithradau drwy'r amser.

Gadawsom Courmayeur yn cario sachau mawr trymion

ar ein cefnau a chyrraedd Val Veni. Gyda'n gallu sgïo
cyfyngedig daethom i sylweddoli y byddai'n cymryd amser
maith i gyrraedd cwt Monzino ac fe ddaeth atyniad sgïo ar y
piste a'r atyniadau yn Courmayeur (ar y 'piste' fel arall!) â
therfyn i'n breuddwydion o ddringo Piler Canol y
Brouillard.

Wedi imi ddringo Pilar Bonatti ym 1969, yr oeddwn yn
hyderus yn fy ngallu i ddringo'r wynebau mawrion yn yr
Alpau ar fy mhen fy hun a theimlwn ei bod hi'n dipyn o her
dringo'r Piler Canol, oedd heb gael ei ddringo bryd hynny.
Felly, ym 1971, yr oeddwn yn ôl, y tro hwn gyda'm cariad
Bett a'r bwriad oedd ei ddringo ar fy mhen fy hun. Fe
drefnodd Leo gytundeb gyda'r cylchgrawn Ffrengig *Paris
Match* i ddilyn yr ymgais. Yr oeddent wedi cyflogi'r dringwr
Ffrengig enwog Rene Desmaison i ddringo crib gyfagos fel y
gallai dynnu lluniau ohonof ar y piler. Er mwyn cysylltu â'n
gilydd yr oedd gennym radio ond am ryw reswm ni fedrwn
glywed siw na miw gan Desmaison. Er hynny, bu'r ffaith fod
y radio gennyf yn fodd i arbed fy mywyd.

Ar ôl ychydig o ymarfer dringo, aeth Bett a minnau o
gyfforddusrwydd y maes pebyll yn Val Veni a cherdded i
fyny am gwt Monzino. Treuliais y diwrnod wedyn yn bwyta ac
yn gorffwyso yn yr haul. Yn ddiweddarach, gorweddwn ar fy
ngwely gan geisio cysgu ond daliwn i feddwl am yr her anferth
o'm blaen. Nid y dringo oedd fy ofn mwyaf ond croesi'r
rhewlif. Onid oeddwn wedi dod yn agos at gael fy lladd wedi fy
rhaffu i dri chydymaith ac yn awr am fentro ar fy mhen fy hun
heb raff i'm dal rhag cael codwm i grefas anweledig? Gan gofio
hyn, a chofio hanes sgïwr a arbedodd ei fywyd drwy wthio'r
polion sgïo i ochr crefas, cariwn ddau bolyn sgi yn y gobaith
y gallwn eu gwthio i'r ddaear er mwyn rhwystro codwm.

Am hanner nos ar noson oer, glir, ffarweliais â Bett ac i

ffwrdd â mi am rewlif Broulliard. Yn araf ac ar daith igam ogam, gweais fy ffordd rhwng y crefasau dyfnion yn cario sach drom iawn. Er y dychmygwn bod y crefasau mawr hyn yn barod i'm llyncu, yr oedd arnaf fwy o ofn y rhai cudd, felly euthum yn fy mlaen yn bwyllog gan archwilio'r eira o'm blaen gyda'r gaib rhew. Wrth godi, teimlwn yn unig ac yn ofnus. Ddwy flynedd cyn hynny, roeddwn wedi dringo Pilar Bonatti ar y Les Dru yn Chamonix, dringfa gyfarwydd gyda dringwyr eraill arno ond yr oedd hyn yn hollol wahanol. Yr oeddwn yn croesi rhewlif peryglus ac anghysbell i geisio dringo rhywle am y tro cyntaf, heb wybod am y trafferthion na'r peryglon. Croesi rhewlif crefasog yw rhan waethaf dringo ar eich pen eich hun am fod y peryglon yn aml iawn yn rhai cudd. Os cewch godwm i grefas, yna nid oes neb a all roi cymorth i chi. Dringais yn bryderus i fyny'r rhewlif gan osgoi'r crefasau mawrion a dal y polion allan yn y gobaith, petawn yn cael codwm i grefas, y byddwn yn gallu eu gwthio i'r ochrau a rhwystro'r godwm. Erbyn y bore, yr oeddwn wedi cyrraedd *bivouac* anghysbell Eccles a'r tro hwn, a minnau fy hunan, yr oedd yn llawer brafiach na'r tro cynt pan oedd pedwar ohonom ynddo. Eisteddais y tu allan i yfed mygaid o gawl gan deimlo'n unig, yr amgylchedd yn elyniaethus a'r piler uwch fy mhen, rhyw fil o droedfeddi dieithr yn uwch na'r tri chant a ddringwyd yr haf blaenorol. Treuliais y diwrnod hwnnw yn gorffwyso gan astudio'r piler drwy'r amser er mwyn penderfynu sut y byddwn yn ei ddringo.

Rai dyddiau cyn fy ymgais, yr oedd dau efaill o Loegr, Alan ac Adrian Burgess, wedi dringo'r piler ar y chwith – y Pilastro Rosso – ac wrth ddod i lawr, wedi gweld eirlithradau anferth yn sgubo o grib y Brouillard gan gau am y Piler Canol. Pwysleisiodd y ddau pa mor beryglus fyddai fy ymgais i. Aeth y nos heibio heb fawr o gwsg wrth imi feddwl am yr hyn oedd o'm blaen a'r holl beryglon. Er fy mod yn barod i adael ar doriad gwawr, nid oeddwn eisiau gadael yr hafan gynnes hon. Chwiliwn y gorwel am olion tywydd gwael gan amau a oeddwn yn teimlo'n ddigon cryf mewn gwirionedd a minnau newydd wella yn dilyn y ffliw. Chwiliwn am unrhyw esgus i beidio cychwyn ond gan na allwn ganfod un, gorfodais fy hun i adael y cwt. Teimlwn yn well yn syth, gyda'r ofnau wedi fy ngadael a theimlwn yn hyderus unwaith eto.

Croesais y llethr rhew ac eira serth o dan y piler ar y llaw dde ac wedyn, y rhan beryglus, croesi'r *bergschrund* a oedd wedi llenwi gyda malurion eirlithradau, cyn cyrraedd bôn y piler. Aildrefnais yr offer a dechrau dringo. Nid oedd yn waith anodd dros greigiau ac ambell ddarn o rew a gwyddwn pa un oedd y ffordd orau yn dilyn fy ymweliad blaenorol. Erbyn canol y bore, yr oeddwn wedi cyrraedd y man uchaf inni ei gyrraedd y flwyddyn cynt ac oddi yno dechreuais esgyn y drawstaith tuag at ganol yr wyneb. Âi'r dringo'n anoddach ond ar ithfaen coch caled, hyfryd. Hyd yma yr oeddwn wedi dringo gyda'm sach ar fy nghefn ond gyda'r dringo'n dod yn gynyddol galetach, clymais hi i biton, dringo tua chan troedfedd at le addas, clymu'r rhaff ac abseilio i lawr er mwyn nôl y sach. Yna, dringo'n ôl gyda chymorth y rhaff a pharhau i ddefnyddio'r dull hwn nifer o weithiau.

Wrth godi'n uwch, âi'r dringo'n amhosibl o serth felly rhaid oedd mynd i lawr ychydig a chwilio am ffordd arall. Ychydig o rew oedd ar y graig a gallwn ddringo hynny a welwn heb orfod defnyddio cramponau. Wrth iddi nosi, roeddwn wedi cyrraedd rhyw ddwy ran o dair o'r ffordd i fyny'r piler ac ar ei ganol. Dringais at silff fechan a phenderfynu gosod *bivouac* yno. Er bod y silff yn fach, yr oedd digon o le i eistedd yn weddol gyfforddus. Nid oedd yno ddigon o rew i'w doddi er mwyn gwneud diodydd, felly rhaid oedd bodloni ar yr hyn oedd ar ôl yn fy mhotel ddŵr. Unwaith y gorffennais drefnu'r *bivouac*, galwais Bett ar y radio cyn setlo am y nos.

Yr oedd yn noson hyfryd, gyda'r lleuad yn goleuo'r rhewlif ac yn amlinellu crib ddeheuol yr Aig Noire. O'm safle unig, gallwn weld golau cwt Monzino a phob yn hyn a hyn, clywn sŵn rhew a cherrig yn syrthio ar y rhewlif. Wrth daro golwg yn ôl dros y dringo, gwyddwn ei fod yn galed ond nid yn eithafol o galed a meddyliais pa mor anodd fyddai'r gweddill a holais fy hunan tybed a fyddai'r tywydd braf yn parhau. Yr un hen hanes oedd hi yn y *bivouac* – crynu a symud o gwmpas i geisio gwneud fy hun yn gyfforddus. O'r diwedd, torrodd y wawr ac ar ei hôl daeth pelydrau cyntaf yr haul, heb wres eto ond yn dderbyniol iawn. Heb ddŵr ar ôl, ffrwythau wedi sychu ac ychydig o fisgedi oedd y brecwast a chyn pen dim yr oeddwn yn barod i ailddechrau dringo.

Gan fy mod wedi cyffio ar ôl noson yn y *bivouac*, dringwn yn araf i fyny canol y piler ac er nad oedd y llethr mor serth, yr oedd wedi ei orchuddio â rhew llyfn. Gwisgais y cramponau gan ddringo mannau brawychus. Techneg dringo creigiau a ddefnyddiwn, ond yn hytrach na gwadnau rwber mewn cysylltiad â'r graig, gyda phedwar pigyn metel y ceisiwn gael gafael. Wrth nesáu at gopa'r piler âi'r rhew yn fwy trwchus a gwnâi hynny'r dringo yn haws. Erbyn tua chanol dydd, cyrhaeddais silff go lydan.

Wrth edrych i fyny, gwelais nad oedd mwy o graig serth uwch fy mhen; yn hytrach na hynny, llethr tua mil o droedfeddi o rew ac eira oedd yn arwain at grib Brouillard. Sylweddolais fy mod wedi llwyddo, y cyntaf i ddringo Piler

Canol y Brouillard. Er fy mod wedi blino, daeth teimlad o foddhad llwyr drosof ond yr oedd arnaf angen diod ar frys. Cesglais ychydig o rew oddi ar ymyl y silff a'i doddi ar y stof fach gan astudio'r dirwedd uwch fy mhen. Pan ddringwyd y piler ar y llaw dde gan Bonington a'i griw chwe blynedd ynghynt, yr oeddent wedi penderfynu peidio cwblhau'r ddringfa i'r grib gan abseilio i lawr at gwt Eccles. Fy mreuddwyd i oedd gorffen y ddringfa drwy ddringo crib Brouillard i gopa Mont Blanc ac yna mynd i lawr i Chamonix, gan gwblhau gwir groesiad y mynydd.

Ar ôl yfed diod boeth neu ddau, teimlwn wedi adfywio a chychwynnais am y grib. Wrth ddringo'r llethr eira hanner can gradd, sylwais fod cymylau tywydd drwg yn hel. Ystyriais droi'n ôl ond o gofio'r profiad o ddringo i lawr y rhewlif mewn storm eira, perswadiais fy hun mai'r ffordd orau oedd ar i fyny. Gwaethygodd y tywydd yn sydyn iawn, y cymylau'n cau am y grib a'r gwynt yn codi. Sylweddolais fy mod mewn lle peryglus ac anial iawn a dringais cyn gyflymed ag y gallwn tuag at y grib. Gan fod gordo o rew ac eira ar y grib, anelais am y rhan wannaf ohono. Gwthiais fy hun i'r eithaf, gan gyrraedd y gordo wrth i ryferthwy'r storm daro'r grib. Gan fod y gwynt yn chwythu o'r gogledd cawn gysgod oddi wrth eithafion y storm ond roedd sŵn y mellt a'r taranau a throelliad y gwynt yn codi ofn arnaf.

Tyllais silff fechan yn y rhew a phlannu'r gaib rhew yn yr eira wrth fy ochr tra ymdrechwn i fynd i mewn i'r sach *bivouac*. Yn sydyn, torrodd darn o rew o'r gordo uwch fy mhen gan syrthio o fewn trwch blewyn i'm hysgwydd dde ac, er braw mawr imi, gwelais ef yn taro'r gaib rhew ac aeth honno i lawr y llethr. Er y gobeithiwn y byddai'n bachu yn rhywbeth, nid felly y bu. Aeth y gaib i lawr yr wyneb, fil o droedfeddi, diflannu o'r golwg dros gopa'r piler ac mae'n bur debyg, i lawr am y rhewlif. Wedi iddi fynd ymdrechais i angori'r *bivouac* a chyn pen ychydig, llwyddais i wasgu i mewn i'r sach gysgu y tu mewn i'r sach *bivouac*.

Parhaodd rhyferthwy'r storm drwy'r nos heb ostegu ac yr oedd hi'n waith diddiwedd ceisio clirio'r eira a gasglai y tu ôl i'm cefn gan fygwth fy ngwthio'n raddol oddi ar y silff. Gwnâi rhuad y gwynt, sŵn y sach *bivouac* neilon yn ysgwyd a'r teimlad o anobaith ar ôl colli'r gaib y gallu i gysgu yn amhosibl. Camgymeriad fu peidio clymu'r gaib i'm harnais efo cortyn tenau. Wrth swatio yn y *bivouac* ar grib y Brouillard, ystyriais fy sefyllfa a theimlwn fy mod wedi fy nghaethiwo. Roedd dringo dros y grib a thros Mont Blanc i lawr am Chamonix yn ddeuddydd o waith peryglus ac fe fyddai'n rhaid cael caib rhew. Yr unig ddewis arall oedd dringo i lawr y grib i'r Col Emil Rey ac wedyn i lawr y grib i Val Veni, ond heb gaib ymddangosai hynny'n amhosibl.

Torrodd y wawr heb i'r storm ostegu a pharhaodd drwy'r dydd a'r noson ganlynol. Hyd yn oed yn fy nghysgodfa, yr oedd hi'n amhosibl tanio'r stof am fod y gwynt yn chwyrlïo, felly euthum ati i gnoi'r ychydig siocled a chnau oedd ar ôl heb imi gael diod. Gyrrai sŵn y babell yn chwifio yn y gwynt fi'n wirion a threuliais yr oriau'n ystyried y dewisiadau posibl gan deimlo'n ddigalon, ond yn gwybod fod yn rhaid meddwl yn gadarnhaol os oeddwn am oroesi. Er mwyn gwneud rhyw fath o gaib dros dro, clymais un piton rhew i goes y morthwyl piton a chyda'i gilydd, yr oeddent tua deunaw modfedd o hyd, bron yn ddiwerth yn yr eira dwfn ond dyna'r cwbl oedd gen i.

Llwyddais i alw Bett ar y radio a chysylltodd hithau gyda chyfaill o ddringwr oedd wedi cyrraedd y cwt. Cytunodd â mi mai'r gobaith gorau oedd dod i lawr crib y Brouillard neu i hofrennydd achub Courmayeur ddod i fyny pan fyddai'r tywydd wedi clirio. Yr oedd meddwl am gael fy achub yn gryn dolc i'm balchder. Credwn fod dringo ar fy mhen fy hun yn gamp hunangynhaliol – rhaid oedd dibynnu'n gyfan gwbl arnaf i fy hun a neb arall – ond wedi treulio dyddiau mewn storm, yr oedd yr awydd i oroesi yn drech na hunanfalchder a theimlwn y byddwn yn ddiolchgar pe bawn yn gallu dod oddi ar y grib hon yn fyw.

Gostegodd y storm yn ystod yr ail noson ac yn sydyn aeth hi'n iasol o ddistaw. Edrychais allan o'm pabell a phan welais bedair i bum troedfedd o eira newydd, gwyddwn mai'r unig obaith oedd yr hofrennydd. Yn fuan wedi iddi wawrio, clywais sŵn yr hofrennydd a chadwais fy eiddo ar frys yn y sach. Gollyngwyd gwifren i lawr tuag ataf, bachais hi i'm harnais ac ymhen deng eiliad yr oeddwn ar ei bwrdd. Wrth droi ymaith o'r wal, achosodd y cynnwrf gwynt o'r hofrennydd eirlithrad anferth ar y llethr o dan y grib ac aeth cannoedd o dunelli o eira i lawr gan amgylchynu'r Piler Canol. Parhaodd y storm am ddeugain awr ac wedi pum diwrnod ar y mynydd, dychwelais i gwt Monzino, croeso gan Bett, diod a bwyd poeth a gwely cynnes. Wedi bod ar y ffin rhwng byw a marw, am ddyddiau wedyn teimlai bywyd yn felys iawn.

Ar ôl dychwelyd i'r dyffryn cefais fy llongyfarch gan fy nghyd-ddringwyr am lwyddo i ddringo'r piler ond ni fedrwn dderbyn eu llongyfarchion er mai fi oedd y cyntaf i ddringo pob modfedd o'r Piler Canol hyd at grib y Brouillard. Teimlwn mai terfyn y gamp fyddai cyrraedd copa Mont Blanc ac fe roddodd hynny, a'r ffaith imi gael fy achub gan hofrennydd, y teimlad nad oeddwn wedi llwyddo go iawn ac am gyfnod wedyn gwrthodwn ddisgrifio'r ddringfa i'r sawl oedd yn ysgrifennu'r llyfr tywys.

Ymhen amser, dychwelodd fy hyder ac fe ddaliais ati i

ddringo dringfeydd caled ar fy mhen fy hun ym Mhrydain ac yn yr Alpau am ddegawd arall, ond addewais i mi fy hun nad awn â radio gyda mi eto. Er iddo achub fy mywyd ar y Piler Brouillard, yr oedd y radio yn ymyrryd â'r syniad o ddringo ar fy mhen fy hun gydag ymroddiad a dibyniaeth lwyr ar fy ngallu fy hun.

Ugain mlynedd yn ddiweddarach, dychwelais i Val Veni a dringais ddringfa fawr am y tro olaf ar fy mhen fy hun yn yr Alpau, sef crib ddeheuol yr Aig Noire. Mae'r grib hir hon yn codi o Val Veni, yn ddringfa craig hyfryd ar ran gyntaf crib Peutuery, un o'r cribau hiraf yn yr Alpau, sy'n arwain i gopa Mont Blanc. Ar ddiwrnod heulog, clir, eisteddwn ar y copa yn edrych ar ochr ddeheuol mynydd uchaf Ewrop yn ei holl ysblander. Edrychais tuag at bileri'r Brouillard, lle cyflawnais fy ngorchest ddringo fwyaf yn ogystal â rhai methiannau peryglus, ac i'r dde, crib Inominata a ddringais ar fy mhen fy hun hefyd. Yn union oddi tanaf yr oedd rhewlif Freney lle bu ond y dim i Cliff Phillips a minnau gael ein lladd wrth ddod i lawr o wyneb gogleddol yr Aig Blanche du Peuteray. I'r gorllewin, yr oedd rhewlif Brouillard lle daethom mor agos i gael ein lladd ar yr ymgais gyntaf ar Biler Canol y Brouillard. Uwchben hwnnw, yr oedd y grib lle cefais fy nghaethiwo yn y storm enbyd honno ac uwchlaw ar gopa Mont Blanc yr oedd yr 'Old Brenva Route' y bûm mor wirion yn ei dringo heb dreulio cyfnod o gynefino.

Ar yr ochr yma i'r mynydd, hefyd, yr oedd nifer o gyd-ddigwyddiadau rhyngof i a H. O. Jones, dringwr enwog o Gymru ar ddechrau'r ugeinfed ganrif. Ym 1909, cyrhaeddodd H. O. Jones begwn gogleddol yr Aig Blanche a elwir heddiw yn 'Pointe Jones'. Union drigain mlynedd wedyn, ym 1969, Cliff Phillips a minnau oedd y Prydeinwyr cyntaf i ddringo wyneb gogleddol y mynydd. Ym 1911, yng nghwmni tri arall, H. O. Jones oedd y cyntaf i ddringo crib y Brouillard ac eto, drigain mlynedd yn ddiweddarach, ym 1971, fi oedd y cyntaf i ddringo Piler Canol y Brouillard. O'r man lle'r eisteddwn ar y Noire gallwn edrych i lawr ar y Col Dames du Anglais lle bu H. O. Jones farw ym 1912. Yr oedd newydd briodi ac yn treulio ei fis mêl yn Chamonix gyda'i wraig, a oedd hefyd yn dringo. Aeth y ddau, yng nghwmni tywysydd lleol, i fyny rhewlif Freney ac wedyn i fyny'r Col. Oddi yno aethant i fyny'r grib. Yr oedd y tri wedi eu rhaffu gyda'i gilydd gyda'r tywysydd ar y blaen. Ychydig gannoedd o droedfeddi i fyny'r grib, syrthiodd y tywysydd, method Jones â'i ddal a syrthiodd y tri i'w marwolaeth.

Pennod 6

HERIO'R EIGER
AM Y TRO CYNTAF

Saif yr Eiger 13,041 troedfedd uwchben pentref Grindelwald yn rhan y Bernese Oberland o'r Swistir. Ei wyneb gogleddol, 6,000 troedfedd, yw'r clogwyn uchaf yn yr Alpau. Gan mai hwn yw'r mwyaf gogleddol o'r copaon Alpaidd mawr, mae'n agored i'r stormydd geirwon sy'n dod i lawr o'r Arctig ond mae'r wyneb, sydd ar ffurf bowlen, hefyd yn cynhyrchu ei system dywydd ei hun.

Dringwyd y mynydd am y tro cyntaf i fyny'r ystlys orllewinol haws ym 1858 gan Sais o'r enw Charles Barrington a dau dywysydd lleol. Bu'r esgyniad pwysig nesaf ym 1921 pan ddringwyd crib Mittellegi gan dri thywysydd o'r Swistir a Yuko Maki o Japan. Ond lladdwyd nifer o ddringwyr wrth ymdrechu i goncro'r wyneb gogleddol hyd nes i ddau Almaenwr, Andreas Heckmair a Ludwig Vorg, a dau Awstriad, Fritz Kasparek a Heinrich Harrier lwyddo ym 1938.

Dechreuais i gael fy nghyfareddu gan yr Eiger yn ystod fy nyddiau dringo cynnar, a hynny ar ôl darllen yr hyn a elwir yn feibl yr Eiger, sef llyfr Heinrich Harrier, *The White Spider*, hanes yr wyneb gogleddol. Yn ystod y 1960au yr oeddwn wedi mynd ymlaen o ddringo creigiau ym Mhrydain am ddringo creigiau yn yr Eidal, ar y Dolomiti, ond teimlwn yr angen am fwy o her ar glogwyni craig a rhew yr Alpau gorllewinol. Canolbwynt dringo yn Ewrop oedd Chamonix yn Ffrainc ac yn ystod fy ngwyliau dringo blynyddol y deuthum i gysylltiad â Leo Dickinson.

Soniais eisoes am Leo Dickinson. Fe'i ganed ym 1946 ac fe'i hyfforddwyd fel ffotograffydd yng Ngholeg Celf Greadigol Blackpool, lle'r enillodd gryn glod. Gŵr bychan o gorff ond yn gryf ac yn ddringwr creigiau arbennig. Aeth ati i ddysgu technegau ffilmio ac ym 1969, cynlluniai ddringo'r wyneb gogleddol gan ffilmio'r ymdrech. Yn waeth na hynny, yr oeddwn i yn rhan o'i gynllun, ynghyd â'r ddau arall yn y tîm, Pete Minks a Cliff Phillips, dau ddringwr dawnus iawn.

Ganwyd Pete Minks ym 1947, plymar wrth ei waith a dringwr eithriadol o gryf, a'i hyder yn ei allu ei hun yn ymylu ar fod yn orchestol.

Ganwyd Cliff Phillips ym 1946 ac fe weithiai fel hyfforddwr dringo. Gŵr eiddil, mewnblyg ydoedd ond yn ddringwr taclus ac yn dechnegol wych. Yr oedd ganddo yntau uchelgeisiau yn y maes.

Gan fy mod i ddeng mlynedd yn hŷn na'r lleill, efallai bod Leo wedi teimlo'r angen i gael rhywun tadol i gadw trefn ar y ddau ddyn gwyllt! Dechreuodd Cliff fy ngalw i'n 'Big Daddy' hyd yn oed!

Yr oedd y tri yn hollol gartrefol ar ddringfeydd creigiau eithafol ond yn gyfyngedig eu profiad o ddringo ar rew. Credaf eu bod yn edrych tuag ataf fi i ofalu amdanynt ar yr wynebau llithrig. Er fy mod ddeng mlynedd yn hŷn, nid oedd gen i brofiad helaeth o ddringo ar rew ond fel tîm, yr oeddem yn ymddiried yn ein gilydd.

Derbyniwyd cynllun Leo gyda pheth amheuaeth ymysg y frawdoliaeth ddringo yn gyffredinol. Aeth un dringwr profiadol cyn belled â holi'n wawdlyd, 'Dwi'n clywed eich bod am geisio dringo'r wyneb gogleddol a ffilmio'r ymdrech!'

Nid oedd unrhyw un yn credu bod gennym fawr o obaith llwyddo ac wrth edrych yn fanwl ar y gofynion, daethom ninnau i ddechrau amau ein bwriad. Yn ychwanegol i'r offer dringo arferol, a chan inni sylweddoli y byddai ffilmio'n arafu'r dringo, rhaid oedd cario mwy o fwyd a thanwydd ac ar ben hynny, dau gamera *cine*, deugain rôl o ffilm mewn caniau metel, camerâu eraill, a ffilm a batris i'r camerâu. Byddai'n

Llun o'r llwyth yr oeddem yn gorfod ei gario gyda ni ar gyfer dringo'r Eiger

cymryd cryn ymdrech ac yr oedd angen llawer o lwc efo'r tywydd a pheryglon megis cwympiadau eira, cerrig a rhew.

Felly, yn haf 1970, dyma gyrraedd Grindlewald a chael ein golwg gyntaf ar yr Eiger. Wrth yrru i fyny o Interlaken, craffem uwchben yn eiddgar i'w weld am y tro cyntaf. Yn sydyn, dyna lle'r oedd o, yn anferth, a'r rhew yn sgleinio yn haul y bore.

'*Shit*,' meddai Minks. '*I'm going home*,' meddai Phillips. Yr oedd Leo wrthi'n wyllt efo'i gamera a bu bron imi gael damwain efo'r fan. Er bod y mynydd yn drawiadol iawn, yr oedd gwaeth i ddod. Yr wyneb gogledd-ddwyreiniol a oedd yn llawer haws i'w ddringo a welem ni; ni ellir gweld yr wyneb gogleddol yn iawn o Grindlewald gan ei fod mewn bowlen anferth.

Sefydlwyd ein canolfan yn Kleine Scheidegg, pentref

bach twristaidd 7,000 o droedfeddi o uchder, yn union o dan yr wyneb gogleddol. Ar y noson gyntaf daeth gwraig heibio gyda'i chi *German shepherd* a holi mewn Saesneg perffaith beth oedd ein cynlluniau. Eglurwyd wrthi ein bod am ddringo wyneb gogleddol yr Eiger gan ffilmio wrth ddringo. Atebodd drwy ddweud mai hi oedd Frau Van Allman, cyd-berchennog Gwesty Scheidegg gyda'i gŵr ac yr oedd hi eisiau inni fynd i'r gwesty i siarad â'i gŵr am fod ganddo wybodaeth arbenigol am y mynydd. Gan fod wyneb gogleddol yr Eiger i'w weld yn bur heriol o Scheidegg, teimlem y byddai angen pob cymorth a gwybodaeth arnom, felly aeth y pedwar ohonom, yn ddigon blêr a heb ymolchi, i mewn i'r gwesty crand. Yn sydyn, ymddangosodd gŵr wedi ei wisgo'n drwsiadus tu hwnt mewn siwt a chrafat gan ddweud yn llym mai ef oedd Van Allman a holodd beth yn union oeddem eisiau. Eglurwyd wrtho mai trwy wahoddiad ei wraig yr oeddem yno ac amlinellwyd ein cynllun iddo. Nid oedd dim yn tycio ac yn swta iawn dywedodd fod y dringwr enwog o'r Almaen, Lothar Brandler wedi trio a methu; yr oedd Chris Bonington yntau wedi ailfeddwl cyn trio; ac felly i ni, byddai'n dasg amhosibl.

Erbyn hyn, yr oeddwn wedi cael llond bol ar ei agwedd orchestol a phan ddechreuodd ein holi yn unigol am ein profiad fel dringwyr, fe gefais lond bol. Pan drodd ataf fi, dywedodd fy mod yn edrych yn hen a holodd pa ddringfeydd yr oeddwn wedi eu gwneud. Atebais drwy ddweud fy mod wedi dringo dipyn bach adref yng Nghymru a cherdded hanner ffordd o gwmpas Mont Blanc. Pan glywodd hynny, ebychodd yn uchel ac i ffwrdd â fo. Daethom i ddeall wedyn nad oedd o'n ddringwr ei hun, dim ond gŵr oedd wedi cael ei holl 'brofiadau' wrth edrych ar y mynydd drwy delesgop pwerus ar do ei westy!

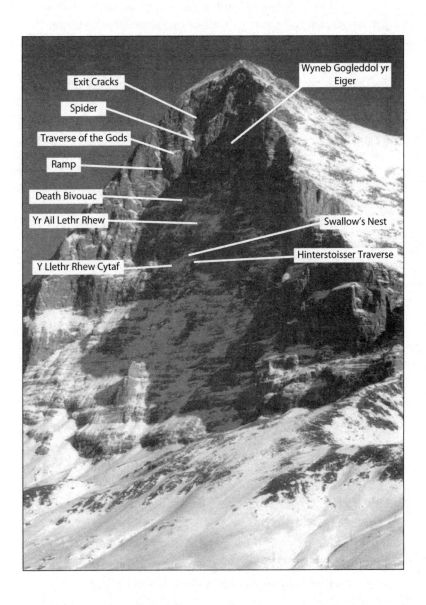

Yn ystod y deng niwrnod cyntaf, yr oedd y tywydd yn gyfnewidiol ac yn ystod y dyddiau braf, treuliwyd yr amser yn ffilmio rhan isaf y ddringfa a thynnu lluniau o'r *bivouac* a'r offer, a oedd yn holl bwysig ar gyfer y ffilm orffenedig. Er nad yw'r ddwy fil troedfedd isaf yn dechnegol anodd, mae'n dal yn beryglus a chawsom sawl dihangfa rhag cwymp rhew a cherrig. Daethom yn ymwybodol iawn o'r hyn a'n hwynebai.

O'r diwedd, dyma gychwyn ar y ddringfa o ddifrif. Pete a minnau oedd yn rhannu'r blaen a Leo yn ffilmio gyda chymorth Cliff, a oedd yn dal i wella yn dilyn ei gwymp ddifrifol ar Fwlch Llanberis a arweiniodd at ddeng niwrnod yn yr ysbyty ym Mangor. Yr oeddem yn dringo gyda sachau trymion iawn ar ein cefnau gan fod cryn bwysau ar yr offer ffilmio. Teimlwn yr angen i gyflymu gan fod y dringo araf yn cynyddu'r posibilrwydd o gael ein taro gan gwymp cerrig neu rew a chael ein caethiwo gan dywydd gwael, ond fedrwn i ddweud dim byd gan fod gennym ffilm i'w chwblhau.

Yr oedd y tirwedd ar ran isaf yr wyneb yn gyfarwydd i ni ac erbyn y min nos cyntaf, yr oeddem wedi cyrraedd *bivouac* y 'Wet Cave' a ffilmiwyd gennym wythnos ynghynt. Ogof fas oedd hon, gyda gorgraig yn ei hamddiffyn ac yn ddigon mawr i'r pedwar ohonom eistedd wrth ochr ein gilydd a digon o fwyd a diod ers ein hymweliad blaenorol. Gan fod y tywydd da yn parhau a chan ein bod yn ymwybodol mai hwn fyddai ein *bivouac* cyfforddus olaf, ceisiwyd bwyta ac yfed cymaint ag oedd bosibl.

Ar yr ail ddiwrnod dringwyd a ffilmiwyd y llethr rhew cyntaf ac erbyn gyda'r nos yr oeddem tua hanner ffordd ar draws yr ail lethr rhew. Golygai rhyw ddwyawr o waith caled gan Pete a minnau i dorri silff yn y rhew er mwyn i'r pedwar ohonom eistedd gyda'n coesau'n ymestyn dros y dibyn.

Gyda chymorth Cliff, bu Leo wrthi'n brysur yn ffilmio'r gwaith. O'i chymharu â'r noson flaenorol, daeth *bivouac* y noson honno a'r hyn yr oeddem yn ceisio ei gyflawni, ynghyd â'r peryglon, yn fyw iawn inni. Nid oedd gorgraig i'n hamddiffyn a chan ein bod wedi croesi canol yr wyneb, yr oedd yn agored iawn i'r elfennau. Gan fod lle yn brin, rhaid oedd bod yn ofalus iawn ein symudiadau ac yr oedd yn rhaid inni glymu pob dim i'r pitonau oherwydd byddai colli darn o offer yn golygu gorfod troi'n ôl neu hyd yn oed yn arwain at drychineb. Yr oedd hon yn rhan beryglus iawn o'r wyneb gan fod cerrig a rhew o'r rhan uchaf yn syrthio ar yr ail lethr rhew. Gan ein bod yn ymwybodol o'r perygl, cawsom noson oer a phryderus.

Wedi treulio'r nos yn y *bivouac* cyfyng, dechreuad araf fu i'n trydydd diwrnod ar y mynydd. Cymerodd Cliff amser maith i doddi digon o rew ar gyfer diodydd i'r pedwar ohonom. Ceisiai Leo ddadmer ei gamerâu tra oedd Pete a minnau'n cael trefn ar yr offer dringo. Unwaith y tarodd llewyrch yr haul ben crib y copa, dechreuodd y cerrig a'r rhew syrthio'n ddi-baid. Drwy lwc, glaniai'r rhai mwyaf ymhellach i lawr y llethr rhew a theimlem fod ein safle ar y pryd rhywfaint yn ddiogelach.

O'r diwedd, dyma ailgychwyn ar y daith, cyrraedd diwedd yr ail lethr rhew a dringo ar y 'Flatiron' a arweiniai at y 'Death Bivouac'. Undonog iawn oedd y dringo; nid oedd yn anodd ond yr oedd yn araf oherwydd y ffilmio, gyda'r oedi cyson yn torri ar rediad y dringo. Cafodd y bivouac hwn yr enw am mai yn y fan honno y bu farw'r ddau ddringwr cyntaf i geisio dringo'r wyneb gogleddol wedi iddynt gael eu dal mewn storm enbyd. Fel yn achos y noson flaenorol, yr oedd yn rhaid tyllu a chafwyd yr un drafferth o geisio cael trefn ar bethau mewn lle cyfyng iawn. Trwy gydol yr amser yr oeddem yn ymwybodol o'r gwagle cynyddol oddi tanom. Un fantais fawr y *bivouac* hwn o'i gymharu â'r un y noson cynt oedd fod gorgraig yn gwneud y lle'n ddiogel rhag cwymp cerrig a rhew. Wrth dreulio'r nos mewn *bivouac*, byddem yn trafod pob pwnc dan haul – dringo yn bennaf, gwleidyddiaeth a rhyw, ond y noson honno pwnc y drafodaeth oedd diwedd erchyll y ddau ddringwr o'r Almaen yn yr union le hwn. Yn ystod ein cyfnodau ym mhob *bivouac*, gwisgem ein dillad i gyd, gyda'n coesau y tu mewn i'r sach ddringo ac oherwydd bod y lle mor gyfyng, rhaid oedd taenu'r babell *bivouac* fechan drosom fel blanced.

Ar ôl ein trydedd noson ar y mynydd, yr oedd y cychwyn yn araf, oer a digalon yn ôl yr arfer ac ymhen hir a hwyr, dyma ddechrau arni gan groesi'r trydydd llethr rhew a mynd i mewn i'r 'Ramp' mil troedfedd. Yr oedd y pedwar can troedfedd cyntaf yn weddol hawdd i'w ddringo ac oherwydd bod cysgod i'w gael rhag y cerrig a gwympai, gallem ymlacio am y tro cyntaf. Ond wrth esgyn, âi'r dringo'n galetach ac unwaith eto yr oeddem yn ddiamddiffyn rhag y cerrig a syrthiai i lawr y mynydd. Arweiniodd Pete ni i fyny dringfa anodd iawn yn y rhan uchaf ac erbyn y bedwaredd noson, yr oeddem wedi cyrraedd diogelwch y 'Brittle Ledges'. Er bod y rhain yn ddiogel rhag peryglon, yr oeddent yn gyfyng iawn. Rhaid oedd eistedd gydag un foch tin ar y graig a'r llall uwch y dibyn felly ni chafwyd fawr o orffwys y noson honno. Yna, fe'n trawyd gan storm. Mae bod ar fynydd ynghanol storm o fellt a tharanau yn frawychus tu hwnt, fel petai holl rym natur yn disgyn arnoch. Teimla rhywun yn fychan iawn, yn ddiymadferth ac mor ddibwys. Wrth i'r storm agosáu gydag ambell i fellten, gwaeddai Cliff yn heriol, '*Odin, send us another one!*'

Teimlais fod hyn yn temtio ffawd a phan darodd holl

rym y storm ein llecyn bach ni, roedd sŵn y taranau'n fyddarol a'r gwefrau trydanol yn dawnsio drwy ein breichiau a'n coesau. Dyna pryd y dywedais, '*Phillips, you have gone very quiet.*'

Fe lusgodd y noson yn ei blaen yn anghyfforddus o hir. Yr oeddem i gyd wedi dychryn, wedi blino'n lân a heb gael fawr o fwyd i fyny'n uchel ar y mynydd. Doedd dim gobaith dychwelyd chwaith – yr unig ffordd i oroesi oedd drwy ddal i fynd ar i fyny.

Erbyn y bore, yr oedd y storm wedi gostegu. Fel arfer, gwaith digon araf oedd ailgychwyn ar y daith: yr oedd torri rhew a'i doddi ar gyfer gwneud diodydd yn cymryd llawer o amser; felly hefyd yr her o ailbacio'r offer ar y silffoedd cul, gan bryderu rhag ofn inni golli rhyw ddarn hollbwysig. Erbyn hyn, roedd Leo wedi hawlio fy holl edmygedd. Er nad oedd ganddo brofiad ar ddringfeydd mawr fel y gweddill ohonom a'i fod yn ddigon anesmwyth yn gynharach ar y ddringfa, edmygwn ei ddycnwch a'i benderfyniad i gael y lluniau gorau o rannau pwysicaf y daith. Heddiw, gyda'r dechnoleg ddigidol a'r camerâu bach ysgafn ar yr helmed, mae'n siŵr y byddai dringwyr sy'n ffilmio wrth ddringo yn methu deall pam fod cymaint o helynt, ond nid oedd trin camerâu trymion mewn mannau cyfyng a pheryglus yn waith hawdd. Nid oedd y camera *Canon Scoopic* yn ofnadwy o

Tri wedi blino ar ddiwedd y chweched diwrnod ar yr Eiger yn 1970

drwm ond yr oedd y *Bell and Howell Clockwork* fel darn o blwm. Yn waeth byth, rhaid oedd newid y ffilm a byddai tynnu ffilm newydd drwy'r rholeri ym mol y camera yn hunllef a'r ffilm yn cracio oherwydd yr oerfel. Byddai dwylo Leo yn rhewi a cheisiem ninnau ei gysgodi rhag y gwynt, ond llwyddai'r eira a yrrid gan y gwynt a'r gronynnau rhew i gyrraedd pobman. Yn aml iawn ceid trafferthion gyda'r *Scoopic* am ei fod yn defnyddio batris a fyddai'n dioddef llawer yn yr oerfel ond byddai'r *Bell and Howell* cadarn yn achub y dydd bob tro.

Erbyn hyn, yr oeddem wedi blino'n lân ac yn sychedig. Gan fod toddi rhew ac eira ar gyfer diodydd yn cymryd amser, nid oedd yr un ohonom yn cael digon i'w yfed. Ar y pumed diwrnod, yr oedd symud oddi ar y 'Brittle Ledges' i fyny'r 'Brittle Crack' yn waith araf iawn gan ei fod yn serth ac wedi ei orchuddio â rhew a oedd fel gwydr. Arweiniai'r llethr hwn at y 'Traverse of Gods', nodwedd enwog ar yr wyneb sy'n dod yn agored iawn wrth agosáu at y 'White Spider'. Wrth edrych rhwng ein coesau, gallem weld dolydd Alpiglen bum mil o droedfeddi oddi tanom. Llethr o rew tri chan troedfedd yw'r 'White Spider' a dyma lle teimlais fy hun fwyaf agored i niwed yn ystod y ddringfa. Caem ein cau i mewn gan waliau mawr ac yr oedd cerrig a rhew yn syrthio'n gawodydd di-baid o'r copa. Mae'n lle peryglus a chaeedig a theimlem bod raid ei ddringo'n sydyn er mwyn dianc rhag y cawodydd cerrig a rhew; fodd bynnag, gan ein bod mor flinedig, araf iawn fu'r dringo. Yna yr oedd yn rhaid mynd i mewn i'r 'Exit Cracks'.

Cyn iddi nosi, yr oeddem wedi cyrraedd y 'Corti Bivouac', silff fechan a enwyd ar ôl yr Eidalwr Claudio Corti a gyrhaeddodd yno ond a fethodd fynd ymhellach a bu'n rhaid iddo gael ei achub. Bu farw Stefano Longhi, ei gydymaith dringo, ar raff o dan y *bivouac*. Yr oeddem yn wynebu noson arall mewn *bivouac* anghyfforddus, y bwyd i gyd wedi darfod a phawb wedi blino. Edrychai'r tywydd yn addawol iawn a'r gobaith oedd y byddem drannoeth yn cyrraedd y copa.

Yn ystod y chweched prynhawn, dyma gyrraedd crib Mittellegi, sef y grib olaf cyn cyrraedd y copa. Yr oedd yn hawdd ond yn agored. Ymhen hir a hwyr, dyma gyrraedd copa'r Eiger ac am y tro cyntaf erioed, ffilmiwyd criw yn dringo'r wyneb gogleddol. Buom yn cofleidio'n gilydd a thynnu lluniau cyn dechrau ar ein taith i lawr oddi ar y mynydd, a hynny ar hyd yr wyneb gorllewinol a oedd yn llawer haws. Wrth ddringo i lawr, daeth rhyw flinder mawr drosof. Teimlwn yn ddiymadferth – yn gorfforol ac yn feddyliol. Yr adrenalin oedd wedi cadw rhywun i fynd yn ystod y chwe diwrnod ar yr wyneb gogleddol ond unwaith y daeth pethau'n haws, fe beidiodd llif yr adrenalin ac nid oeddwn wedi teimlo mor flinedig erioed o'r blaen.

Yn y cyflwr blinedig hwnnw y torrwyd silff yn y rhew ar gyfer ein chweched bivouac. Nid oeddwn yn teimlo unrhyw orfoledd, dim ond hiraeth am fwyd, cwrw a chwsg, yn ogystal â'r gallu i ganolbwyntio wrth fynd ar y daith hir i lawr yr wyneb gorllewinol. Gwyddwn fod dringwyr wedi marw wrth fynd i lawr y ffordd honno ar ôl dringo'r wyneb gogleddol.

Y bore wedyn, yr oeddem mewn cyflwr go druenus, yn flinedig, gwlyb a bron â llwgu. Fel arfer, mewn *bivouac* ar y ffordd i lawr, bydd rhywun ar frys i gychwyn ond yr oeddem wedi blino'n lân. Yn y diwedd, dyma ailgychwyn ac ar fin nos y seithfed dydd, cyrhaeddwyd Scheidegg a chael croeso mawr gan ein cyfeillion. Yr oeddent wedi ein gweld yn cyrraedd y copa y diwrnod cynt ac yn disgwyl inni ddod i lawr drwy'r cymylau erbyn canol dydd, ond yr oeddem wedi blino cymaint nes inni gymryd dwywaith cymaint o amser i ddod i lawr.

Ym mwyty Scheidegg archebwyd stêc a sglodion a chwrw, ond fedrwn i fwyta fawr ddim ac ni chefais flas ar y cwrw. Yr oedd fy stumog wedi crebachu a'r unig beth yr oeddwn yn dymuno ei gael oedd dŵr. Fedrwn i ddim cysgu chwaith, gyda'r cof yn troi a throsi'r dyddiau a dreuliwyd ar y mynydd. Yr oeddwn wedi cyflawni un o'm huchelgeisiau ond bu'r canlyniad yn ddigon annifyr. Aeth dyddiau heibio cyn y gallwn fwyta a chysgu fel arfer.

Bu'n anturiaeth enfawr a chawsom lwc gyda'r tywydd. Roedd Leo wedi cael ei ffilm – *Out of the Shadow into the Sun* ac er inni gael ambell i ffrae, yr oeddem wedi cydweithio fel tîm gyda Pete, y dringwr cryf, digynnwrf yn arwain y rhan fwyaf o'r amser. Profodd Leo i'r Van Allman hwnnw a nifer o amheuwyr eraill eu bod yn anghywir – do, fe lwyddodd Leo i ddringo a ffilmio'r Eiger a chynhyrchu'r gyntaf o'i raglenni dogfen niferus a enillodd wobrau lu. Bu Cliff yn gymorth mawr wrth ffilmio hefyd a syndod o'r mwyaf oedd ei fod ar y mynydd o gwbl yn dilyn y ddamwain a gafodd ym Mwlch Llanberis.

Wedi'r ddringfa honno, gwyddwn y byddwn yn fodlon mynd ar unrhyw antur gyda Leo, Pete a Cliff. Yr oeddent wedi arddangos y gwytnwch meddyliol a chorfforol oedd ei angen yn y fath amodau eithafol. Dim ond unwaith wedyn y bûm ar ddringfa fawr gyda Pete, sef i Cerro Torre – cewch hanes yr antur hwnnw eto. Arweiniodd ein llwybrau i wahanol gyfeiriadau. Dringodd Cliff a minnau sawl dringfa gyda'n gilydd tra bo Leo a minnau'n dal wrthi, ddeugain mlynedd a rhagor yn ddiweddarach.

Ond ar ôl llwyddo yng nghwmni dringwyr eraill, yr her

wedyn oedd dringo'r wyneb gogleddol ar fy mhen fy hun. Tybed a fyddwn yn cael y cyfle i wneud hynny a beth fyddai fy nhynged?

Pennod 7

Y MATTERHORN AR FY MHEN FY HUN (1972) A CHYDA CHWMNI

Yn dilyn Everest, mae'n siŵr mai'r Matterhorn yw'r mynydd mwyaf adnabyddus yn y byd. Yn sicr, hwn yw'r mynydd y tynnwyd y nifer fwyaf o luniau ohono. Wrth agosáu at Zermatt a gweld y mynydd – sydd dros 14,500 troedfedd o uchder – am y tro cyntaf, mae'n hawdd gweld pam ei fod mor adnabyddus, gan ei fod yn codi'n fygythiol uwchlaw'r pentref. Daeth yn symbol eiconig o Alpau'r Swistir ac fe'i gwelir ar bacedi melysion ac anrhegion di-rif. Gan fod y cawr o fynydd hwn o graig a rhew mor anferthol, cafodd dringwyr eu denu ato o'r cychwyn cyntaf.

Ar ôl llwyddo i ddringo Pilar Bonatti, dringais lawer o ddringfeydd eraill ar fy mhen fy hun yn yr Alpau a'r Dolomiti. Yr oedd wyneb gogleddol y Matterhorn yn uchel ar fy rhestr hefyd. Gan ddilyn olion traed miloedd o bererinion y Matterhorn, cefais fy hun, yn haf 1972, yng nghwmni fy nghariad Bett, yn gwersylla yn Schwarzsee, rhyw 2,000 o droedfeddi uwchlaw Zermatt. Gan ei fod yn atyniad twristaidd, mae'n lle drud iawn ac i ddringwr sy'n gorfod byw ar ei arian prin a'i hoffter o unigrwydd, rhaid oedd mynd i aros cyn belled â phosibl oddi yno. Er hynny, mae Schwarzsee yn llecyn hardd, gyda llyn ac eglwys fechan

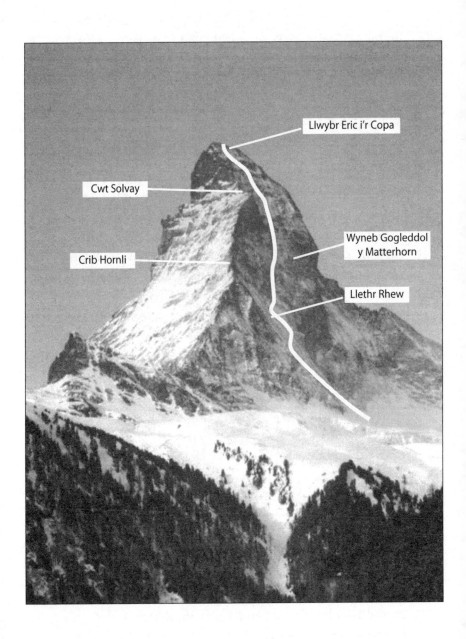

Llwybr Eric i'r Copa

Cwt Solvay

Wyneb Gogleddol
y Matterhorn

Crib Hornli

Llethr Rhew

fel llun o chwedl tylwyth teg, ac mae'n fan delfrydol i ddringo'r Matterhorn. Nid oedd Bett yn dringo ond fe hoffai dorheulo.

Treuliais y dyddiau cyntaf yn archwilio'r ardal a dringo crib yr Hornli i gopa'r Matterhorn. Gwnes hyn er mwyn ymgynefino â'r mynydd, gan mai'r ffordd honno y byddwn yn dod i lawr petawn yn llwyddo i ddringo'r wyneb gogleddol. Cefais fy synnu o ganfod nad oedd y ddringfa'n dilyn y grib, gyda'r rhan fwyaf ar yr wyneb dwyreiniol, yn fwy o sgramblo nag o ddringo. Gan ddilyn llwybr y miloedd a aeth o'm blaen dros y blynyddoedd, cyrhaeddais y copa ar ôl rhyw bedair awr a hanner o ddringo hawdd ond yr oeddwn wedi blino o ganlyniad i'r uchder a'r aer tenau. Wrth ddod i lawr, fe awn oddi ar lwybr y grib er mwyn gallu gweld cymaint ag y gallwn o'r wyneb gogleddol.

Y Matterhorn oedd y copa Alpaidd mawr olaf i gael ei ddringo, a hynny ym 1865 pan aeth criw o saith i'r copa ond fe laddwyd pedwar ohonynt ar y ffordd i lawr. Yr oeddent wedi dringo'r ffordd hawsaf, sef i fyny crib Hornli. Ni ddringwyd yr wyneb gogleddol anoddach tan 1931 pan lwyddodd dau frawd o'r Almaen i gyrraedd y copa. Yna, llwyddodd dringwr o Awstria o'r enw Dieter Marchat (a laddwyd ar yr Eiger yn ddiweddarach) i'w ddringo ar ei ben ei hun ym 1959.

Ryw wythnos ar ôl cyrraedd Schwarzee, teimlwn fy mod yn barod i roi cynnig ar yr wyneb gogleddol. Ffoniais y ganolfan ymwelwyr yn Zermatt i holi am ragolygon y tywydd a chefais wybod y byddai'n dda, felly i ffwrdd â mi. Penderfynais fynd i archwilio'r ffordd i gyrraedd yr wyneb gogleddol a cherddais i fyny'r llwybr cyfarwydd (erbyn hyn) at gwt Hornli. O'r cwt, euthum ar drawstaith o dan grib Hornli a'r wyneb gogleddol er mwyn cyrraedd y rhewlif a

dringo llethr fechan, serth o rew ac eira i gyrraedd rhan uchaf
y rhewlif, sef man cychwyn go iawn y ddringfa. Yr oeddwn
yn awyddus iawn i weld cyflwr y *bergschrund* rhwng y rhewlif
a'r mynydd, oherwydd gallai fod yn beryglus i'w groesi, yn
enwedig i ddringwr heb gydymaith i'w arbed gyda rhaff.
Cefais gryn ryddhad o weld bod twr o eira caled yn y
bergschrund ac y byddai'n ddiogel i'w groesi yn y bore bach
pan fyddwn yn cychwyn ar y ddringfa yn y tywyllwch.

Ar ôl nodi ffordd addas i groesi'r *bergschrund*, dringais i
lawr y rhewlif, ar draws i'r cwt ac i lawr am Schwarzee.
Gwelais fod Bett wedi dechrau ymdebygu i un o'r twristiaid
nodweddiadol o Loegr ar ôl camfarnu cryfder golau uwch-
fioled yr haul ar dir uchel; edrychai fel petai wedi bod yn y
popty!

Trefnais yr offer, gan gynnwys cant a hanner troedfedd o
raff, dau biton rhew a thri phiton craig. Hogais y gaib rhew
a'r cramponau, bwyta llond bol a gorffwys cyn ffarwelio â
Bett a'i chychwyn hi am y mynydd am hanner nos. Yr
oeddwn yn genfigennus iawn ohoni, yn gynnes yn ei sach
gysgu a minnau'n cychwyn drwy'r oerni am gwt Hornli.

Wrth ddringo'r llwybr tuag at y cwt yn oerfel y nos,
cododd yr un hen amheuon cyn dringo – pam gebyst
oeddwn i'n gwneud hyn? beth allai ddigwydd? ac yn y blaen.
Cyn cyrraedd y cwt, gwelwn oleuadau a chlywed lleisiau.
Tybed a oedd rhywun arall yn paratoi i ddringo'r wyneb
gogleddol? Yr oedd hi'n fwy na thebyg y byddent yn anelu
am grib Hornli ond wnes i ddim oedi rhag ofn. Gallwn weld
olion fy nhraed ers y tro cynt wedi rhewi yn yr eira a chyn
pen awr o'r cwt, cyrhaeddais y *berschrund*. Tynheais
strapiau'r cramponau ac archwilio gweddill fy offer wrth i
olau'r lamp ar fy helmed oleuo'r rhew o'm cwmpas. Plannais
fy nghaib rhew ar yr wyneb gogleddol a chodi fy hun dros y

berschrund.

Mae'r wyneb gogleddol tua 4,500 troedfedd o uchder, gyda'r 1,500 troedfedd cyntaf yn llethr o rew llyfn ar 50 gradd. Yr oedd mewn cyflwr da a theimlai'r gaib a blaenau'r cramponau yn gadarn yn y rhew, ond yr oeddwn braidd yn bryderus wrth ddringo'n araf i fyny'r llethr. Yn raddol, setlais i'm rhythm a theimlo'n fwy hyderus. Ar ôl bob 200 troedfedd mwy neu lai, gan ddefnyddio'r gaib, gwnawn dyllau i roi fy nhroed yn wastad er mwyn gorffwys cyhyrau blinedig fy nghoes. Aeth y dringo'n undonog ac yn anniddorol ac yswn am graig i'w dringo. Cyrhaeddais ben uchaf y llethr rhew erbyn toriad gwawr ac yn raddol, gallwn weld o gwmpas yr wyneb eang, dinodwedd. Teimlwn braidd yn ofnus wrth herio grymoedd nerthol natur. Euthum ar drawstaith i gyfeiriad *couloir* bas sy'n mynd i lawr o ran uchaf crib Hornli. O'r diwedd, dyma gamu i'r *couloir*, ceibio ychydig o rew oddi ar silff garreg fechan ac eistedd am y tro cyntaf, ond yn sownd wrth felai. Yr oeddwn wedi dringo 1,500 troedfedd o rew undonog ac o'm blaen yr oedd cymysgedd anniddorol o rew a chreigiau am 3,000 troedfedd arall. Yr unig nodwedd amlwg yw'r *couloir*, un a ddilynwyd gan ddau gyfaill i mi mewn tywydd gwael cyn hynny hyd nes iddynt gyrraedd crib Hornli ger cwt Solvay a methu chwarter olaf y ddringfa – nid y dull gorau o orffen dringo'r wyneb gogleddol!

Wrth imi orffwys ac astudio'r llethr uwch fy mhen, dechreuodd cerrig a rhew oedd wedi llacio ym mhelydrau'r haul ar grib y copa hedfan heibio 'mhen. Nid oedd unlle i gysgodi, felly rhaid oedd eu dioddef. Dyma ddatod y belai ac ailgychwyn dringo. Euthum yn syth i fyny'r canol, weithiau'n symud i'r dde neu i'r chwith wrth ganfod y ffordd hawsaf. Yn dechnegol, nid oedd y dringo'n anodd iawn ond yr oedd y cerrig a syrthiai drwy'r amser yn codi braw arnaf. Er fy mod yn dringo'n weddol sydyn dros gymysgedd o rew llyfn a chraig bydredig, fe'i cawn hi'n anodd ymlacio. Yr oedd yr wyneb yn agored iawn a dim gordo yn unlle i gael lloches oddi wrth yr ambell garreg a rhew a ddeuai i lawr, rhai ohonynt, mae'n siŵr, wedi cael eu rhyddhau gan ddringwyr a oedd, erbyn hyn, wedi cyrraedd y copa ar ôl dringo crib Hornli. Yswn am adael y llethr hwn a gâi ei bledu gan gerrig a rhew.

Tua mil o droedfeddi islaw'r copa mae'r graig yn fwy serth. Dysgais o'r tywyslyfr fod y graig yn haws ei dringo o fynd ar drawstaith i'r dwyrain tuag at grib Zmutt. Ar ôl dringo ychydig o'r drawstaith yr oedd hollt uwchben, tua throedfedd o led, yn llawn o rew 'da' ac fe wnâi hynny'r dringo yn ddiddorol o'r diwedd! Cyn pen dim yr oeddwn wedi cyrraedd y llethr olaf, gyda'i ongl haws a ddeuai'n raddol yn fwy o eira nag o graig.

Wrth agosáu at y copa gallwn weld dau grŵp o ddau yn gorwedd yn yr haul ar ôl cwblhau'r ddringfa i grib Hornli. Cyrhaeddais grib y copa, hanner ffordd rhwng copa'r Swistir a'r Eidal, clirio llwyfan yn yr eira gyda'm troed a gorwedd yno'n anadlu'n ddwfn o ganlyniad i'm hymdrechion a'r rhyddhad o ddod oddi ar yr wyneb gogleddol. Cwsmer a thywysydd oedd dau o'r dringwyr a welais, sef gŵr o'r Swistir yr oeddwn wedi ei gyfarfod yn Chamonix y flwyddyn flaenorol. Ar ôl cyfarch ein gilydd, aethom ati i sgwrsio am ddringo a dywedais wrtho fy mod yn credu bod y Matterhorn yn drawiadol ac yn enwog ond fel dringfa nad oedd yn ddim mwy na llwyth o rwbel wedi rhewi.

Euthum ar drawstaith tuag at y copa go iawn ac eistedd unwaith eto, gan fwynhau'r teimlad fy mod wedi llwyddo i gyrraedd y nod. Ymddangosodd partïon eraill ar y copa, rhai oedd wedi dringo crib Hornli, ac ar ôl cyfnewid cyfarchion dyma gychwyn i lawr. Teimlwn fy mod mewn byd gwahanol erbyn hyn; awr yn ôl yr oeddwn ar fy mhen fy hun ar yr wyneb gogleddol ond rŵan ar y llethrau uwch cwt Solvay yr oedd dringwyr eraill o'm cwmpas, tywysyddion a'u cwsmeriaid mewn gwahanol raddau o flinder, yn tynnu eu hunain i fyny ar raffau tewion. Plethais fy ffordd drwyddynt a chyrraedd cwt Solvay lle'r oedd rhagor o ddringwyr heb fod mewn unrhyw gyflwr i fynd ymhellach. Deuthum i'r casgliad na fyddai gwaith tywysydd yn bleserus ar y ddringfa hon wrth geisio dwyn perswâd ar y cwsmeriaid i ddringo'n uwch – nifer ohonynt yn ddibrofiad a heb fod yn heini.

I lawr â mi, gyda'r cerrig a oedd yn cael eu rhyddhau dan draed y dringwyr uwch fy mhen yn syrthio o'm cwmpas ac yn gwneud yr amodau'n fwy peryglus na'r wyneb gogleddol. Poenwn yn arw am fod dau o'm cyfeillion wedi cael eu lladd gan gerrig yn syrthio yn y man hwn ar y mynydd, wrth ddod i lawr ar ôl dringo'r wyneb gogleddol. Gyda rhyddhad y cyrhaeddais gwt Hornli, gan ryfeddu at y ffaith imi osgoi'r cerrig a gwympai'n barhaol ar y Matterhorn. Arhosais yn y cwt am ddiod sydyn ac ar y llwybr i lawr am Schwarzee cyfarfûm â dau ddringwr o Loegr, un ohonynt oedd Will Hurford, gŵr yr oeddwn wedi ei gyfarfod lawer gwaith yn Eryri.

Euthum i lawr i gyfeiriad Schwarzee yn araf, erbyn hyn wedi blino'n lân a'm coesau a'm breichiau yn brifo. Ond daeth rhyw egni o rywle wrth weld Bett yn gwneud paned y tu allan i'r babell. Gwaeddais arni fy mod wedi llwyddo a dweud wrthi dywallt dwy baned. Yna, er fy mod yn hapus iawn a heb unrhyw reswm amlwg, ac er syndod i Bett, dechreuais grio – yn union fel petawn yn cael ryw fath o ryddhad o'r tensiynau a'r oriau ar yr wyneb gogleddol. Ond ar ôl y baned a rhyw goflaid gan Bett, yn fuan iawn deuthum ataf fy hun ac wrth orwedd yn yr haul, teimlwn fod bywyd yn werth ei fyw.

* * *

Gan fod Leo wedi dod yn enwog fel gwneuthurwr ffilmiau mynydda erbyn canol y 1970au, doedd hi ond yn naturiol iddo droi ei sylw at y copa Alpaidd mwyaf dramatig, sef y Matterhorn. Gyda'i allu arferol, llwyddodd i gael nawdd ariannol gan Aled Vaughan o HTV Cymru. Daeth dau gyfaill atom i gwblhau'r tîm – Brian Molyneux o Lerpwl, dringwr cryf ar greigiau, heb fawr o brofiad ar rew ond cymeriad bywiog a fyddai'n cynnal ysbryd y criw, ac Eddie Birch, gŵr o Fanceinion a oedd wedi ymgartrefu yng Nghymru, dringwr dibynadwy ac un y byddwn yn hapus i'w gael gyda mi mewn argyfwng.

Ar y Matterhorn – y fi ar y blaen a Brian Molyneu yn y gwaelod

Penderfynwyd dringo yn ystod y gaeaf, gan y byddai trwch go lew o eira yn sefydlogi'r graig frau ar y Matterhorn. Hefyd, gan ein bod i gyd yn sgïwyr brwdfrydig, gallem fynd i sgïo pan fyddai'r tywydd yn wael. Fodd bynnag, bu bron i'r cynllun ddod i ben cyn cychwyn. Yr oeddem yn dringo'r llethrau o dan gwt Hornli sydd, yn yr haf, yn llwybr i dwristiaid ond yn y gaeaf yr oedd eira newydd, ansefydlog yn cyrraedd hyd at y pengliniau. Fi oedd ar y blaen ac fel ag

Ar gopa'r Matterhorn

yr oeddwn yn sylweddoli ei bod yn mynd yn fwyfwy peryglus ac y dylem raffu ein gilydd, aeth y darn oedd o'm cwmpas ar i lawr mewn eirlithrad. Syrthiais innau i lawr y llethr i'w ganlyn, gan geisio arafu fy nghodwm. Yr oeddwn yn ymwybodol fod clogwyn bum can troedfedd ar fy llwybr islaw ac os na allwn stopio o fewn yr eiliadau nesaf, gwyddwn y byddwn yn marw. Clywais am rai eraill yn yr un sefyllfa â mi yn gweld eu holl fywyd yn gwibio o flaen eu llygaid. Mae arna i ofn poen ac felly, yr unig beth y gallwn feddwl amdano oedd na fyddai'r diwedd yn boenus.

Wrth syrthio i lawr y llethr, drwy ryw lwc llwyddais i ddal fy ngafael ar ddarn o graig a chydiais ynddi â'm holl nerth, tua deg troedfedd oddi wrth y dibyn, gyda'r eira'n llithro drosodd ac o'm cwmpas. Bûm yn ceisio tawelu fy ofnau am ychydig ond yr oeddwn wedi dychryn yn arw. Gwaeddodd y lleill i weld a oeddwn yn iawn ac atebais innau drwy godi fy mawd. Dringais yn araf yn ôl atynt a dywedodd Eddie, gyda'i hiwmor sych arferol, y byddai'n syniad da inni raffu yn ein gilydd. Gan fod Leo bob amser yn barod gyda'i gamera, yr oedd wedi llwyddo i ffilmio'r cyfan ac fe ddywedodd y byddai'r hyn oedd newydd ddigwydd yn ddechrau da i'w ffilm! Nid oeddwn o'r un farn, mae'n rhaid cyfaddef; yr oeddwn yn dal mewn sioc ac wrthi'n diawlio'r penderfyniad annoeth i beidio rhaffu ynghynt – camgymeriad fu bron â'm lladd.

Cyn pen dim, cyrhaeddwyd cwt Hornli ble byddem yn treulio'r nos. Gadawyd y cwt yn gynnar yn y bore, yn llwythog o offer *bivouac* gaeaf, camerâu a ffilm. Ond yn fuan iawn, gwelsom Leo yn neidio i fyny ac i lawr mewn rhwystredigaeth am fod un o'i gamerâu yn rhewi. Felly, rhaid fu troi'n ôl am y dyffryn.

Ychydig ddyddiau'n ddiweddarach, yr oeddem yn ôl a Leo'n cario camera nad oedd yn dioddef effeithiau rhew. O gwt Hornli, aethpwyd ar y rhewlif ac at y rhwystr cyntaf ar y Matterhorn, sef llethr o rew 1,500 troedfedd. Gyda'n sachau trymion a'r angen i ffilmio, araf iawn fu'r symud. Yr oedd ansawdd y rhew yn y gaeaf yn siomedig am ei fod yn galed iawn ac yn frau; rhaid oedd ei daro deirgwaith gyda'r gaib rhew i gael gafael da, sef yr hyn a elwir yn *dinnerplating* yn iaith y dringwr. Wrth ei daro y tro cyntaf, cracia'r rhew; yna ar yr ail drawiad bydd darn o rew o faint plât cinio yn chwalu gan syrthio'n is i lawr ar y llethr; dim ond wedi'r trydydd trawiad y gafaela'r gaib yn y rhew.

Dringem ar gyflymder malwen ac wrth iddi nosi, sylweddolwyd y byddai'n rhaid treulio'r nos ar y llethr rhew. Ceibiwyd y rhew gan lwyddo i greu silff rhyw droedfedd o led ond doedd dim gobaith eistedd arni, dim ond sefyll a phwyso'r corff yn erbyn y rhew. *Bivouac* anghyfforddus iawn oedd hwn a phob un ohonom yn oer wrth dreulio noson hir aeafol yno. Yn achlysurol, wrth bendwmpian, llithrai rhywun oddi ar y silff gan hongian oddi wrth y piton a dychryn y gweddill ohonom. Ni fyddai hyn yn digwydd i mi wrth gwrs, am nad oeddwn yn gallu cysgu beth bynnag. Eddie oedd fwyaf cyfforddus ac edrychwn arno gyda chenfigen wrth ei glywed yn chwyrnu'n braf, ond i mi, noson o grynu mewn oerfel fu hi.

Er mor anghyfforddus y *bivouac*, nid oedd meddwl am symud ymlaen yn apelio, chwaith. Hunllef lwyr oedd ceisio toddi rhew ar gyfer gwneud diod gynnes yn yr oerfel eithafol (tua -20°C), cael trefn ar yr offer cyn dechrau dringo a bod yn ofalus rhag inni ollwng unrhyw beth dros yr ochr. Gyda'n cyrff wedi cyffio ac yn flinedig iawn, fe'n gyrrwyd ymlaen gan yr wybodaeth y byddem yn gadael y rhew ar ôl rhyw ddwyawr o ddringo ac erbyn canol y bore, llwyddwyd i gyflawni hynny.

Hyd yn oed oddi ar y rhew, yr oeddem yn dal i deithio'n araf a hynny oherwydd bod pedwar ohonom ar y rhaff, galwadau ffilmio, a'r drafferth o ganfod pwyntiau belai da. Erbyn iddi nosi, yr oeddem tua hanner y ffordd i fyny'r wyneb gogleddol, 4,500 troedfedd, ac er nad oedd yr ail *bivouac* mor gyfyng â'r cyntaf, bu'n noson hir, oer ac anghyfforddus. Nid am y tro cyntaf y darfu imi ryfeddu at ddycnwch Leo wrth ffilmio dan amodau anodd iawn. Gydag Eddie, Brian a minnau'n glyd yn ein sachau cysgu, crogai Leo ar raff yn ffilmio gwahanol onglau o'r *bivouac*, gwaith anodd iawn o ystyried ei fod wedi bod yn dringo drwy'r dydd.

Erbyn hyn, teimlai fy nhraed yn oer iawn ac ofnwn gael ewinrhew. Tua awr cyn iddi ddyddio, dechreuodd fwrw eira'n drwm a hynny'n gryn syndod gan inni dderbyn sicrwydd gan Constan Cachin, Pennaeth Twristiaeth Zermatt dros y radio fod y rhagolygon yn dda. Eisteddem yn ein sachau *bivouac* yn paratoi diodydd poeth yn y gobaith y byddai'r tywydd yn gwella ond drwy'r bore, dim ond eirlithradau di-ball a welsom. Penderfynwyd troi'n ôl ond gwaith llafurus oedd paratoi ar gyfer hynny gan fod ein hoffer wedi ei gladdu yn yr eira a'r rhaffau wedi rhewi, yn debycach i wifrau na neilon. Rhaid oedd defnyddio tri neu bedwar piton er diogelwch ond gan nad oedd gennym ddigon ohonynt i'w gadael ar ôl wrth abseilio, dyfeisiwyd cynllun go fentrus. Abseiliai'r tri cyntaf

Croesi llethr rhew ar y Matterhorn yn y gaeaf

i lawr 150 troedfedd ar un belai, yna gosod un arall oddi tan hwnnw. Yna'r pedwerydd aelod i dynnu bob piton heblaw am un, gan abseilio i lawr ar hwnnw a gweddïo y byddai'n dal ei bwysau. Dull peryglus iawn. Petai'r piton yn dod yn rhydd oddi ar yr wyneb, yna câi'r un oedd ar y rhaff godwm rhyw 300 troedfedd cyn i'w bwysau ddod ar y belai is. Am ryw reswm, fi oedd y pedwerydd anffodus ond y gwir oedd, petai'r piton wedi dod i ffwrdd, yna byddai'r pwysau a'r godwm wedi tynnu'r lleill hefyd ac fe fyddai'r cwbl ohonom wedi cael codwm angheuol.

Erbyn y prynhawn, yr oeddem wedi llwyddo i gyrraedd dros hanner y ffordd i lawr y llethr rhew ac fe ymddangosai'n bur debygol y byddai raid inni dreulio noson arall yn y lle ofnadwy hwnnw. Awgrymais y dylem glymu'r pedair rhaff yn ei gilydd i geisio dod oddi ar y llethr cyn iddi nosi. Yna, fe fyddwn i'n dringo i fyny ar fy mhen fy hun i nôl y rhaffau. A dyna a wnaed, gyda 600 troedfedd o raff fwy neu lai yn cyrraedd dros y *bergschrund* ar waelod yr wyneb. Er ein bod yn siomedig o orfod troi'n ôl, yr oeddem wrth ein boddau ar lethr eira ar ongl weddol. Tyllwyd ar frys ac yn fuan cafwyd silff *bivouac* reit dda. Ond byr iawn fu ein bodlonrwydd. Fel yr oeddem yn dod i drefn, dyma andros o sŵn ac fe gawsom ein hamgylchynu gan drwch o eira. Er mai ond yn rhannol y claddwyd Leo a minnau, doedd dim golwg o'r ddau arall heblaw am un fraich yn codi o'r eira. Tyllwyd ar frys a chanfod mai braich Brian oedd hi. Yna tyllodd y tri ohonom i gael Eddie allan. Wrth sylweddoli ein camgymeriad yn aros mewn lle mor agored, a chan wybod y byddai'n saffach symud i gyfeiriad cwt Hornli rhag ofn i eirlithrad arall ein taro, gadawsom ein hoffer wedi ei gladdu yn yr eira a symud i le mwy cysgodol. Heb fwyd na diod, na thipyn o'n hoffer *bivouac*, treuliwyd noson oer a diflas arall.

Pan dorrodd y wawr, aethom yn ôl i'r lle y gadawyd yr offer a llwyddwyd i dyllu'r rhan fwyaf ohono o'r eira. Er hynny, collais bob awydd i ddringo ar fy mhen fy hun i nôl y rhaffau gan gyfiawnhau fy mhenderfyniad drwy ddweud y byddwn yn dychwelyd ymhen rhai dyddiau.

Ymhen dwyawr, dyma gyrraedd cwt Hornli ac yno y buom yn dadmer yn raddol gyda chymorth llawer o ddiodydd poeth. Y newyddion drwg oedd bod fy nhraed yn dioddef o ewinrhew o ganlyniad i'r ymdrech ar y llethr rhew caled ddeuddydd ynghynt. Dyma ddychwelyd i Zermatt yn siomedig ond yn falch o fod yn fyw. Penderfynwyd mynd adref a dychwelyd pan fyddai fy nhraed wedi gwella.

Erbyn dechrau'r haf, a'm traed yn iawn unwaith eto,

dyma ddychwelyd i Zermatt ond y tro hwn heb Brian. Am mai dim ond tri ohonom oedd yn dringo, gallem symud yn gynt, a heb amodau garw'r gaeaf llwyddwyd i gyrraedd y pwynt uchaf blaenorol ar ddiwedd y diwrnod cyntaf. Dyma sefydlu *bivouac* a pharhau i ddringo y diwrnod wedyn. Erbyn y prynhawn, cawsom ein hamgylchynu gan storm arall ac fe ymddangosai fel petai grym natur yn benderfynol o'n sgubo oddi ar y mynydd. Ond brwydro ymlaen a wnaethom yn y gobaith o gyrraedd y copa cyn i'r diwrnod hwnnw ddiflannu. *Bivouac* arall wedyn, ond y tro hwn yn gynhesach na'r rhai yn ystod y gaeaf gan fod y nos yn fyrrach. Bu'n bwrw eira drwy'r nos a hithau'n frwydr barhaus i glirio'r eira a gasglai y tu ôl inni rhag iddo ein gwthio oddi ar ein clwydfannau bychain.

Erbyn y bore, yr oedd y storm wedi gostegu ac addawodd fod yn ddiwrnod braf, ond gyda'r wyneb wedi ei orchuddio ag eira newydd fe wnâi hynny'r dringo yn araf. Ni allem ganfod ffordd o ddringo'r rhan serth ar ei union, felly dyma fynd ar drawstaith tuag at grib Zmutt er mwyn canfod toriad ar i fyny am lethrau'r copa. Hyd yma, rhannai Eddie a minnau'r blaen gyda Leo'n ffilmio, ond ers gadael y dyffryn bûm yn dioddef o'r hyn a elwir yn 'glwy'r dringwyr', sef 'peils', testun hiwmor crafog i gyfeillion ond nid yw'n jôc i'r dioddefwr! Yr oedd pob cam yn boenus iawn, felly gofynnais i Eddie ddibynadwy arwain ac fe wnaeth hynny'n ddidrafferth.

Wrth agosáu at y copa, ymddangosai fel petai'r tywydd yn gwella, fel petai natur wedi cyflwyno'i her eithaf inni ond bellach wedi maddau ac yn fodlon ein croesawu. Yna, dyma gyrraedd copa'r Matterhorn ac er ein bod yn flinedig, yr oeddem yn falch tu hwnt o'n llwyddiant. Tra cofleidiai Eddie a minnau yr oedd Leo'n ffilmio'n ddi-baid. O'r diwedd, gorffennodd Leo ffilmio a dyma ddechrau dod i lawr ar hyd crib Hornli. O'i chymharu â'r wyneb gogleddol, mae crib Hornli yn hawdd, ond yn hir ac yn hunllef i ni oherwydd ein cyflwr bregus. O'm mynych deithiau ar ddringfeydd maith yn yr Alpau, profais fod yr adrenalin yn eich cynnal yn ystod yr esgyniad peryglus ond unwaith y bydd hynny drosodd, daw blinder eithafol i'ch rhan ac fe wna hynny'r daith i lawr yn beryglus iawn. Ar un pwynt, wrth i Eddie drefnu abseil, euthum i gysgu ar fy nhraed a bu bron i mi syrthio'n flinedig a bu hynny'n ddigon i'm hatgoffa sut y gall eiliad o flerwch gostio'n ddrud.

O'r diwedd, dyma gyrraedd cwt Hornli lle bu'r ceidwad yn paratoi paneidiau o goffi melys, poeth i ni. Yna, prynwyd *schnapps* i'w yfed gyda'r coffi. Ddwyawr yn ddiweddarach, daethom i lawr i Schwarzee ychydig yn benysgafn, cyn dal y *telepherique* i Zermatt er mwyn cael dathlu'n iawn!

Yn ystod ein hymweliadau â Zermatt daethom i adnabod John Morton, Americanwr a redai wersyll haf *Swiss Challenge* i ddringwyr, cerddwyr a sgiwyr. Creodd ein hymdrechion ar y Matterhorn gryn argraff arno ac fe gynigiodd waith i mi yn rhedeg cyrsiau dringo, gyda chyflog na allwn ei wrthod. Yn ystod y pedwar haf dilynol, cefais bleser mawr yn cyflwyno'r mynyddoedd mawrion i blant o'r Unol Daleithiau. Cyflogwn hyfforddwyr o Brydain yn ogystal ag un neu ddau o dywysyddion lleol o Zermatt i'm cynorthwyo gyda'r cyrsiau. Rhaid oedd gwneud hyn er mwyn bodloni'r awdurdodau.

Canolbwynt y cyrsiau oedd gwesty'r *Slalom* yng nghanol y dref. Hyd y cyrsiau oedd pythefnos – yr wythnos gyntaf yn y dyffryn i ddysgu sgiliau dringo sylfaenol a'r ail yn gwersylla ger rhewlif Findlen er mwyn dringo'r copaon cyfagos. Deuai'r myfyrwyr o deuluoedd cefnog, wedi arfer cael eu ffordd eu hunain, felly'r oedd hi'n anodd cadw trefn arnynt.

Bu merch perchennog y cylchgrawn *Newsweek* ar un cwrs, a merch yr actor Peter Lawford, nith yr Arlywydd Kennedy ar un arall. Gyda'r nos yr oedd yn rhaid iddynt fod i mewn erbyn 10.30 ond sleifiai rhai o'u llofftydd er mwyn profi atyniadau nos Zermatt!

Ar gyfartaledd, cynhelid pedwar cwrs y flwyddyn ac yn ystod y cyfnodau hyn, gwneuthum lawer o ffrindiau o'r Unol Daleithiau. Fel arfer, byddwn yn mwynhau cynnal y cyrsiau hyn ond ar ôl rhyw wyth i ddeg wythnos o warchod y myfyrwyr yn y mynyddoedd uchel, byddai'r cyfrifoldeb yn mynd yn dipyn o straen. Ar ddechrau pob haf byddwn yn trefnu'r dringfeydd yr oeddwn am roi cynnig arnynt ar ddiwedd fy nghyfnod yn Zermatt, ond pan fyddai'r amser hwnnw'n cyrraedd, teimlwn yr angen i dreulio cyfnod i ffwrdd o'r mynyddoedd. Felly, awn i ymweld â dinasoedd yn y Swistir cyn troi'n ôl am y Bernese Oberland a phrosiect yr Eiger. Daeth fy nghysylltiad â *Swiss Challenge* i ben wrth i mi ddioddef o ewinrhew yn dilyn fy nghyfnod ar Everest ym 1978.

Yn ystod y blynyddoedd nesaf, dychwelais i Zermatt lawer gwaith er mwyn dringo a sgïo. Yn ystod haf 2002, euthum yno gyda Leo ac Andy Montriou. Llogwyd hofrennydd, hedfan hyd at 17,000 troedfedd – 2,500 troedfedd uwchlaw copa'r Matterhorn – neidio ohoni a syrthio'n rhydd i lawr yr wyneb gogleddol cyn agor parasiwt. Profiad anhygoel, felly fe wnaethom yr un peth deirgwaith wedyn.

Ers fy ymweliad cyntaf yn y 1970au, bu newidiadau mawr yn Zermatt gyda mwy o adeiladau modern yn cael eu hadeiladu yno. Yn yr hen ddyddiau, trafnidiaeth ceffyl oedd yno ond erbyn hyn, troliau trydan sydd ym mhobman ac fe ddiflannodd llawer o'r hud a berthynai i'r lle. Ond wrth edrych i fyny, mae'r Matterhorn yn dal yno yn ei holl ogoniant. Deil i gynnal llawer o atgofion anhygoel i mi yn bersonol ac fe fydd yn dal i ddenu dringwyr yn y dyfodol, gyda'i her yn gymysgedd o antur a thrasiedi.

Pennod 8

HERIO'R EIGER
AR FY MHEN FY HUN

Gwyddwn pa mor beryglus fyddai dringo wyneb gogleddol yr Eiger ar fy mhen fy hun, heb gymorth neb arall. Gwnaed y cynnig cyntaf ar y gamp ym 1961 ac fe gyrhaeddodd Adolph Mayr ran o'r ffordd cyn cael codwm a bu farw. Adolph Derungs oedd yr ail i roi cynnig arni, ym 1962, ond fe'i lladdwyd ar ran isaf yr wyneb. Mis yn ddiweddarach, lladdwyd Deither Marchat yn nechrau yr ail lethr rhew. Y flwyddyn ganlynol, cynigiodd y dringwr unigol gorau yn y byd, Walter Bonnati arni ond bu'n rhaid iddo roi'r gorau iddi wedi cwymp cerrig go ddrwg. Tua'r un amser, yr oedd dringwr ifanc o'r Swistir o'r enw Michael Darbellay ar y mynydd ac ar Awst yr 2il, 1963, llwyddodd i ddringo'r wyneb gogleddol ar ei ben ei hun – y dringwr cyntaf i wneud hynny. Aeth pymtheng mlynedd heibio cyn i'r Ffrancwr Ivan Ghirardini ac yna Tsuneo Hasegawa o Siapan gyflawni'r gamp ym 1978. Byddai dwy flynedd yn mynd heibio cyn y cawn innau'r cyfle i fod y Cymro (a'r Prydeiniwr) cyntaf i gyflawni'r gamp.

Yr oeddwn wedi dringo yn yr Alpau ac ym Mhrydain ar fy mhen fy hun cyn i Leo Dickinson ddweud ei fod yn awyddus i wneud rhaglen ddogfen am fy ymgais i ddringo wyneb gogleddol yr Eiger. Eglurodd na fyddai'n amharu dim ar fy nringo. Byddai'n ffilmio o hofrennydd ac yna, ar fy ail ddiwrnod ar y mynydd, byddai yntau'n cael ei ollwng ar y mynydd gyda hofrennydd er mwyn ffilmio'r ymdrech. Byddai hefyd yn ffilmio o'r pellter gyda lens gref, a hefyd ar y copa – hynny yw, pe llwyddwn i gyrraedd y fan honno!

Gan fy mod wedi dringo'r wyneb yng nghwmni dringwyr eraill ddeng mlynedd cyn hynny, gwyddwn y ffordd i fyny – a oedd yn rhywfaint o gysur i mi. Ond gwyddwn hefyd am y peryglon o ddringo wyneb oedd â'i natur yn gallu newid o awr i awr. Er enghraifft, gallai dŵr fod yn llifo dros yr wyneb ac felly byddai'n hawdd i'w ddringo, ond ymhen awr, efallai y byddai'r dŵr wedi rhewi gan ei gwneud hi'n beryglus o lithrig.

Ym misoedd yr haf yn y cyfnod hwnnw, gweithiwn yn Zermatt fel cyfarwyddwr hyfforddi ac ni fyddwn ar gael hyd nes i'r gwersyll Americanaidd orffen ar ddiwedd mis Awst. Am dair blynedd, teithiais o Zermatt i Grindelwald yn y gobaith y byddai'r amodau'n ffafriol ond bob tro byddai'r tywydd yn wael neu fe fyddai'r wyneb yn rhy beryglus. Ond ym 1980, newidiodd fy lwc, gyda'r tywydd yn edrych yn weddol ffafriol. Ffoniais Leo ac fe hedfanodd allan gyda'i gamerâu. Aethom i drafod gyda'r cwmni oedd yn berchen ar yr hofrennydd. Nid oedd gadael Leo ar y mynydd yn broblem ond byddai'n rhaid iddo gael tywysydd ac yr oedd hynny'n ychwanegu at gostau'r fenter. Ar y llaw arall, byddai cael tywysydd profiadol yn rhoi mwy o ryddid i Leo wrth ffilmio.

Cynhaliwyd cyfarfod i drafod y fenter. Yr oeddwn yn poeni y byddai'r hofrennydd yn cynhyrfu'r aer gan beri i rew a chreigiau syrthio ond sicrhaodd y peilot fi na fyddai hynny'n digwydd ac felly yr oeddwn yn fodlon gyda'r hyn a ddywedodd. Y noson honno, euthum drwy'r gêr a'r bwyd drosodd a throsodd. Gwyddwn y byddai rhoi gormod o bwysau yn y sach gefn yn arafu'r dringo ac yn cynyddu'r posibilrwydd o gael fy nal mewn storm gan fod angen mwy o amser i gwblhau'r ddringfa. Ar y llaw arall, gallai cario rhy ychydig olygu dringo'n gynt ond byddai'n creu problem fawr pe bawn yn cael fy nal mewn storm. Dros gyfnod o flynyddoedd o ddringo ar fy mhen fy hun, yr oeddwn wedi dod i arfer â gwneud y dewisiadau cywir ac yn ddigon hapus yn hynny o beth. Cariwn y lleiafswm posibl o bwysau, sach gysgu ysgafn a phabell *bivouac* fechan wedi cael ei gwneud yn arbennig ar fy nghyfer gan gwmni *Mountain Equipment*. Hefyd, yr oedd gennyf leiafswm o fwyd oherwydd gwyddwn o brofiad fod yr awydd am fwyd yn lleihau ar ddringfa fawr, ond cariwn stof fechan a silindrau nwy ychwanegol er mwyn toddi rhew i wneud diodydd. Pwysai'r cyfan tua deugain pwys. Gan fy mod yn dringo ar fy mhen fy hun, ychydig o offer dringo oedd ei angen, dim ond 150 troedfedd o raff denau rhag ofn i mi orfod dod i lawr.

Y noson honno, ceisiais ymlacio, ond wrth droi a throsi popeth yn fy meddwl – y ddringfa, tywydd gwael, cysgu ar wely o eira a rhew a'r ofn o gael fy nharo gan gwymp creigiau – yr oedd cwsg ymhell o'm cyrraedd. Gyda'r wawr yn torri, newidiodd y cwbl wrth ddeall fod y diwrnod y bûm yn breuddwydio amdano wedi cyrraedd. Roedd Leo'n ffysian ac yn mynd drwy'r gêr a'r bwyd drosodd a throsodd. Cefais salami a chaws (a choflaid!) gan Rudi, perchennog y gwesty. Gan fod pawb yn gwybod ei fod yn dipyn o gybydd, amheuwn nad oedd yn disgwyl fy ngweld byth eto – ond petawn yn dychwelyd, byddai'n siŵr o hawlio pres am y salami!

Gyda'r rhagolygon yn addo tridiau braf, daliodd Leo a

minnau'r trên o Grindelwald i fyny i Eigergletscher. Ar ôl iddo ffilmio ychydig, ffarweliodd Leo â mi. Gan ein bod wedi cynllunio hyn ers blynyddoedd yr oedd y ffarwelio'n waeth iddo fo. Hefyd, o hyn ymlaen, gwylio'r dringo fyddai ef. Gyda dagrau yn ei lygaid, ei eiriau olaf oedd, '*Mr Jones, you be careful.*' Yr oedd hi'n haws i mi gan fy mod ar bigau'r drain i gael mynd ar y mynydd.

O Eigergletscher, mae tua awr o waith cerdded hyd at waelod yr wyneb. Ar ôl paratoi i ddringo rhew ac eira, dyma gychwyn ar y daith. Yr oedd y 2,000 troedfedd cyntaf yn weddol hawdd dros sgri a silffoedd dan eira ond yn fuan, deuthum at y rhan anodd gyntaf, y 'Difficult Crack'. Er ei bod yn serth ac yn gofyn am gryn ymdrech i'w dringo, mi lwyddais yn weddol rwydd. Y rhwystr mawr nesaf oedd y drawstaith a elwir yn 'Hinterstoisser Traverse' ar ôl y sawl a'i darganfu. Heb raff sefydlog byddai'n amhosibl dringo'n ôl ar y darn hwn, fel y canfu Alfred Hintestoisser a'i gyfeillion a gollodd eu bywydau o'r herwydd. Diolch i'r drefn fod rhaff yno i mi ac fe lwyddais i'w chroesi yn hawdd. Ym mhen pella'r drawstaith, dringais hollt serth hanner can troedfedd a chyrraedd fy man cysgu ar gyfer y noson gyntaf, a hynny tua phump o'r gloch y prynhawn. Gelwir y lle yn 'Swallow's Nest' gan ei fod yn ymddangos o bellter fel nyth ar y graig. Mae'r fan yma yn amddiffynfa ddiogel rhag cwymp cerrig a rhew. Gwneuthum dwll bach digon clyd yn y rhew a'r eira gyda'r gaib. Gan fod disgwyl imi fod ar yr ail lethr rhew ar doriad gwawr, euthum i gael golwg ar y llethr rhew cyntaf gan ei bod hi'n dal yn olau. Cysylltais raff er mwyn gwneud y gwaith yn haws y bore wedyn cyn dychwelyd i'm lloches a hithau'n dechrau nosi.

Taniais y stof fach er mwyn toddi rhew i baratoi diod boeth. Gwnes gawl a bwyta rhywfaint o'r bwyd a gefais gan

Rudi yn y gwesty ac wedyn, yfed diod siocled poeth, cyn gwneud fy hun mor gyfforddus â phosibl a setlo am y nos. Ers imi fod yn gweithio shifftiau nos deuddeng awr mewn ffatri, yr oedd fy mhatrwm cysgu wedi drysu a dim ond rhyw bendwmpian am ddwy neu dair awr ar y mwyaf a wnes. Wrth iddi dywyllu, yr oedd llewyrch golau Grindelwald i'w weld yn glir. Mae wyneb gogleddol yr Eiger yn unigryw gan ei fod mor agos at wareiddiad o'i gymharu â chlogwyni mawr eraill yn yr Alpau. Gallwch fod mewn lle mor beryglus â'r un oeddwn i ynddo ac eto glywed synau bob dydd y dyffryn oddi tanoch. Crwydrai fy meddwl i 1961-63 pan laddwyd y rhai cyntaf i fentro ar eu pen eu hunain. Yr oedd hi'n fwy na thebyg mai yn yr union fan yma y cawsant loches dros nos, heb feddwl mai honno fyddai eu noson olaf. Ai dyna fy nhynged innau? Ac yn y fan honno, daeth teimlad mawr o ddinodedd drosof wrth wynebu anferthedd natur a'r hyn oedd yn fy ngyrru yn fy mlaen ar y daith fasocistaidd hon. Gwyddwn fod concro'r her yn creu ynof i ryw ryddhad angerddol o fod yn fyw a hynny ynddo'i hun yn crefu am fwy. Dewisais y llwybr unig hwn ac yn aml wrth dreulio noson fel hon teimlwn yr angen am gwmni; sicrwydd cyfaill a rhaff i'n dal gyda'n gilydd. Brwydrwn yn erbyn y teimladau hyn gan nad yw hel meddyliau o'r fath yn llesol ar fynydd.

Pan gyrhaeddodd hanner nos, teimlais ryddhad oherwydd yr oedd yn rhaid dechrau paratoi ar gyfer y diwrnod o'm blaen. Ciliodd y meddyliau pruddglwyfus ac yr oeddwn yn awyddus i barhau gyda'r dringo. Fe gymerais oriau i doddi digon o rew ar gyfer y diodydd a'r cawl. Er nad oedd arnaf fawr o awydd bwyd, gorfodais fy hun i fwyta'r cawl afiach er ei fod yn codi pwys arnaf, a hynny er mwyn gwrthwneud y diffyg hylif o ganlyniad i ddiwrnod caled o ddringo. Rhaid oedd dringo'r llethr rhew cyntaf yn y tywyllwch er mwyn bod ar yr ail erbyn toriad gwawr. Er fy mod wedi cyffio ar ôl treulio noson ar silff fechan, ystwythais yn fuan wrth ddringo'r rhew yng ngolau fflachlamp. Yn fuan, dyma gyrraedd y rhaff a osodais y diwrnod cynt a diolchais am ei sicrwydd wrth ddringo'r rhan serth hon yn y tywyllwch. Yr oeddwn yn fodlon fy mod wedi cyrraedd yr ail lethr rhew yn fuan wrth i'r wawr ddangos ei golau cynnar. Clywais sŵn yr hofrennydd a dyma ddechrau dringo'r ail lethr rhew. Gollyngwyd Leo a Hannes, y tywysydd, ar safle y 'Death Bivouac' ac wedyn aeth yr hofrennydd oddi yno'n syth rhag ofn iddi gael ei tharo gan gerrig neu gwymp eira ac fe ddychwelodd y distawrwydd unwaith eto.

Nid oedd hi'n anodd dringo yma ac er ei fod yn waith undonog a digon anniddorol, cofiwn am y rhai a gollodd eu bywydau yn yr union fan, felly dringais i dop ac wedyn ar draws yr ail lethr rhew, lle roedd mwy o gysgod rhag y cerrig a'r rhew oedd yn disgyn. O'm blaen yr oedd wal fechan anodd ar ddiwedd y llethr rhew ac ar ôl ychydig eiliadau pryderus yn ceisio torri mannau gafael, llwyddais i ddod drosti. Yna dringais dros lethr 200 troedfedd pur hawdd a chyrraedd at Leo a Hannes. Enw'r lle hwnnw yw 'Death Bivouac' am mai dyna'r man uchaf y cyrhaeddodd dau ddringwr o'r Almaen ar yr ymgais gyntaf erioed ar yr wyneb ym 1935. Rhewi i farwolaeth fu eu hanes. Wrth gynllunio'r ddringfa, yr oedd Leo wedi cynnig paratoi diod boeth imi erbyn y byddwn yn cyrraedd y fan honno ond yr oeddwn wedi gwrthod gan ddweud y byddai hynny'n amharu ar burdeb fy ymgais. Yr oeddwn am baratoi popeth ar fy nghyfer i fy hun. Er hynny, pylodd yr egwyddor honno a derbyniais fygaid o goffi gan Hannes – a chael blas arno.

Tynnodd Leo ychydig luniau ac wedyn i ffwrdd â mi am y trydydd llethr rhew – un serth ar 60 gradd. Gyda'r rhew yn galed ac yn frau a dibyn 3,000 troedfedd o dan fy nhraed, yr oedd bod ar y rhew ar fy mhen fy hun gyda phwysau ar fy nghefn yn cyflymu llif y gwaed a dweud y lleiaf! Cefais gryn drafferth i ganfod gafaelion yn y rhew gyda'r gaib ambell dro ond fe gyrhaeddais ei ben yn y diwedd. Y rhan nesaf oedd y 'Ramp' 1,000 troedfedd ac ar ôl cychwyn gweddol hawdd, âi'r dringo'n anoddach gyda cherrig a rhew yn disgyn yn ddiddiwedd. Wedyn, darn adnabyddus o'r ddringfa,

Ar fy mhen fy hun ar yr ail lethr rhew

yr 'Ice Bulge'. Fel arfer, mae'r 'bolio' wedi ei orchuddio â rhew trwchus sy'n gwneud y dringo'n rhesymol, hynny yw, gellir cael gafael da gyda'r gaib. Ond y tro hwn, nid oedd dim rhew o gwbl a'r graig yn llyfn fel marmor, ac felly nid oedd gafaelion. Yr unig obaith oedd un hollt fach yn y graig ac ychydig o rew rhyw ddwy droedfedd i mewn. Bûm yn pendroni sut y gallwn ddringo'r rhan hon. Fedrwn i ddim mynd i fyny na meddwl am fynd i lawr. Ai dyma fyddai diwedd y fenter? Yr oedd meddwl am ddringo i lawr yn frawychus – croesi'r tri llethr rhew gyda'r perygl o gael fy nharo gan gerrig neu ddarnau o rew. Hefyd, yr oeddwn wedi breuddwydio ers blynyddoedd am gyflawni'r gamp hon. Byddai'r siom yn annioddefol.

Does gen i ddim syniad am faint y bûm yn pendroni dros y broblem oedd yn ymddangos yn amhosibl. Heb unrhyw fath o resymu, penderfynais mai am i fyny yr awn. Unwaith y gwnes y penderfyniad, daeth rhyw dawelwch meddwl drosof. Trawais fy nghaib yn y rhew oedd yng nghefn yr hollt a chyda 'nghramponau'n crafu am unrhyw afael ar y graig lefn, llwyddais i ddringo dros y gordo a phlannu fy ngheibiau yn y rhew uwchben. Hyd heddiw, ni allaf egluro sut y dringais y rhan yma heblaw am y ffaith fy mod yn berffaith dawel fy meddwl a heb gynhyrfu o gwbl, er fy mod o fewn trwch blewyn i ddisgyn. Dringais y rhew mor gyflym â phosibl a daeth yr ofn yn ôl gan fod y cerrig yn disgyn yn ddiddiwedd. Yr oedd cyhyrau fy nghoesau ar dân o ganlyniad i'r fath ymdrech. O'r diwedd, cyrhaeddais y 'Brittle Ledges', rhyw silff fach tua throedfedd o led a thair troedfedd o hyd – lle anghyfforddus iawn, ond diolch i'r nefoedd yn ddiogel rhag y cawodydd angheuol o gerrig a rhew. Eisteddais ar y silff gan ystyried mai eiliadau gorau bywyd yw'r rhai hynny sy'n dilyn adegau pan fyddwch yn credu eich bod yn colli'r dydd!

Ystyriais y sefyllfa. Yr oedd ychydig oriau o olau dydd ar ôl eto a chydag amodau gweddol ar y rhan uchaf, efallai y gallwn gyrraedd y copa y diwrnod hwnnw. Ond os na allwn gyrraedd y copa, gwyddwn nad oedd yr un silff addas arall i dreulio'r nos arni. Teimlwn mor flinedig yn gorfforol ac yn emosiynol ar ôl y frwydr ar y 'Ramp' ac felly penderfynais mai treulio'r nos ar y 'Brittle Ledges' fyddai'r peth callaf i'w wneud. Er hynny, gallai'r tywydd droi a byddwn yn gorfod ymladd fy ffordd drwy'r tywydd gwael i'r copa. Wrth drefnu'r offer am y noson, gwyddwn fy mod wedi gwneud y penderfyniad iawn gan fy mod wedi blino'n lân ac angen rhoi hylif yn fy nghorff.

Nid oedd fawr o le ar y silff a ddewisais. Er fy mod wedi clymu fu hun i'r graig, doedd ond lle i foch fy nhin ac un goes, gyda'r goes arall yn hongian dros yr ochr. Yr oedd yn anghyfforddus iawn ond o leiaf yr oedd gennyf gysgod uwch fy mhen rhag y cerrig a'r darnau rhew oedd yn syrthio'n barhaus. Toddais rew ar gyfer diodydd a theimlwn yn fodlon gyda fi fy hun. Yr oedd hi'n noson hir, gyda chyfnodau o bendwmpian, crynu gan oerfel a phwyso a mesur a oeddwn i wedi gwneud y penderfyniad cywir i beidio mynd am y copa. Wrth bendwmpian, dechreuais ystyried pam oeddwn i'n dringo ar fy mhen fy hun ac yn gwthio fy hun i sefyllfaoedd peryglus ac anghyfforddus. Onid masochistiaeth lwyr oedd hyn? Fel yr eglurais eisoes, daw'r meddyliau hyn yn fwy amlwg ar yr Eiger na'r un mynydd mawr arall yn yr Alpau am eich bod yn clywed miwsig o'r bariau yn Grindlewald a Kleine Scheiddegg islaw. Gall hyn ddrysu eich penderfyniadau. Mae'n siŵr gen i ei fod yn creu rhyw sicrwydd ffug, gan yrru dyn i feddwl y gall achubiaeth fod wrth law mewn tywydd garw am ei fod yn clywed sŵn o'r dyffryn. Byddai'n well gen i dreulio'r noson ar fynydd mwy unig, heb sŵn y dyffryn i dynnu sylw. Wrth dreulio oriau'r nos, crwydrai fy meddwl at y dringwyr a fu'n brwydro ar y llethrau hyn ac a gollodd eu bywydau wrth geisio concro'r darn olaf cyn y copa, ond dyna ddigon ar y meddyliau negatif – yr oedd yn rhaid bod yn gadarnhaol os oeddwn am lwyddo. Bûm wrthi hefyd yn toddi rhew ac yn yfed cymaint o hylif â phosibl.

Erbyn toriad y wawr, yr oeddwn yn barod i fynd. Yr oedd ffawd o'm plaid a'r tywydd yn braf. Gyda'm corff wedi cyffio ar ôl noson annifyr, ddi-gwsg ar y silff, yr oedd dringo hollt serth am 70 troedfedd yn dipyn o gamp a'r oerfel a blinder yn gwneud y cyfan yn galetach. Ar ôl yr hollt serth, roedd y ddringfa'n dilyn silff ar draws y mynydd a elwir yn 'Traverse of the Gods', sydd heb fod yn rhy anodd yn dechnegol ond yn frawychus o agored oherwydd y 5,000 troedfedd sy'n syrthio'n syth i lawr i ddolydd Alpiglen.

Gweithiais fy ffordd i gyfeiriad y rhan a elwir yn 'White Spider', llechwedd o rew glas 300 troedfedd a all godi ofn ar y dewraf. I'r dde ar hwnnw yr oedd darn o rew gwyn ac anelais amdano gan wybod y byddai'n haws i'r cramponau gael gafael arno. Gwyddwn fod y rhan yma'n beryglus iawn, gyda cherrig a darnau o rew yn syrthio o'r copa ac yn cael eu hel fel i mewn i dwmffat i'r union fan yma, felly dringais ar frys, gyda chyhyrau fy nghoesau'n sgrechian gan boen yr ymdrech. Daeth yr hofrennydd yn agos, gyda Leo'n ffilmio a hynny'n cynyddu'r ofn o gwymp cerrig uwch fy mhen. O'r diwedd, dyma gyrraedd silff fechan a chael cyfle i orffwys y cyhyrau druan. Teimlwn yn fwy calonnog wrth feddwl bod y copa'n agosáu ond yr oedd rhyw lais bach yng nghefn fy meddwl yn dal i ddweud 'cym bwyll, cym bwyll'. Daliais i ddringo'n eithaf rhwydd nes cyrraedd y rhan a elwir yn 'Quartz Crack' sef y rhwystr olaf cyn llethr rhew y copa. Gwyddwn fod y 'Quartz Crack' yn gallu bod yn galed, felly er mwyn gwneud y dringo'n rhwyddach, gadewais fy sach wedi ei chlymu ar waelod yr hollt, gan feddwl dod i lawr i'w nôl gan ddefnyddio diogelwch y rhaff. Cyrhaeddais y silff ar gopa'r 'Quartz Crack' a sylweddoli fy mod wedi gwneud camgymeriad gwirion a chwerthinllyd oedd hefyd yn ddychrynllyd o beryglus. Yr oedd y rhaff yn y sach!

Mewn penbleth a phanig, sylweddolais y byddai bron yn amhosibl dringo i lawr, ond wrth lwc, roedd darnau o hen raffau wedi eu hanner claddu yn y rhew, hwyrach wedi cael eu gadael yno yn dilyn rhyw drychineb yn y blynyddoedd a

Dathlu ar ben yr Eiger

fu. Tyllais hwy o'r rhew, eu clymu gyda'i gilydd i ffurfio un rhaff a chlymu'r pen yn y graig. Taflais hi dros yr ochr a dechrau dringo i lawr gan ddefnyddio'r rhaff fel canllaw, er nad oeddwn yn hollol ffyddiog y byddai'n dal y straen. O'r diwedd, llwyddais i gyrraedd y sach a dringo'n ôl i'r man cychwyn. O ben pellaf y 'Quartz Crack' yr oedd y ddringfa'n arwain i'r llethr rhew olaf ar y mynydd ac yna tuag at y grib serth ac agored a arweiniai i'r copa. Yr oedd yr haul yn tywynnu ac yn cynhesu fy nghorff am y tro cyntaf ers deuddydd. Cododd fy ysbryd a daeth cynnwrf drwy fy nghorff wrth sylweddoli y byddwn yn llwyddo i gwblhau'r gamp.

Hedfanodd yr hofrennydd uwch fy mhen gyda Leo'n ffilmio. Gwyddwn fod y copa o fewn cyrraedd ond daliai'r llais bach i ddweud 'cym bwyll, cym bwyll'.

Yr oedd yr hofrennydd wedi gollwng Leo a Hannes ar y

copa i'm ffilmio'n cyrraedd. Wrth ddringo'r grib agored, teimlwn yn emosiynol iawn pan welais y ddau ar y copa. Yna cyrhaeddais y copa ac wrth gofleidio'r ddau daeth dagrau i lenwi fy llygaid wrth imi sylweddoli fy mod wedi cyflawni'r gamp yr oeddwn wedi breuddwydio amdani ers llawer blwyddyn.

Yr oeddwn yn ddiogel a'r hen ysfa fewnol wedi ei bodloni – am y tro!

Y mawredd sy'n gwneud dyn mor fychan ar gopa'r Eiger

PATAGONIA – CERRO TORRE, Y CAP RHEW A TORRE EGGER

Nid gwlad yw Patagonia yn Ne America ond y rhan ddeheuol o'r tir mawr sy'n cynnwys Chile yn y gorllewin a'r Ariannin yn y dwyrain. Rhennir y ddwy wlad yn fras gan gadwyn yr Andes, gyda pheithdir eang yr Ariannin a'i ffermydd defaid anferth yn ymestyn i'r dwyrain at Fôr Iwerydd, a rhewlifau ac arfordir Chile at y Môr Tawel yn y gorllewin.

Honnir bod yr enw Patagonia yn tarddu o ddisgrifiad o'r Indiaid brodorol tal y sonnir amdanynt gan Magellan a Charles Darwin yn dilyn eu teithiau o gwmpas arfordir De America. Yr oeddwn yn gyfarwydd ag enw'r lle ers pan oeddwn yn blentyn gan mai i ran o Batagonia yr ymfudodd llawer o Gymry a sefydlu'r Wladfa Gymreig yno ym 1865. Wrth ddarllen llyfrau R. Bryn Williams a gwrando ar ddramâu fel *'Bandit yr Andes'* ar y radio y deuthum i glywed hanesion anturiaethau'r Cymry dewr a'u perthynas â'r Indiaid brodorol.

Wedi imi gymryd at y dringo, magodd Patagonia ystyr arall, sef tir o gopaon anhygoel o drawiadol sy'n dioddef tywydd ymysg y gwaethaf yn y byd. Mae'n debyg mai'r mwyaf trawiadol o gopaon Patagonia yw Cerro Torre,

10,252 troedfedd, yn dŵr serth o ithfaen coch gyda rhimyn o rew gwyn ar ei ben a ffurfir o ganlyniad i'r gwyntoedd cryfion, llaith sy'n chwythu dros y Cap Rhew o'r Môr Tawel. Ar y mynydd hwn y cafodd y dringwr Eidalaidd Cesare Maestri ei ddringfa epig ym 1959 yng nghwmni'r Awstriad, Toni Egger a ddaeth i ben mor drasig a dadleuol – ac mae'r dadlau am y daith honno yn parhau hyd heddiw. Ni chlywyd sôn am y ddau hyd nes i Maestri gael ei ddarganfod yn simsan iawn ac wedi blino'n llwyr ar rewlif y Torre. Dywedodd ei fod ef ac Egger wedi cyrraedd y copa ond i Egger gael ei ladd gan eirlif ar y ffordd i lawr. Ar y dechrau, nid oedd neb yn amau stori Maestri ac fe'i croesawyd yn ôl i'r Eidal fel arwr. Ond yr oedd disgrifiad Maestri o'i gamp yn bur annelwig, gan amrywio ar hyd y blynyddoedd a chodwyd amheuon gan nifer o ddringwyr eraill a fu ar y mynydd yn ddiweddarach.

Yn ei wylltineb ac er mwyn gwrthbrofi'r rhai oedd yn ei amau, aeth Maestri â chriw mawr gydag ef i ddringo wyneb arall y mynydd. Noddwyd yr ymgais gan gwmni peirianyddol o'r Eidal a chyda'r holl offer tyllu a drilio oedd ganddynt, ymdebygai'r fenter i gontract peirianyddol yn hytrach nag ymgais i ddringo. Wedi'r holl ddrilio i fyny'r mynydd, cyrhaeddodd y tîm o fewn rhyw gan troedfedd i'r copa o rew ac eira. Gan dderbyn, yn ei dyb ef, mai hwn oedd y copa, dywedodd Maestri ei fod wedi cyrraedd pen uchaf y mynydd gan nad oedd y rhew (eto yn ei dyb ef) yn barhaol ac felly ddim yn cyfrif fel rhan o'r copa go iawn. Pan ddychwelodd i'r Eidal, wfftiwyd ei honiadau gan y byd mynydda.

Ym 1976, aeth tîm o Americanwyr i geisio dringo Torre Egger, y tŵr nesaf i Cerro Torre. Roedd rhan gyntaf y ddringfa i fyny i'r 'Col of Conquest', yr un ffordd ag yr aeth

Maestri ac Egger ym 1959. Hanner ffordd i fyny at y col, cafodd y tîm hyd i lawer o bitonau a darnau o raff a dyma gyrraedd silff gyda thwr o offer arni ond ar ôl hynny, nid oedd pitonau nac offer i'w gweld, er bod y dringo'n galetach. Hefyd, soniodd Maestri am ddringfa galed ar drawstaith i'r col ond er bod y rhan honno o'r ddringfa'n edrych yn anodd o'r rhewlif, er mawr syndod fe ganfu'r Americanwyr fod ramp cudd yno a wnâi'r drawstaith yn weddol

Storm ar Cerro Torre

hawdd. Daethant i'r casgliad nad oedd Maestri wedi cyrraedd y rhan honno o gwbl.

Yn dilyn ein llwyddiant ar yr Eiger ym 1970, yr oedd Leo'n awyddus i ddringo yn rhywle arall heblaw'r Alpau. Cerro Torre oedd y mynydd yn y newyddion yr adeg honno yn dilyn yr holl helynt ynghylch camp honedig Maestri. Felly, ym 1971, dyma benderfynu mynd am Cerro Torre. Yr oeddwn yn benderfynol o ddringo'r Cerro Torre ar yr un ddringfa â Maestri ond heb ddefnyddio ei folltau peirianyddol ef ar y ffordd. Defnyddiodd Leo ei allu a'i ddycnwch er mwyn casglu nawdd ar gyfer y daith. Yr un oedd y tîm ag a fu ar yr Eiger ond ychwanegwyd dau aelod arall. Athro ysgol a thywysydd o'r Swistir oedd Hans Peter

Trachsel, gŵr y deuthum i'w adnabod a dod yn gyfeillgar ag ef wrth ddringo yn ardal Mont Blanc. Roedd yn ŵr golygus a chryf ac yn ddringwr galluog, un yr hoffech ei gasáu am ei fod bron yn berffaith! Yr ail oedd Gordon Hibbard, cyn-filwr caled o swydd Efrog, heb lawer o brofiad dringo ond gyda digon o frwdfrydedd ac egni. Deuthum i'w adnabod yn Grindelwald gyda Jack Street, dringwr creigiau enwog ym Mhrydain. Yr oedd y ddau ohonynt yn llygadu wyneb gogleddol yr Eiger ond ni ddaeth dim o hynny a dychwelodd y ddau adref.

Ar ôl hedfan o Lundain i Buenos Aires, rhaid oedd hedfan wedyn 1,500 o filltiroedd i dref flêr Rio Gallegos yn ne Patagonia. Wedi treulio rhai dyddiau yn prynu cyflenwadau ar gyfer y mynyddoedd, dyma logi lori a chychwyn ar y daith 250 o filltiroedd tuag at y mynyddoedd. Fe gymerodd bedwar diwrnod inni gyrraedd, gan fod y ffyrdd bron yn amhosibl i'w tramwyo a nifer o afonydd heb bontydd i'w croesi.Wrth nesáu at y mynyddoedd, cawsom yr olwg gyntaf ar Cerro Torre. Syndod o'r mwyaf – nid oedd yr un ohonom wedi gweld mynydd mor drawiadol. Er ei fod yn atyniad i'r llygad, fel y Matterhorn, mae'n edrych yn fileinig o anghyraeddadwy, gyda'i 7,000 troedfedd o ithfaen coch amhosibl o serth a chap anferth o rew fel rhyw fadarchen fawr ar y copa, 10,200 troedfedd uwchben. Doeddech chi ddim yn blino ei weld nac yn blino tynnu lluniau ohono gan ei fod yn newid ei liw a'i wedd bron bob awr. Petai'n sefyll mewn ardal o dywydd sefydlog, fe fyddai ei ddringo'n dipyn o her ond gan ei fod ar ochr ddwyreiniol Cap Rhew Patagonia ac yn cael ei daro gan stormydd enbyd y *Roaring Forties*, sydd mor gyfarwydd i longwyr, mae angen dringwyr penderfynol iawn a thipyn go lew o lwc gyda'r tywydd. A oedd ein tîm ni yn meddu ar y gallu hwn? Wrth edrych ar Cerro Torre o'n gwersyll, nid oeddwn mor hyderus ag y bûm yn ystod ein cyfarfodydd cynllunio mewn tafarn yng Nghymru!

Gosodwyd y prif wersyll ym Mharc Cenedlaethol Los Glaciers, a oedd newydd gael ei sefydlu, ac yn ystod y dyddiau cyntaf gwelsom fod y bywyd gwyllt yn hynod ddof – gallech fynd yn agos iawn at y creaduriaid, mae'n debyg am nad oeddent wedi arfer gweld pobl. Yn ddyddiol, deuai llwynog i'r gwersyll ac er ei fod yn nerfus ar y cychwyn, ar ôl ychydig ddyddiau yr oedd yn cymryd cig o'm llaw. Wedyn, rhedai i ffwrdd un ai i'w fwyta ei hun neu i'w gario'n ôl i'r cenawon gan ddychwelyd yn ddibryder am ychwaneg.

Bum milltir i fyny rhewlif Torre y sefydlasom y gwersyll agosaf at y mynydd. Yn union i'r gogledd yr oedd Fitzroy, mynydd uchaf yr ardal a enwyd ar ôl Capten Fitzroy, capten y *Beagle*, y llong a ddaeth â Charles Darwin ar ei fordaith enwog. Wedi dyddiau lawer yn cario bwyd ac offer dringo o'r prif wersyll, yr oeddem yn barod i roi cynnig ar y ddringfa.

Dringwyd llethrau serth gyda chrefasau dyfnion a pheryglus er mwyn sefydlu ein gwersyll nesaf mewn ogof eira ar waelod y ddringfa serth ac anodd. Er mwyn ffurfio'r ogof, tyllwyd twnnel yn syth i mewn i'r wyneb serth cyn ehangu'r twll i ffurfio ogof ymhen deg troedfedd. Yr oedd hyn yn dipyn o waith gan fod rhywfaint o'r rhew yn galed iawn ac yr oedd angen ei wthio allan o'r ogof ar ôl tyllu. Ar y dechrau, yr oedd yr ogof yn fach ond yn ystod cyfnodau o dywydd garw treuliwyd yr amser yn ei thyllu a'i helaethu. Cawsom lawer o dywydd gwael, felly tyfodd yr ogof yn weddol fawr, gyda chegin ac ystafelloedd ar wahân. Efallai y tybiech y byddai byw mewn ogof rew yn oer ac annifyr, ond yn hollol groes i hynny yr oedd hi'n weddol glyd. Y gwynt oedd y broblem fwyaf gan ei fod ar brydiau'n chwythu ar gyflymder o gan milltir yr awr ac yn gryfach na hynny'n aml. Petai pabell yn gallu aros ar ei thraed yn y ffasiwn wynt, byddai'r sŵn byddarol wedi cadw rhywun yn effro, ond yr oedd yr ogof rew yn heddychlon iawn, er bod rhyferthwy'r storm yn rhuo ychydig droedfeddi oddi wrthym. Yr unig broblem oedd bod gwres ein cyrff yn toddi'r rhew yn raddol ac ar ôl rhai dyddiau yr oedd popeth yn llaith ac yn wlyb. Er mwyn gwrthwneud hyn byddem yn tyllu llawr yr ogof er mwyn cynyddu'r gofod oedd ar gael. Un diwrnod, dechreuodd Pete Minks greu mwy o le drwy dyllu ar i fyny ond daethom i'r casgliad yn fuan y gallai hynny ein gadael heb do uwch ein pennau!

Yr oedd 'datod clos' yn broblem hefyd. Tyllwyd cilfach fechan yn yr ogof er mwyn cael lle i bi-pi a byddai'r piso cynnes yn toddi ei ffordd allan o'r ogof. Er mwyn gwneud y 'llall', rhaid oedd cropian allan o'r ogof a dal eich tin at y gwynt! Pan fyddai'r gwynt yn rhy gryf, rhaid oedd gwneud hynny mewn bag plastig yn yr ogof a chael gwared arno pan fyddai'r tywydd yn caniatáu.

I gyrraedd ein hogof rew, rhaid oedd teithio am gyfnod hir o'r prif wersyll i'r ail wersyll oedd yn daith chwe awr dros farianau cymhleth rhewlif Torre, lle gosodwyd pedair pabell flwch (box-tents). Oddi yno âi popeth yn fwy serth a pheryglus a theirawr o waith dringo caled dros grefasau cudd er mwyn cyrraedd ein hogof wrth fôn y ddringfa serth. O ganlyniad i ddyddiau o dywydd gwael, âi bywyd yn yr ogof yn annifyr ac yna byddai'n rhaid dychwelyd i'r prif wersyll i ymladd yn erbyn ein diflastod drwy ganfod dulliau eraill i'n cadw'n hapus. Byddai Leo yn brysur, un ai'n egluro cymhlethdodau gwaith ffilm i ni (edifarheais droeon am na wnes i dalu mwy o sylw iddo) neu sut i bobi bara mewn popty wedi ei wneud o hen dun bisgedi. Yr oedd pawb yn ddiolchgar iawn iddo am y bara ffres ardderchog.

Yr oedd hi'n anochel y byddai cyfnodau heb fawr ddim i'w wneud o ganlyniad i'r tywydd garw yn achosi tensiynau ymysg y criw. Tra bodlonai Pete ar aros yn ei sach gysgu drwy'r dydd, gan adael y dyletswyddau i bawb arall, âi Cliff yn flin wrth orfod gwrando ar Gordon yn adrodd ei hanesion yn y *Royal Marines*. Cofiwch, mae'n siŵr fy mod innau hefyd wedi diflasu pawb wrth adrodd hanesion am deithiau gwyllt ar y moto-beic a bywyd ar y fferm. Nid oedd Hans yn ymddangos fel petai'n poeni am ddim a'i fod uwchlaw'r cyfan. Pan fyddai'r tensiynau'n afresymol, âi'r criw am dro i archwilio ardaloedd gwahanol neu fynd i wersylloedd eraill fel yr un oedd gan dîm o Eidalwyr oedd am fentro dringfa ar Fitzroy.

Er inni ddweud y byddem yn osgoi bolltau 'mecanyddol' Maestri yn gyfan gwbl ar Cerro Torre, gwahanol iawn oedd y sefyllfa mewn gwirionedd. Ar ddringfeydd llai ym Mhrydain neu'r Alpau, efallai y byddai modd anwybyddu'r bolltau a dringo'n 'bur' ond yr oedd y sefyllfa'n wahanol iawn wrth ddringo yn un o stormydd Patagonia gan gario sach drom. Aeth ein hyder, fel ein hegwyddorion, ymaith gyda'r gwynt. Unwaith y dechreuwyd defnyddio'r bolltau, doedd dim dal yn ôl ac fe ddefnyddiwyd cynifer ohonynt â phosibl. Ambell dro, ymddangosai fel petai Maestri wedi mynd dros ben llestri gyda'i wn bolltau gan fod gormod o lawer ohonynt mewn rhai mannau. Ond er mor niferus oedd y bolltau, araf iawn oedd y dringo gan fod y tywydd mor ofnadwy. Yr oedd y gwyntoedd yn sgubo i mewn o'r Môr Tawel dros y Cap Rhew gan daro'r Cerro Torre ar gyflymder o dros gan milltir yr awr a'i gwneud hi'n amhosibl dringo. Yn ychwanegol at hynny, wynebem y perygl parhaol o'r gordo rhew ar y copa. Felly, ar ôl diwrnod o ddringo, i lawr â ni ar y rhaffau sefydlog drwy'r storm i ddiogelwch yr ogof. Yn ystod ein cyfnod ar y mynydd, treuliwyd mwy o amser yn yr ogof rew nag ar y ddringfa, gan fethu gadael ei chlydwch unwaith am chwe niwrnod oherwydd y gwyntoedd cryfion.

Ambell dro, âi olion taith Maestri â ni ar draws craig hollol lyfn, amhosibl ei chroesi, ond am ein bod ni eisoes wedi defnyddio'i folltau, doedd dim brwdfrydedd ymysg y tîm i chwilio am ffordd arall o gwmpas y rhwystr. Pan fyddai cyfnodau o dywydd da, codem yn raddol i fyny'r mynydd hyd nes, yn fy achos i, i ddamwain ddigwydd. Y diwrnod hwnnw, dringwn gyda Hans Peter pan lithrodd fy nhroed ar rew. Trodd fy mhen-glin chwith – yr un oedd wedi bod yn fy mhoeni ers blynyddoedd yn dilyn y ddamwain moto-beic yn fy arddegau – ac yn anfodlon iawn, bu'n rhaid imi droi'n ôl.

Ychydig ddyddiau'n ddiweddarach, dringodd Cliff Phillips a Pete Minks o fewn rhyw dri chan troedfedd i'r mur terfynol cyn i dywydd garw eu gorfodi i droi'n ôl. O ganlyniad i'r tywydd garw a diffyg bwyd, bu'n rhaid inni orfod mynd o'r ogof rew ac yn ôl i'r dyffryn. Mewn pythefnos o dywydd garw, syrthiodd pedair troedfedd o eira ger safle'r ogof rew a dychwelodd Pete Minks a minnau ati gan dreulio rhyw deirawr yn tyllu i glirio ceg yr ogof.

Y diwrnod wedyn, aethom yn ôl at y rhaffau er mwyn dringo at y man uchaf inni ei gyrraedd. Gwelsom fod y gwyntoedd cryfion wedi difrodi'r rhaffau gan wneud y dringo'n beryglus a brawychus ac wrth inni godi'n uwch, dirywiodd cyflwr y rhaff. Roedd y rhaff yn denau ac yn ymestyn llawer, oedd yn ddigon brawychus mewn amodau arferol. Tua 1,000 o droedfeddi i fyny'r ddringfa, yr oeddwn yn dringo at ordo drwy ddefnyddio offer ar y rhaff (*prussiking* yw'r term technegol) – 100 troedfedd ohoni'n hongian yn rhydd gyda'r 50 troedfedd oedd yn weddill wedi ei angori uwchben y gordo. Ar ôl llwyddo i ddringo at y gordo, edrychais i fyny at y rhaff a bu bron imi gael ffit. Uwch fy mhen yr oedd y rhaff wedi breuo'n denau ar ôl rhwbio yn erbyn y graig yn y gwynt. Mewn panig bron, gwaeddais ar Pete er mwyn dweud wrtho beth oedd o'i le. Dywedodd wrthyf am ddod i lawr am nad oedd eisiau marw! Petai'r rhaff yn torri, er fy mod yn sownd i Pete ar raff arall, byddwn yn syrthio 200 troedfedd cyn iddo allu fy nal a hwyrach y byddai grym y godwm yn ei dynnu yntau oddi ar y graig hefyd. Petawn yn abseilio i lawr ar y rhaff, ofnwn y byddai'r symudiad ychwanegol yn ei thorri, felly'r unig ddewis oedd dringo i fyny at ddiogelwch pen uchaf y rhaff.

Hwnnw oedd deng munud mwyaf dwys fy mywyd, mae'n debyg. Ceisiwn ddringo mor llonydd â phosibl. Canolbwyntiai fy llygaid yn gyfan gwbl ar ran frau y rhaff wrth imi nesáu. Ar ôl cyrraedd, dychrynais yn arw o weld bod dros ei hanner wedi breuo. Datgysylltais un o'm clampiau dolennu a chydag ochenaid fawr o ryddhad, cysylltais ef ar y rhaff uwchben y darn oedd wedi breuo. Yr oeddwn yn ddiogel unwaith eto.

Bum troedfedd uwchben, tynnais ar y rhaff lac oedd islaw, clymu cwlwm enfawr i gael gwared â'r rhan oedd wedi breuo ac yna galwais ar Pete i ddweud fy mod ar fy ffordd i lawr. Aethom yn ôl i'r ogof rew a'r diwrnod wedyn, dyna storm arall gyda mwy o eira yn ein gorfodi ni i ddychwelyd i'r prif wersyll.

Yn ystod cyfnodau o dywydd garw, byddem yn cymdeithasu gyda'r *gauchos* lleol, criw gwyllt a yfai lawer iawn o win coch rhad, a phan oeddent yn feddw, byddent yn marchogaeth eu ceffylau gan danio eu gynnau yn yr awyr. Wrth i'r wythnosau fynd heibio, pallai'r brwdfrydedd ond yn bwysicach fyth, yr oedd amser hefyd yn prinhau. Roedd Hans Peter eisoes wedi gadael a rhaid oedd i minnau fynd yn fy ôl. Heblaw am hynny yr oedd y rhan fwyaf o'r rhaffau wedi cael eu difetha gan y stormydd. Gyda thristwch, bu'n rhaid cydnabod inni gael ein trechu gan yr elfennau a phenderfynwyd troi am adref. Methiant siomedig, ond o leiaf yr oeddem i gyd yn fyw.

Wrth edrych yn ôl i bwyso a mesur ein hymgais, teimlwn fod ein hagwedd at y ddringfa wedi bod yn negyddol. Treuliwyd gormod o amser yn y prif wersyll yn aros am dywydd da a phan ddaeth, treuliwyd gormod o amser yn dringo ac yn cario bwyd i'r ogof rew. Byddai'n well petaem wedi ceisio gwneud hynny yn ystod y tywydd garw a bod yn barod i ddringo wedi i'r tywydd wella. Profodd criwiau eraill ers hynny mai dyma'r unig ffordd i fod yn llwyddiannus ym mynyddoedd Patagonia.

* * *

Fel Cymro, yr oeddwn yn awyddus i ymweld â'r Wladfa Gymreig yn nhalaith Chubut ym Mhatagonia. Ar fy ymweliadau â mynyddoedd de Patagonia, torrais y daith bob tro yn Chubut, gan fod yr awyren o Buenos Aires i Río Gallegos yn galw yn Nhrelew. Felly, arhoswn yno am ychydig ddyddiau, cyn ailymuno â'm cyfeillion yn ddiweddarach yn y mynyddoedd. Cawn groeso twymgalon bob tro gan yr Archentwyr Cymreig lleol a deuthum yn gyfeillgar iawn gyda dau ohonynt – Sturdee Rodgers ac Edsel 'Chingolo' Evans. Rhedai Sturdee dŷ bwyta ym maes awyr Trelew ac fe fyddai bob amser yn chwilio am ddulliau o wneud arian. Yn ystod un ymweliad, yr oedd ganddo'r syniad o wneud rhaglen ddogfen am hanes y Gwladfawyr cyntaf yn cyrraedd ym 1865. Ar ddiwedd taith Torre Egger, perswadiais Leo Dickinson i ddod gyda mi er mwyn gwneud y ffilm. Yn gyntaf, aethom allan ar hen gwch glanio a fu'n eiddo i lynges yr Ariannin i ffilmio'r olwg gyntaf a gafodd y Cymry ar arfordir Patagonia. Hefyd, ffilmiwyd yr ogofâu y treuliwyd y cyfnod cynnar ynddynt. Yn anffodus, defnyddiwyd y rhan fwyaf o'r stoc ffilmiau gan Leo ar ein hymdrechion dringo a method Sturdee gael gafael ar ragor o Buenos Aires, felly daeth y prosiect i ben.

Fel gŵr busnes profiadol, cynigiodd Sturdee gynllun arall. Yr oedd miliwnydd o gyfaill iddo a oedd yn berchen ar yr *Hotel Centenario* ac amrywiol fusnesau eraill yn Nhrelew eisiau lluniau ar gyfer llyfryn gwyliau. Yn dilyn trafodaethau, llogwyd Leo i'r diben hwnnw. Pan welais y miliwnydd, Secondino Alvarez, a'i 'Mr Fix-it', Daniel Alvarez Jones, cefais fy atgoffa o ddihirod y Maffia mewn ffilmiau Hollywood! Dau yn dangos eu hunain ac yn gyrru ceir mawr Americanaidd, bob tro gyda merch ddel yn cadw cwmni iddynt. Tynnodd Leo luniau o'r gwesty, yna teithio i *estancia* (*ranch*) gwyliau ar lan llyn halen, ac i long oedd wedi ei hangori ym Mhorth Madryn a'i throi'n glwb nos. Bwriad y llyfryn oedd denu twristiaid o Buenos Aires i'r ardal. Y broblem fwyaf oedd cyfathrebu. Er enghraifft, roedd Secondino angen tynnu llun o'i bwll nofio ond dim ond Sbaeneg yr oedd o'n ei siarad. Dywedai'r hyn oedd ei angen arno wrth Sturdee, a oedd yn siarad Sbaeneg a Chymraeg. Yna byddai hwnnw'n egluro i mi yn Gymraeg a minnau'n egluro i Leo yn Saesneg! Y broblem yn aml iawn fyddai i'r cais gwreiddiol gael ei golli neu ei gamddeall yn ystod yr holl gyfieithu.

Cyn gadael Cymru ar y daith i'r Cap Rhew yn ne Patagonia, daeth rhyw ddyn i'm gweld a dweud bod ganddo gyfaill yn Nhrelew o'r enw Glyn Ceiriog Hughes a fyddai'n hoffi imi alw heibio i'w weld pan oeddwn ym Mhatagonia. Wythnosau'n ddiweddarach, ar ôl cyrraedd Trelew, galwais i'w weld. Curais ar ei ddrws a chyflwyno fy hun. 'O,' meddai'n sinigaidd braidd, 'chi ydi'r gŵr sy'n mynd i groesi Patagonia ar sgïs? Gwell imi ddweud wrthych ei bod hi'n naw deg mlynedd ers inni gael eira yma.'

Erbyn deall, heb yn wybod i mi, roedd copi o'm papur lleol yng Nghymru wedi cael ei yrru ato, gydag erthygl am ein taith dan y pennawd 'Eric Jones i groesi Patagonia ar sgïs'! Yr oedd hi'n amlwg ei fod yn credu bod gen i rhyw fath o gynllwyn amheus ar y gweill ond eglurais iddo fod llwyfandir anferth o rew rhyw 800 milltir i'r de o'i dŷ ac mai yno y byddwn yn teithio. Wedi iddo ddeall hynny, daeth yn fwy cyfeillgar a chynigiodd baned o de i mi.

Anferth o gymeriad oedd Edsel Evans, neu 'Chingolo' (Deryn Bach), yn fawr o ran maint, gyda llais cryf ac yn wrthodedig, braidd, gan drigolion 'parchus' y Gaiman. Deuthum i ddeall yn fuan iawn pam, gan ei fod yn berchen bar a fynychid gan indiaid meddw a merched ifanc 'cyfeillgar'. Roedd Chingolo hefyd yn gigydd ac yn ffermwr, gyda'r gallu eithriadol i ddofi anifeiliaid gwylltion. Cerddai o gwmpas gyda gwylan yn clwydo ar ei ysgwydd a'i fraich am wanaco mawr. Yr oedd ganddo hefyd gorlan yn llawn baeddod gwylltion. Byddai pob nos yn noson parti ym mar Chingolo yng nghanol y coed. Cerddoriaeth swnllyd, dafad neu fochyn yn rhostio ar *asado* yn null traddodiadol yr Ariannin a'r parti yn parhau tan yr oriau mân neu weithiau drwy'r nos. Un bore ar doriad gwawr, penderfynodd rhyw ffermwr adael y parti ar gefn ei dractor. Dringodd i'r sedd uchel cyn cael codwm yn ei ôl i'r llawr, penderfynu rhoi'r gorau i'r syniad, cerdded yn ôl i'r bar a gofyn am ddiod arall cyn aros yno am rai oriau wedyn! Digon tebyg i'm hargraffiadau o'r Gorllewin Gwyllt yn yr Unol Daleithiau oedd hi yno. Wedi tipyn go lew o yfed, deuai'r gynnau allan i saethu at boteli a thuniau neu at unrhyw beth oedd yn symud! Hollol wallgo', gan atgyfnerthu enw drwg Chingolo ymysg trigolion y Gaiman.

Un noson, pan gyrhaeddais y bar, aeth Chingolo â fi i'r llofft gan ddangos ble yr oedd ef yn cysgu mewn rhyw fath o 'bunkhouse' a ble gallwn innau gysgu ym mhen arall y 'bunk'.

Daeth y syniad o groesi Cap Rhew Patagonia i Leo a minnau pan oeddem yn ymochel rhag storm mewn pabell ar rewlif Torre. Ar ôl aros am gyfle a chael ein rhwystro am wythnosau gan y stormydd nodweddiadol sydd i'w cael ym Mhatagonia, yr oeddem mewn ysbryd di-hwyl a'r gobaith o gyrraedd y copa yn isel iawn. Ond i Leo, yr optimist eithaf, edrychai'n gadarnhaol i'r dyfodol. Yr oedd ganddo gynllun, sef ailadrodd taith Eric Shipton dros Gap Rhew Patagonia a ddigwyddai fod yr ochr arall i'r grib i'r gorllewin o'r gwersyll.

Yn nyddiau cynnar fy ngyrfa ddringo, yr oeddwn wedi darllen llyfrau enwog Shipton yn adrodd hanes ei orchestion dringo a'i deithiau antur. Dringodd lawer o ddringfeydd am y tro cyntaf ym mynyddoedd yr Himalaya. Fo ddaru ddarganfod ac enwi'r enwog Western Cwm, rhan allweddol o esgyniad cyntaf Everest ym 1953. Shipton oedd ffefryn y dringwyr i arwain y tîm, ond penderfynodd y Pwyllgor Himalaya Prydeinig ei anwybyddu a phenodi John Hunt. Y rheswm a roddwyd oedd bod Shipton bob amser yn hoff o gael criw bychan i ddringo, tra bod Hunt yn gyn-swyddog yn y fyddin ac yn well dewis i arwain criw mawr fel yr un ym 1953.

Yn fuan wedyn, trodd Shipton ei olygon at ddringo ac archwilio ym Mhatagonia a'i groesiad o'r *Hielo Continental* neu Gap Rhew Patagonia ym 1960/61, hanes a ddaw'n fyw iawn yn ei lyfr *Land of Tempest* a oedd wedi cydio yn ein dychymyg. Yn ystod y croesiad, gobeithiai ddringo llosgfynydd byw o'r enw Cerro Lautaro ond yr oedd y tywydd mor ofnadwy nes iddo fethu gweld y mynydd hyd yn oed. Roedd dringo'r mynydd hwn – a hynny am y tro cyntaf erioed – ar ein rhestr.

Llwyfandir 5,000 troedfedd o uchder yw'r Cap Rhew, a'i wyneb eira a rhew yn ymestyn o fynyddoedd Fitzroy yn yr Ariannin yn y dwyrain, dros y ffin i Chile ac arfordir y Môr Tawel yn y gorllewin. Gollyngwyd Shipton a'i griw gan lynges Chile ar yr arfordir ger ochr gorllewinol y Cap Rhew a threuliwyd deunaw diwrnod caled yn cario'r offer i fyny hyd at ymyl y llwyfandir. Gan fy mod yn awyrblymiwr – yn arfer neidio o'r awyr – cynigiais i Leo y gallem neidio ar y Cap Rhew gyda'n hoffer ac osgoi gorfod dringo'r 5,000 troedfedd i'r llwyfandir fel y bu'n rhaid i Shipton a'i griw ei wneud.

Yn ôl ym Mhrydain, ychwanegwyd cyfaill arall, Mick Coffey, y Gwyddel o Wolverhampton, at y tîm. Gyda'r cynllun newydd ar droed, dyma gofrestru ar gwrs parasiwt. Er fy mod wedi neidio gyda pharasiwt dair blynedd ar ddeg cyn hynny, rhaid oedd ailddysgu'r sgiliau. Aethom hefyd i weld Eric Shipton ei hun er mwyn trafod y daith gydag ef ac yr oedd yn barod iawn i rannu ei wybodaeth am y Cap Rhew gyda ni.

Y flwyddyn ganlynol, ar ôl casglu ein hoffer at ei gilydd a

chael addewid o awyren ar log gan awdurdodau'r Ariannin i'n gollwng ar y Cap Rhew, dyma hedfan i Buenos Aires ac oddi yno i Río Gallegos yn ne Patagonia. A dyna ddod ar draws y rhwystr cyntaf – am ryw reswm neu'i gilydd, gwir neu beidio, nid oedd neb yn fodlon mynd â ni yn yr awyren dros ochr gorllewinol y Cap Rhew. Pa bynnag reswm oedd i gyfrif am hynny, byddai'n rhaid inni ailystyried ein cynlluniau neu fynd adref.

Y cynllun newydd oedd dringo ar y Cap Rhew o'r dwyrain dros rewlif Marconi, ei groesi i arfordir y Môr Tawel, gan obeithio gallu dringo Cerro Lautaro ar y ffordd a ddychwelyd i gyfeiriad y dwyrain ac allan dros rewlif Viedma i'r de o fynyddoedd Fitzroy – cylchdaith lawer hirach na'r cynllun gwreiddiol ond yr unig ddewis oedd gennym ar ôl.

O Río Gallegos, llogwyd lori a theithio 250 milltir dros y paith i ben draw'r ffordd ym Mharc Cenedlaethol Los Glaciers wrth droed mynyddoedd Fitzroy. Oddi yno, llogwyd ceffylau gan Heddlu Ffin Ariannin i gario'r offer at waelod rhewlif Marconi. Wedyn, dyma sefydlu gwersyll mewn hen gwt cerrig a adeiladwyd gan feudwy o offeiriad ym 1935.

Yn ystod y dyddiau nesaf, treuliwyd yr amser yn rhannu'r offer yn llwythi hawdd eu cario, gan ryfeddu at yr amrywiaeth o fywyd gwyllt oedd yn yr ardal. Yn eu mysg yr oedd llwynog dof a grwydrai i'r gwersyll, dulog a fynnai gloddio i mewn i'n pabell fwyd, chwaden gyda thraed gweog mawr a'n diddorai gyda'i champau yn nŵr gwyllt afon Electrico, a'r condor urddasol a hedfanai uwch ein pennau.

Ar ôl yr aildrefnu, dechreuodd y gwaith caled o gario'r offer 4,000 o droedfeddi i fyny rhewlif Marconi. Yr oedd un rhan a groesai uwchben llyn y rhewlif yn beryglus iawn – silff denau o graig rydd a wnâi'r gwaith o lusgo'r ddwy sled fambŵ a ddefnyddiem yn beryglus iawn. Fe gymerodd ddau ddiwrnod ar bymtheg inni gario popeth at ymyl y Cap Rhew, hyd at 5,000 troedfedd o uchder. Oddi yno, gellid llwytho popeth ar y ddwy sled gan deithio tua'r gorllewin heb orfod cario'n ôl a blaen.

Am ein bod ni wedi gadael ein gwersyll isaf, codwyd y babell byramid ar lethrau uchaf rhewlif Marconi. Yn ôl Eric Shipton, dyma'r unig fath o babell a allai wrthsefyll y corwyntoedd ffyrnig a chwythai ar draws y Cap Rhew (y rhai a elwir yn *Roaring Forties*). Gwnaed pabell Shipton o bolion pren cryfion a deunydd canfas trwm a phenderfynasom ninnau ddefnyddio'r un cynllun, gan ddefnyddio defnydd neilon a pholion aloi i arbed pwysau. Camgymeriad! Er inni ei hangori gyda cherrig a phegiau rhew, wrth i'r gwynt gryfhau, plygodd y babell dan y straen ac yn sydyn, dyma'r pedwar polyn yn torri. Dim ond am ddau funud yn unig y gwrthsafodd y gwynt – doedd hynny fawr o glod i'r dechnoleg fodern a'n cynllun i arbed pwysau! Llwyddodd y tri ohonom i gropian o dan y deunydd neilon a threulio noson ddigon annifyr yn cael ein waldio gan wynt anhygoel o gryf.

Yr oedd y broblem annisgwyl hon yn ddifrifol. Os nad oedd gennym gysgodfa rhag y tywydd gwael, doedd dim gobaith llwyddo. Arnom ni yr oedd y bai yn credu bod y dechnoleg fodern ysgafn gymaint gwell na'r hen offer dibynadwy a ddefnyddid gynt gan deithwyr i'r Arctig. Dyma sylweddoli mai'r unig obaith oedd dychwelyd i'r cwt cerrig a thorri canghennau pren, gwydn i'w defnyddio fel polion.

Wrth gyrraedd yn ôl i'r dyffryn, cawsom lwc ryfeddol. Yn gwersylla yno yr oedd criw o ddringwyr o Dde Affrica a oedd wedi dychwelyd o Fitzroy. Yr oedd ganddynt babell bocs, y math a gynlluniwyd gan Don Whillans, saith troedfedd o hyd, pedair troedfedd o led a phedair troedfedd o uchder, heb fod yn aerodynamig ond yn gryf eithriadol. Gan eu bod yn ymwybodol o wyntoedd cryfion yr ardal, yr oedd y criw wedi cael un a luniwyd o neilon trwm a ffrâm o diwbiau cryfion. A hwythau ar eu ffordd adref, yr oeddem yn hynod falch o'i phrynu ganddynt am $40. Dyma gaffaeliad mawr i'r daith. Er ei bod yn drwm i'w chario i fyny'r rhewlif ac ar y Cap Rhew, unwaith y gosodwyd hi at ei gilydd, ffitiai'n union ar y sled, ac ar ôl tynnu'r deunydd neilon a gadael y ffrâm yn noeth, doedd hi ddim yn rhwystr gwynt. Hefyd, gellid sychu dillad gwlyb ar y ffrâm wrth deithio. I wersylla, y cwbl fyddai angen inni ei wneud oedd codi'r defnydd dros y ffrâm a'i glymu, wedyn troi'r babell drosodd oddi ar y sled a'i hangori gyda phedwar angor eira, ac ymhen deng munud, dyna loches ar gyfer y nos. Gosodid y slediau a'r offer ar ochr y gwynt i roi mwy o gysgod.

Doedd yna fawr o le i dri yn y babell ond datblygwyd trefn a weithiai'n dda. Yn ei dro, byddai un yn coginio tra âi'r ddau arall i'w sachau cysgu gan adael cymaint o le â phosibl yng ngheg y babell, lle'r eisteddai'r sawl oedd yn coginio. Wedi gorffen gwneud y bwyd, âi'r trydydd i'w sach gysgu rhwng coesau'r ddau arall. Yr oedd hyn dipyn bach yn dynn a dweud y lleiaf, ond yn gyfforddus. Gyda joch o wisgi i'n cysuro, aem i gysgu yng nghwmni recordydd tâp Leo yn bloeddio '*Blowing in the Wind*' Bob Dylan. Cofiai Mick Coffey y profiad drwy ddweud bob tro, '*The wind was howling on the outside and Bob Dylan howling inside*'!

Ar sgïs, tynnai Mick a minnau'r sled gyntaf gyda'r offer trwm a'r holl fwyd tra tynnai Leo yr ail un gyda'r babell a'r camera. Yn achlysurol, pan fyddai Leo'n ffilmio, byddem yn clymu ei sled ef yn sownd i'n un ni.

Symudem ymlaen yn araf iawn gan fod Leo'n ffilmio,

ond yn bennaf o ganlyniad i'r tywydd gwael. Ar y llwyfandir, wynebem holl nerth y gwynt a threuliwyd llawer o ddyddiau'n cysgodi yn y babell gyfyng. Yn dilyn un storm enbyd, cliriodd y tywydd a gallem weld Cerro Lautaro gyda chryn gynnwrf a rhyddhad, yn enwedig o gofio na lwyddodd Shipton unwaith i gael cip ohono er teithio hyd y Cap Rhew. Yr oedd y golygfeydd yn anhygoel, gyda Cerro Lautaro ben ac ysgwydd uwch y copaon hardd eraill oedd o'i gwmpas, ac i'r gorllewin, dros y 'môr' anferth o rew, yr oedd arfordir y Môr Tawel lle cychwynnodd Shipton ar ei daith. I'r dwyrain, safai mynyddoedd rhyfeddol Fitzroy, Cerro Torre a Tore Egger.

Yn ystod y dyddiau pan fyddai'r stormydd yn ein cadw yn y babell, byddai'n ddigon clyd, er yn gyfyng, ond fe ddaliai ffrâm gref y babell yn erbyn y gwyntoedd mwyaf nerthol. Fel teyrnged i'w chyn-berchenogion, bedyddiwyd y babell yn *Spring Bokz*. Treuliasom ein hamser yn cysgu, darllen a gwrando ar dapiau Bob Dylan a Joan Baez Leo. Rhag gorfod mynd allan i'r storm, defnyddid poteli plastig i biso ynddynt ond stori wahanol iawn oedd hi pan fyddai angen 'datod clos'. Byddem yn gwasgu hyd yr eithaf a phan fyddai'n rhaid mynd, byddem yn dod o'r sach gysgu gynnes, mynd allan o'r babell, gwasgu dannedd, tynnu'r trowsus a throi tin i'r gwynt! Ond yn y gwynt cryf, cafodd un ohonom y syniad o dyllu twll yn yr eira i gael cysgod oherwydd gallech gael eich chwythu i'r llawr er eich bod ar eich cwrcwd – ond nid oedd y syniad hwnnw'n un llwyddiannus chwaith. Gan fod cymaint o wynt yn troelli, byddai'r hyn a ddeuai allan yn chwythu'n ôl arnoch yn aml!

Wrth agosáu at Cerro Lautaro, yr oedd yr ardal yn fwy crefasog felly rhaid oedd sefydlu gwersyll. Yn gynnar y bore wedyn, dyma raffu yn ein gilydd a chychwyn am y fan honno ond ymhen rhyw ddwyawr, cododd storm anferthol. Yr oedd hi'n amhosibl gweld drwy'r crisialau rhew a chwythid gan y gwynt, felly doedd dim amdani ond troi'n ôl a chanfod ein ffordd i'n pabell ffyddlon cyn gynted â phosibl.

Ar ôl i'r storm ostegu a'r tywydd sefydlogi, dyma gychwyn unwaith eto. Gwaith anodd oedd cael troedle ar y mynydd ei hun. Rhaid oedd gweu ein ffordd o gwmpas crefasau anferth a chroesi rhai ohonynt ar bontydd eira pur amheus nes bod yr adrenalin yn llifo. Yn y diwedd, dyma groesi'r *bergschrund* anferth a chyrraedd y mynydd. Dringem ar lethr serth oedd ag eira da felly gallem godi'n weddol sydyn. Nid oes gan Lautaro yr un crater fel llosgfynydd arferol; ar y copa mae côn o eira a mwd cynnes gydag agorfeydd oddi tano yn chwydu cymylau o fwg sylffwr. Wrth ddringo'n uwch, cefais andros o fraw pan aeth fy nhroed drwy'r eira i dwll. Wrth godi'r droed yn araf, gan ofni fy mod wrth grefas mawr, cefais fy nharo gan fwg sylffwr poeth. Yr oedd yr ardal hon yn amlwg yn beryglus ac euthum oddi yno cyn gynted ag y gallwn.

O safbwynt technegol, yr oedd y dringo ei hun yn weddol hawdd a thua deg awr ar ôl gadael y gwersyll, safai'r tri ohonom ar gopa Cerro Lautaro. Wedi gwirioni'n llwyr, tynnai Mick a minnau luniau popeth a welem gyda'n camerâu tra ffilmiai Leo'r panorama 360 gradd anhygoel. Yn rhyfeddol, tynnodd Mick fflasg fechan o wisgi o rywle ac felly rhaid oedd yfed llwncdestun i'n camp o fod y rhai cyntaf i ddringo Cerro Lautaro. (Taflwyd amheuaeth ar hynny'n ddiweddarach gan ddau ddringwr o'r Ariannin a honnai mai nhw oedd y cyntaf i ddringo Cerro Lautaro. Ond stori arall a gafwyd ym Muenos Aires pan oeddem ar ein ffordd i Batagonia. Dywedodd dringwr lleol fod dau ddringwr o'r Ariannin wedi ceisio dringo'r mynydd ond wedi gorfod troi'n ôl cyn cyrraedd y copa o ganlyniad i effeithiau'r mwg sylffwr cryf. Cofiaf i ninnau hefyd ystyried troi'n ôl ar un adeg. Os oedd y ddau Archentwr wedi llwyddo i ddringo'r mynydd am y tro cyntaf, pam y dywedodd y cyfaill yn Buenos Aires stori wahanol?)

Yr oedd yr olygfa o'r copa yn anhygoel, gyda Fitzroy urddasol, Cerro Torre a Torre Egger i'r dwyrain – dau o'r copaon mwyaf ysblennydd yn y byd – a thu hwnt iddynt y peithdir eang yn yr Ariannin. I'r gogledd roedd Cerro O'Higgins a Chap Rhew gogleddol Ariannin; i'r de, Tierra del Fuego; ac i'r gorllewin, copa mawr oedd heb ei nodi ar y map a thu hwnt iddo, arfordir Chile a'r Môr Tawel. Yna cawsom ein hatgoffa gan yr arogl sylffwr cryf ein bod yn sefyll ar gopa llosgfynydd effro – lle peryglus iawn.

Yr oeddem wedi cymryd tua deg awr i gyrraedd y copa ac felly, ar ôl i Leo orffen ei gyflenwad o ffilmiau, dyma gychwyn ar i lawr, taith a gymerodd bedair awr, heb drafferth heblaw croesi rhyw ddau grefas dros bontydd eira amheus. Yn ôl yn y babell, yn flinedig ond yn llawn balchder, coginiodd Leo gawl swmpus. Yr oeddem, bellach, wedi cyflawni'r hyn a ddymunwyd ac felly trodd ein golygon at y daith yn ôl. Ond fe'n denwyd fel maged at y copa di-enw a welsom o gopa Lautaro tua deuddeng milltir i'r gorllewin. Gan fod y cyflenwad bwyd yn dal yn weddol, penderfynwyd mynd i gael golwg arno. Yn ddiweddarach y noson honno, dychwelodd y tywydd i'r drefn arferol – eira a gwyntoedd can milltir yr awr. Parhaodd y storm am ddeuddydd a threuliwyd yr amser yn chwarae cardiau a gwyddbwyll ac yn trafod yn ddiddiwedd ddigwyddiadau'r gorffennol a chynlluniau ar gyfer y dyfodol yn y mynyddoedd. Un broblem o gael tri dyn yn byw gyda'i gilydd oedd y tensiynau a godai, gan amlaf rhwng Leo a minnau. Yr oedd Mick yn gymeriad digynnwrf a fyddai'n ceisio ein cael ni'n dau i gymodi yn amlach na pheidio. Ar adegau, byddai Leo'n ddidact iawn a minnau'n groendenau. Gallai dadl fach droi'n andros o ffrae ar ddim. Un noson, collodd Leo ychydig o gawl ar fy sach gysgu. Gwylltiais yn gandryll a cholli rheolaeth arnaf fi fy hun gan fygwth tagu Leo ond llwyddodd Mick i'm tawelu a daeth pethau'n ôl i drefn unwaith eto. Treuliwyd yr holl amser yn y babell, heblaw am yr adegau pan fyddai'n rhaid mynd allan i glirio'r eira rhag ofn iddo guddio'r babell, neu er mwyn ateb galwadau natur – er ein bod yn dal i'r eithaf cyn gorfod gwneud hynny!

Ar ôl i'r storm ostegu, dyma gychwyn tua'r gorllewin ar ein sgïs ac wedi pump awr o daith, sefydlwyd gwersyll wrth droed y mynydd. Ymddangosai ochr ogleddol y mynydd yn anodd a drwg, yn ddigon tebyg i'r Eiger, ond fe ymddangosai'r ochr ddwyreiniol yn haws. Y diwrnod canlynol, yr oedd y tywydd yn braf ac felly dyma gychwyn ar ein hantur newydd ar doriad gwawr. Cyn cyrraedd y mynydd ei hun, rhaid oedd gweu drwy system grefasog gymhleth ond unwaith y daethom drwyddi, ymddangosai'r ddringfa i fyny'r ochr ddwyreiniol yn weddol hawdd, yn ddigon tebyg i Cerro Lautaro. Gan fod yr eira'n galed, gallem esgyn yn sydyn iawn. Ar y chwith inni, yr oedd hollt fawr yn mygu, felly gwyddem fod y mynydd hwn yn llosgfynydd effro hefyd.

Ar ôl dringo am rhyw bum awr, dyma agosáu at y copa a theimlem ei fod o fewn cyrraedd. Yna, o'n blaen yr oedd wal serth o rew, tua hanner can troedfedd o uchder. Gyda'm profiad ar rew yr Alpau a chan fod y copa o fewn cyrraedd, euthum ati'n gyflym i ddringo'r wal hon. Ond yn sydyn, stopiais. Doedd y rhew hwn ddim fel y rhew a welais yn yr Alpau. Gwe o rew brau ac eira mân, bron yn amhosibl cael gafael cadarn gyda chaib rhew na chramponau. Yr oedd y cyfan yn ansefydlog. Wrth ymdrechu i'w ddringo, gan geibio'r eira a'r rhew brau, llwyddais i greu rhyw fath o ffos ac yng nghefn honno, yr oedd y rhew yn gadarnach, felly drwy ymestyn y ffos gallwn symud i fyny ond yr oedd yn waith caled a pheryglus. Fe gymerodd dros awr i gyrraedd pen uchaf y wal a chyda rhyddhad, gwelais mai gwaith hawdd fyddai dringo i'r copa tua chan troedfedd i ffwrdd. Gwaeddais y newyddion da i lawr at Leo a Mick a thynnais hwy i fyny ar y rhaff. Hanner awr yn ddiweddarach, ni oedd piau'r copa. Dyma sefyll o flaen camera Leo, yfed o fflasg wisgi Mick a mwynhau'r golygfeydd yn yr haul.

Aethom ati wedyn i gyflawni'r dasg bleserus o enwi'r copa – rhywbeth a fu ar fy meddwl i wrth ddringo'r mynydd. Ymddengys i mi ystyried hynny'n llawer mwy na'r lleill. Gwyddwn pa mor bwysig oedd yr enw 'Patagonia' i bobl Cymru ers i'r fintai gyntaf honno gyrraedd ym 1865, felly cynigiais i'r ddau arall yr enw Cerro Mimosa, am mai dyna enw'r llong a'u cludodd yno. Cytunodd y ddau ar ôl tynnu fy nghoes am fy nghenedlaetholdeb yn gyntaf. Aethom i lawr oddi ar y mynydd yn hawdd, a chyn hir, yr oeddem yn ôl yn y babell fach glyd.

Wedi diwrnod o orffwys, casglwyd popeth at ei gilydd a throi tua'r dwyrain ar ein taith yn ôl. Wrth gynllunio'r daith yn wreiddiol, ystyriwyd dod â'r parasiwtiau oedd i fod i gael eu defnyddio i neidio ar y Cap Rhew gyda ni a'u defnyddio fel rhyw fath o hwyliau i dynnu'r slediau. Er bod y cynllun cyntaf wedi methu, daethom ag un parasiwt gyda ni i'r perwyl hwnnw. Yn awr, fe ddaeth hi'n amser profi'r syniad a gwelsom ei fod yn rhannol lwyddiannus. Yr oedd yn rhaid i'r gwynt chwythu o'r cyfeiriad cywir (dyna a ddigwyddai fel arfer) – os oedd yn rhy ysgafn ni fyddai'r parasiwt yn agor, os oedd yn rhy gryf, byddai'n eich sgubo'n ddi-reolaeth tuag at y crefas agosaf. Pan fyddai'r amodau'n iawn, âi Leo o'n blaen ar sgïs i osod y camera. Yna, byddem yn clymu'r ddwy sled yn ei gilydd a gadael i'r gwynt eu tynnu. Teithiwn ar sgïs gan afael yn dynn yn rhaff y parasiwt. Ceisiwn ei lywio drwy dynnu'r rhaff i'r chwith neu i'r dde. Byddai Mick, a oedd hefyd ar sgïs, yn cael ei dynnu drwy afael yn dynn yn y sled gyntaf gyda chyllell yn ei law, yn barod i dorri'r rhaff pe byddai'r gwynt yn codi'n sydyn ac yn troi'n gorwynt, neu petai crefas mawr yn ymddangos o'n blaenau.

Wedi rhai dyddiau o deithio, yn ogystal â gorfod ymochel yn y babell rhag y stormydd am gyfnodau hir, daethom i olwg rhewlif Viedma. Cynyddai maint a nifer y crefasau ac aeth tynnu'r slediau yn waith caled iawn. Fe ddaeth hi'n amlwg na fyddem yn gallu parhau i deithio fel hyn. Eiliad o dristwch fu'r penderfyniad i adael y slediau a'u gwthio i grefas gerllaw. Yn ogystal, rhaid oedd gadael dipyn o fwyd ac offer dringo am na fedrem gario pob dim ar ein cefnau am eu bod yn llwythi anferth.

Dros gyfnod o ddiwrnod a hanner caled, dringwyd allan o ardal y rhewlif a thros grib goediog oedd yn arwain am Río de las Vueltas ac at y man cychwyn er mwyn cwblhau'r daith. Ffarweliodd y Cap Rhew â ni yn ei ddull dihafal ei hun. Ar y grib uwch y rhewlif, cododd chwythiad gwynt mor nerthol nes fy chwythu i a'm llwyth 130 pwys oedd ar fy nghefn oddi ar fy nhraed a chefais gymaint o fraw nes bod arnaf ofn codi yn fy ôl!

Dyma gyrraedd yn ôl i dŷ unig y warden gan freuddwydio am y danteithion yr oeddem wedi eu gadael yno ar gyfer y funud hon. Ond mawr oedd ein siomedigaeth – yr oedd y warden wedi mynd, a'r tŷ a'r sied gyferbyn â'r tŷ wedi eu cloi. Yno y safem, gan lafoerio wrth feddwl am y bwyd blasus oedd yn y tŷ. Ar ôl treulio hanner can niwrnod yn bwyta bwyd wedi ei sychu, ac er ein bod yn gwybod bod y warden yn ddyn garw a llym a gariai wn, cododd Mick (y dewraf ohonom!) fricsen, a chan regi a dweud y câi'r warden ei roi yn y carchar, malodd y ffenest. Am ein bod wedi colli llawer o bwysau yn ystod y daith, daeth hynny'n fanteisiol wrth wthio drwy'r ffenest. Awchwn gymaint am fraster nes dechrau llowcio llwyeidiau o fargarin rhad fel petai'n fêl, a theimlwn fod bywyd yn dda wrth ei stwffio i'm ceg.

Yn ddiweddarach y diwrnod hwnnw, dychwelodd y warden. Yr oedd wedi bod yn poeni amdanom, ein bod ar goll neu wedi marw ar y Cap Rhew, felly, gyda chymorth rhai doleri Americanaidd, cawsom faddeuant am dorri i mewn i'w eiddo.

Ar y noson olaf cyn inni adael ar y daith faith i Buenos Aires, coginiodd *gaucho* lleol *asado* cig oen. Treuliwyd y cig gyda llawer iawn o win coch, rhad. Dylai'r noson honno fod wedi bod yn ddiweddglo perffaith i daith anhygoel ond yr oedd drwgdeimlad wedi datblygu rhyngof i a Leo. Wrth edrych yn ôl, sylweddolaf pa mor blentynnaidd oedd fy ymddygiad ar adegau ac fel yr aelod hynaf, dylwn fod wedi bod yn fwy goddefgar. Ar brydiau, mae'n siŵr y teimlai Leo ei fod ar ei ben ei hun gan feddwl y byddai Mick yn ochri gyda mi, er dwi'n siŵr nad oedd hynny'n wir. Mae'n bur debyg y gwelai Mick y ddau ohonom yn anaeddfed iawn. Wedi cyrraedd adref, ni wnaeth Leo na minnau dorri gair â'n gilydd am gyfnod hir iawn ond wrth i'r amser fynd heibio, yn raddol daethom yn gyfeillion unwaith eto gan allu chwerthin ar ben gwiriondeb rhai o'n dadleuon. Wedi'r cyfan, yr oedd hi'n daith anhygoel ac fe erys yr atgofion amdani gyda mi am byth.

* * *

Er ein methiant ar Cerro Torre, rhaid oedd dychwelyd i Batagonia. Un o'r mynyddoedd agosaf at Cerro Torre yw Torre Egger, mynydd oedd heb gael ei ddringo ac felly yn ein denu'n ôl yno. Enwyd y mynydd ar ôl yr Awstriad Toni Egger a fu farw ar Cerro Torre. Er bod y mynydd hwn yn is na'i gymydog, mae yr un mor anodd. Cael noddwyr i ariannu'r daith oedd y broblem. Yn ystod y cyfnod hwnnw, roedd Chris Bonington yn cynllunio i ddychwelyd i Everest ac oherwydd problemau personol ar deithiau cynharach, yr oedd wedi penderfynu hepgor Don Whillans o'i dîm. Roedd Don yn ddringwr chwedlonol ac yng nghwmni Joe Brown bu'n gyfrifol am godi safonau dringo yn y 1950au.

Un o edmygwyr mwyaf Whillans oedd Ian Skipper, gŵr cefnog o sir Gaerhirfryn a oedd yn berchennog ar nifer o fodurdai. Arswydwyd ef o glywed nad oedd Don Whillans am gael mynd i Everest gyda Bonington, felly cynigiodd ei noddi i hel ei griw ei hun ar gyfer Everest. Ond mae'n rhaid aros blynyddoedd weithiau am ganiatâd i fentro ar Everest, felly pan glywodd Leo yr hanes, achubodd ar ei gyfle a mynd at Ian Skipper gan gynnig taith i gopa anhygoel Torre Egger nad oedd wedi cael ei ddringo o'r blaen, a hynny heb oedi. Felly diolch i Leo, yr oeddem ar ein ffordd i Dde America ymhen rhyw ddeufis.

Fel y tro cynt, torrais fy nhaith i gael gweld fy nghyfeillion yn y Wladfa ac erbyn imi gyrraedd Río Gallegos, yr oedd gweddill y criw wedi gadael am y mynyddoedd. Gan nad oedd cludiant ar gael am rai dyddiau, arhosais gyda Pedro Corchinesci, trydanwr a gŵr hyfryd y bûm yn aros gydag ef y flwyddyn flaenorol. Yr oedd yn byw ar ei ben ei hun ac felly ni thalai fawr o sylw i lendid ei siop na'i dŷ. A dweud y gwir, yr oeddent yn fudr, gyda modfedd o lwch dros y lle i gyd. Rhag brifo ei deimladau, dywedais fy mod yn hoffi'r awyr iach ac fe gysgais y tu allan yn y cwt glo!

Un diwrnod, dyma daro sgwrs ar y stryd gyda bachgen ifanc o'r enw Emilio a chefais wahoddiad ganddo i'w gartref am de. Trigai gyda'i fam weddw; yr oedd ei diweddar ŵr hithau yn bennaeth yr heddlu lleol. Cynigiodd Emilio fy anfon i'r mynyddoedd, er nad oedd ond yn bedair ar ddeg oed! Cytunais, ac i ffwrdd â ni mewn *Dodge* Americanaidd anferth gydag injan 6 litr V8. Cawsom ein stopio gan blismon a oedd wedi rhyfeddu wrth weld y cerbyd anferth hwn yn cael ei yrru gan fachgen oedd prin yn gweld dros yr olwyn lywio. Siaradodd y ddau mewn Sbaeneg ac yn sydyn, dangosodd Emilio ddarn o bapur i'r plismon – caniatâd iddo yrru ei fam o gwmpas. I ffwrdd â ni gydag Emilio'n cwyno am y plismon newydd.

Yr oedd Mick Coffey, yr Americanwr Dan Reid (yr oeddem wedi ei gyfarfod y flwyddyn cynt ym Mhatagonia) a minnau wedi derbyn gwahoddiad gan Leo i fynd ar y daith. Roedd Dan yn gyfeillgar ac yn hamddenol braf, yn gyn-filwr gyda'r *Green Berets* yn Fietnam ac yn ddringwr eofn. Gwahoddwyd tri arall hefyd: Don Williams, Martin Boysen a Paul Braithwaite yn ogystal â Rick Sylvester oedd wedi neidio *BASE* ar gyfer un o ffilmiau James Bond. Yn ychwanegol, gwahoddodd Leo gyfaill i fod yn rheolwr gwersyll a chynorthwywr.

Sefydlwyd y prif wersyll yn yr un ardal â gwersyll ein taith flaenorol i Cerro Torre ac fe aethom ar hyd yr un llwybr at rewlif Torre i'r gwersyll nesaf. Dros gyfnod o rai wythnosau, gyda nifer o doriadau oherwydd tywydd gwael, llwyddwyd i gyrraedd gwaelod yr wyneb gogleddol ac yma fe dyllwyd ogof rew ar gyfer gwersyll arall. Gan mai ni oedd y criw cyntaf i geisio dringo Torre Egger, dewiswyd y ddringfa a oedd yn ymddangos hawsaf. Serch hynny, un diwrnod, wrth gario offer, syrthiodd Mick Coffey i grefas ond fe'i hachubwyd gan Don Whillans a oedd yn digwydd bod y tu ôl iddo.

Wrth edrych yn ôl, mae'n siŵr mai'r ddringfa a ddewiswyd gennym oedd yr un anoddaf a'r fwyaf peryglus! Hanner ffordd i fyny'r mynydd yr oedd darn o rew main tua chan troedfedd o hyd yn hongian yn glir ac yn bygwth yr ardal oddi tano i gyd. Yn achlysurol, syrthiai darnau anferth o rew oedd yn ymddangos fel petaent wedi eu hanelu atom ni. Araf iawn oedd y dringo i fyny'r wyneb, a gosodwyd rhaffau wrth fynd er mwyn inni gael cymorth i ddod i lawr gyda'r nos i'r gwersyll yn yr ogof rew. Y diwrnod canlynol, byddai'r rhaffau sefydlog hyn wedi eu gorchuddio â rhew a'u troi'n ddwywaith eu maint ac fe wnâi hynny'r dringo yn llafurus ac araf.

Wedi gorffen dringo am y dydd, rhaid oedd dychwelyd i lawr y rhaff a oedd â dŵr yn llifo ar ei hyd erbyn hyn. O ganlyniad i hynny byddem yn wlyb iawn yn cyrraedd yr ogof rew. Gan fod darnau o rew yn syrthio'n ddyddiol, cynyddodd pryder pob un ohonom ac wedi i un o'r criw gael ei daro ar ei fraich gan lwmp mawr o rew, cynhaliwyd trafodaeth a'r farn oedd bod yr ardal yn rhy beryglus o lawer ac y dylem roi'r gorau iddi cyn i un ohonom gael ei ladd. Yn ddigalon, ond gan wybod ein bod wedi gwneud y penderfyniad iawn, cadwyd yr offer o'r gwersylloedd gan ddychwelyd i'r prif wersyll yn y dyffryn.

Ymwelydd â'r gwersyll oedd Rafael, Archentwr hipïaidd a ddaeth i aros gyda ni. Daethom yn gyfeillion iddo; ni fyddai'n cynhyrfu ar ddim, yr oedd yn gyfeillgar iawn ac yn gogydd anhygoel. Ychydig ar ôl i Rafael gyrraedd, cawsom ychwanegiad arall at y criw. Roedd Jorge yn fyfyriwr ifanc o

Buenos Aires a oedd yn awyddus i ddringo. Ymunodd â Rafael ac aeth y ddau ohonynt ati i ddringo mynydd gweddol hawdd o'r enw Torre Grande. Ar ôl tridiau, yr oeddem yn dechrau poeni gan nad oeddent wedi dychwelyd i'r gwersyll.

Aethom allan o'r gwersyll i chwilio amdanynt a chyda dychryn mawr fe welsom olion eu pabell yng nghanol sbwriel eirlif anferth ar y rhewlif. Dyma chwilio'r ardal a chanfod darnau o offer gwersylla yma ac acw ond doedd dim golwg o gyrff Rafael a'i gyfaill. Yn drist a phenisel, aethom yn ôl i'r gwersyll ac ymlaen i dŷ warden y parc i ddweud eu bod wedi marw. Ychydig ddyddiau wedyn, daeth chwe milwr Archentaidd i'r gwersyll. Aethant ati i egluro bod Jorge yn fab i gadfridog Archentaidd a'u bod wedi cael eu gyrru i ganfod ei gorff. Doedd ganddynt ddim profiad mynydda ac awgrymwyd ei bod hi'n beryglus iddynt fentro i'r ardal eu hunain ac nad oedd gobaith canfod y cyrff gan y byddent wedi cael eu claddu dan dunelli o rew ac eira. Dyma gytuno i'w tywys ar y rhewlif er mwyn iddynt weld ardal yr eirlif. Aethant ati i dynnu llawer o luniau er mwyn mynd â nhw'n ôl at y rhieni yn eu galar.

Digwyddodd un peth arall yn fuan wedi i'r milwyr gyrraedd. Yr oeddem yn eistedd o amgylch y tân yn trafod y ddamwain pan ymddangosodd y llwynog dof yn y gwersyll. Yn sydyn, estynnodd un milwr ei wn i'w saethu ond cyn iddo allu gwneud, cydiais yn y gwn a gweiddi bod y llwynog yn gyfaill i ni.

Yn ystod un cyfnod o dywydd gwael a dim i'w wneud yn y gwersyll, penderfynais fynd i ddringo Cerro Solo, sy'n sefyll, fel y dywed ei enw, ar ei ben ei hun oddi wrth y lleill. Gan ei fod yn dechnegol hawdd ac yn weddol ddidrafferth mewn tywydd amheus, euthum amdano ar fy mhen fy hun.

Yr oedd yn ddringfa bleserus iawn ac fel y codwn i fyny'r mynydd gwellodd y tywydd a minnau'n mwynhau'r profiad yn fawr iawn. Ymhen rhyw bedair awr, cyrhaeddais y copa a mwynhau'r golygfeydd dros damaid o fwyd, cyn dechrau dringo i lawr y grib o'r copa. Wrth ddod i lawr, clywais sŵn tebyg i chwibanu uwch fy mhen a phan edrychais i fyny, gwelais mai condor oedd o a'r sŵn yn cael ei greu wrth i'r gwynt fynd drwy ei adenydd. Yn ystod ein harhosiad yn y Parc Cenedlaethol, gwelsom amryw o'r adar gosgeiddig hyn yn y pellter ond yr oedd gweld un mor agos, gyda'i adenydd deuddeg troedfedd o hyd, yn ddigon i ddychryn rhywun. Ceisiais gysuro fy hun nad oedd yr adar hyn yn ymosod ar bobl ac mai cig anifeiliaid ac adar wedi marw oedd eu bwyd ond ar yr un pryd, prysurais ar fy nhaith i lawr gan ddal y gaib rhew – rhag ofn! Hedfanodd y condor ymaith ond ychydig funudau'n ddiweddarach yr oedd yn ei ôl, yn hedfan yn is na'r tro cynt ac yn edrych arnaf wrth basio fel petai'n dweud, 'Dwi'n gwybod dy fod ar dy ben dy hun ar y mynydd, felly mi arhosa' i am fy nghyfle.' Dychrynodd hyn fi, braidd. Aeth hyn ymlaen am tua hanner awr, gyda'r aderyn yn diflannu ac wedyn yn dychwelyd gan edrych arnaf wrth hedfan heibio. O'r diwedd, hedfanodd i ffwrdd – mae'n bur siŵr ar ôl penderfynu y byddai fy nghorff yn rhy wydn i'w gnoi!

Wrth edrych yn ôl, yr oedd y profiad yn gyffrous, er yn frawychus. Ond yn dilyn diwrnod llwyddiannus, aeth pethau'n groes. Er mwyn dychwelyd i'r gwersyll, rhaid oedd croesi Río Fitzroy o garreg i garreg rhag gwlychu, ond yn anffodus, llithrais a syrthio i'r dŵr. Wrth gyrraedd y lan ar yr ochr draw, sylweddolais fy mod wedi troi fy mhen-glin a dyna ddiwedd y daith i mi. Fel pe na bai hynny'n ddigon, yr oeddwn hefyd yn dioddef o hen aflwydd 'clefyd y mynyddwyr' neu'r 'peils'. Yn ogystal, dioddefwn o ddolur rhydd milain iawn a bu rhai o'r nosweithiau canlynol y rhai mwyaf annifyr a dreuliais erioed. Gorweddwn yn fy mhabell yn llawn hunandosturi pan godai'r angen i fynd i'r tŷ bach. Gan straffaglu o'm sach gysgu ac allan o'r babell, defnyddiwn hen gangen yn gymorth i hercian drosodd i dŷ bach y gwersyll. Am nad oeddwn yn medru eistedd yn iawn oherwydd fy mhen-glin chwyddedig, byddwn yn mynd ar fy nghwrcwd yn boenus i 'wneud fy musnes' ac felly âi'r peils yn ddolurus iawn wrth wneud hyn. Yn y diwedd, byddwn yn dychwelyd i'r babell gan geisio cynhesu a gwneud fy hun yn gyfforddus cyn gorfod mynd drwy'r un boen unwaith eto yn fuan iawn. Yr oedd hyn yn ddoniol iawn i ambell aelod o'r tîm ond fyddwn i ddim yn dymuno i'm gelyn pennaf ddioddef y fath brofiad.

Yn wobr gysur, efallai, aeth gweddill y criw i ddringo mynydd di-enw, un bach o'i gymharu â'i gymdogion ond yn dechnegol anodd. Enwyd ef yn Aig Rafael ganddynt er cof am ein cyfaill o'r Ariannin a laddwyd mewn eirlithrad.

Er bod methu dringo Torre Egger wedi bod yn siomedigaeth, bu treulio amser yng nghwmni Don Whillans yn brofiad diddorol a dweud y lleiaf! Yr oedd yn ddringwr chwedlonol; gŵr byr, pwerus a fu'n flaenllaw ym myd dringo ond erbyn ein taith i Torre Egger, roedd ei ddyddiau gorau y tu ôl iddo a'i gyfraniad dringo a chludo i'r criw bron yn ddim. Yn gynnar yn y daith, mentrais fynegi amheuaeth am ei ddewis o safle ar gyfer y gwersyll cyntaf. Trodd arnaf a'm galw yn *Welsh Road Runner* gan gwyno fy mod yn rhedeg o gwmpas y lle ond y byddwn yn dod i stop rhyw ddiwrnod. Tua diwedd y cyfnod, bu'n rhaid iddo ddychwelyd i Loegr i ddarlithio a doedd o ddim yno i weld ei broffwydoliaeth yn cael ei gwireddu ar ôl imi droi fy mhen-glin! Ond rhyw ddiwrnod wedi'r digwyddiad hwnnw, pwy gerddodd i'r gwersyll ond Whillans a phan welodd fi yn hercian yn boenus, holodd beth oedd yn bod. Nid oedd ei daith i Río Gallegos wedi digwydd a bu'n rhaid iddo ddychwelyd i'r gwersyll am ddiwrnod neu ddau. Doeddwn i ddim yn falch o'i weld!

Yn ystod y daith, nid oedd Whillans yn dringo na chludo. Yr oedd wedi mynd yn ŵr gordew, heb fod yn heini o gwbl. Bodlonai'r gweddill ohonom ar hyn am mai ei gysylltiadau ef oedd wedi gwneud y daith yn bosibl. Wrth i'r amser fynd heibio, blinodd pawb arno am nad oedd yn coginio, golchi'r llestri na gwneud paned. Un noson, penderfynodd y gweddill ohonom beidio gwneud paned gan eistedd yno yn disgwyl i Don wirfoddoli. Ar ôl rhyw awr, a neb am ildio, cododd Don a dweud y gwnâi baned gan nad oedd neb arall am wneud un. Cododd, estynnodd gwpan, gwnaeth baned iddo'i hun a diflannu i'w babell! Gadawyd y gweddill ohonom yn geg agored ac ar ôl ychydig, dyma ni i gyd yn dechrau chwerthin. Er nad oedd yn gwneud dim byd ymarferol i helpu, achub Mick Coffey o'r crefas oedd ei gyfraniad hollbwysig.

Ar y ffordd adref, treuliwyd ychydig ddyddiau yn Buenos Aires, gan aros gyda dringwr o'r Ariannin o'r enw Hector Vietes. Yr oedd wedi gwneud ei arian drwy gynhyrchu sachau cysgu i fyddin yr Ariannin a bu'n ddigon caredig i adael inni aros yn ei ffatri fechan a chael cysgu am ddim o dan y peiriannau. Un noson, cefais fy neffro gan sŵn a golau cryf yn fy wyneb. Dywedodd Ernesto, ein 'Mr Fix-it' ifanc, mai'r heddlu oedd yno a'u bod eisiau imi godi fy nwylo i'r awyr a dod allan o'm sach gysgu. Gwaith anodd – a minnau'n hanner cysgu. Gwelwn fod gwn yn cael ei anelu ataf, rhyw ddwy droedfedd o'm hwyneb. Yn noeth yn y golau cryf yroeddwn yn hollol effro ac yn bryderus. Gofynnodd yr heddlu am bob pasbort ac aethant ati i chwilio drwy ein hoffer. Hanner awr yn ddiweddarach, gadawsant heb ein harestio. Erbyn deall yr oeddent wedi codi aelod o griw dringo arall oedd yn aros yn nhŷ Hector oddi ar brif stryd Buenos Aires, gŵr hanner chwil, hanner noeth. Gan fod llawer o derfysgaeth yn y ddinas ar y pryd, yr oedd yr heddlu arfog yn amau pawb ac ar bigau'r drain. Ar ôl iddynt adael, bu cryn dipyn o dynnu coes ond ar y pryd yr oedd yn ddigon i godi ofn ar rywun.

* * *

Gan imi sôn eisoes am yr Americanwr Dan Reid, dyma fy nghyfle i dalu teyrnged iddo. Y tro cyntaf imi ei gyfarfod oedd yn ein gwersyll ym Mharc Cenedlaethol Fitzroy ym 1972. Wrth inni baratoi ein hoffer ar gyfer y daith dros y Cap Rhew, sylwais ar griw trecio Americanaidd gerllaw. Daeth un ohonynt atom, wedi iddo weld y slediau a'r sgïs mae'n siŵr, i gael gwybod lle'r oeddem am fynd. Nid oedd fawr o olwg dyn yr awyr iach arno, gyda'i sbectol John Lennon a'i siaced frethyn. Teimlwn y byddai'n fwy cartrefol mewn coleg yn y Mid-West! Cafodd Leo gamargraff ohono hefyd a chan nad yw'n un o'r gwŷr doethaf dan haul, dywedodd wrth y dyn, fwy neu lai, am fynd oddi yno (ond gan ddefnyddio geiriau dipyn cryfach!). Ond nid ymddangosai'r dyn fel petai'n poeni am hynny ac yn ystod y dyddiau nesaf, daethom i'w adnabod yn well. Ni chawsom y fath gamargraff o rywun erioed. Bu'r gŵr hwn, Dan Reid, yn aelod o luoedd arbennig y *Green Berets* ac fe fu'n uwch-gapten yn Fietnam, nid unwaith yn unig oherwydd fe wirfoddolodd i fynd eilwaith ac am y trydydd tro hefyd – nid llai na math arbennig o wallgofrwydd yn fy marn i ar y pryd. Yr oedd yn llawfeddyg y galon, yn ddyn amlwg yn San Francisco ac yn arbenigwr ar ailosod falfiau'r galon. Ni fedrwn beidio â chymryd ato'n fuan iawn a chyn pen dim, yr oedd wedi swyno Leo hefyd. Y canlyniad fu inni ei wahodd ar y daith i Torre Egger y flwyddyn ganlynol. Er nad oedd y dringo a wnes gyda Dan ar Torre Egger yn hynod gofiadwy, yn ystod y cyfnod hwnnw deuthum i sylweddoli fy mod yng nghwmni dyn arbennig iawn, dyn cryf, eofn a oedd yn gydymaith dringo perffaith.

Euthum draw i'w gartref yn yr Unol Daleithiau ddwywaith, y tro cyntaf i roi darlith i'w glwb dringo lleol yn Newark, Efrog Newydd gan ddringo gyda'n gilydd hefyd, yn Shawgunks gerllaw ei gartref. Yr ail dro imi fynd draw yr oedd wedi symud i Diablo, San Francisco lle gwelwn, y tu allan i'w dŷ, anferth o faner Draig Goch yn hedfan i'm croesawu. Yna, daeth Dan allan o'i dŷ yn chwarae'r pibau Albanaidd! Y diwrnod wedyn, dyma yrru i weld ei gleifion yng Nghanolfan Feddygol Mt. Diablo lle rhoddodd gôt wen imi. Arweiniodd fi o gwmpas yr ysbyty gan fy nghyflwyno fel Dr Jones o Gymru!

Yr oedd yn ŵr dawnus dros ben, chwaraeai polo ac yr oedd hefyd yn rhedwr cwrs hir. Flynyddoedd yn ddiweddarach, ac yntau ar y ffordd i gynulliad yn Ucheldir yr Alban, galwodd heibio i weld Ann a minnau yn Nhremadog. Wrth gwrs, bu'n rhaid mynd ag ef i ddringo'r dringfeydd gorau yn y byd fel y dywedais wrtho! Er mwyn dathlu'r achlysur, a chan ei fod yn ymfalchïo yn ei wreiddiau Albanaidd, gwisgai gilt a chariai'r pibau ar ei gefn ac aethom ati i ddringo'r 'Christmas Curry', un o ddringfeydd clasurol creigiau Tremadog. Ar ôl cyrraedd pen y ddringfa, estynnodd y pibau ac ymhen dim fe atseiniai '*Amazing*

Grace' dros bob man. Achosodd hyn gryn benbleth i ddringwyr eraill ac fe welwn bennau yn codi dros bob man gan geisio deall o ba le y deuai'r sŵn. Rhedai'r gwartheg yn y caeau cyfagos i bob man a daeth twristiaid allan o'r caffi er mwyn gweld yr Ianci a'i bibau ar ben Bwlch y Moch. Ni wyddwn ar y pryd mai dyna'r tro olaf y byddwn yn gweld Dan a'i wraig ddawnus, hyfryd, Barbara.

Cyn gadael am fynyddoedd yr Himalaya ym mis Medi 1991, cefais alwad ffôn gan Barbara yn fy ngwahodd i barti pen-blwydd Dan yn hanner cant ddiwedd mis Tachwedd. Atebais gan ddweud pe byddwn yn dal yn fyw ar ôl hedfan mewn balŵn dros Everest, y byddwn ar fy ffordd i Galiffornia. Wrth groesi dros Everest ar Hydref yr 21ain ac wrth groesi dros y copa i Dibet, gwelais am y tro cyntaf yr wyneb Kanshung anferth a ddringodd Dan i gyrraedd copa Everest gyda chriw o Americanwyr ym 1983 a chofiaf feddwl ei fod yn lle da i Dan greu hanes.

Pan ddychwelais adref ddiwedd mis Hydref, edrychwn ymlaen at barti pen-blwydd Dan pan dderbyniais lythyr oddi wrth ei fam yn dweud bod Dan a Barbara wedi marw mewn damwain ddringo ar Mount Kenya. Fedrwn i ddim credu'r peth. Cymeriad mor anferth a oroesodd dri chyfnod yn Fietnam ac a ddringodd gymaint o ddringfeydd caled wedi cael ei ladd ar fynydd cymharol hawdd. Ymhen rhai misoedd, derbyniais gopïau o'r teyrngedau i Dan a Barbara a rhyfeddais at y cyfraniadau a wnaethant i gymdeithas drwy ei allu llawfeddygol a'r gofal a roddwyd i bobl. Fo oedd y llawfeddyg cyntaf i gyflawni deuddeg llawdriniaeth osgoi'r galon ar un claf. Ar y pryd, fe'i beirniadwyd gan y Cyngor Meddygol Americanaidd ond yn ddiweddarach fe gyfaddefodd y Cyngor iddo wneud y peth iawn. Yn ôl cyd-lawfeddyg iddo, Dr Ralph Sommerhaug (yr wyf yn dyfynnu o'r Saesneg gwreiddiol), '*Dan was absolutely a wonderful human being with great qualities in his vocation and avocation, but don't speak of one without the other. Barbara was an outstanding woman, a unique person.*' Ac nid oes yr un deyrnged well na honna.

Pennod 10

YMWELD AG EVEREST

Saif mynydd uchaf y byd ym mynyddoedd yr Himalaya rhwng Nepal a Thibet. Cafodd ei enwi ym 1853 ar ôl George Everest, Prif Syrfëwr India. Yr enw Tibetaidd arno yw Chomolungma ond nid oedd neb yn gwybod hynny ar y pryd am fod Nepal a Thibet yn gaeedig i dramorwyr.

Gan mai hwn yw'r copa uchaf ar ein planed, fe ddenwyd archwilwyr a mynyddwyr ato dros y blynyddoedd. Bu naw ymgais i'w ddringo cyn i Hillary a Tenzing lwyddo ym 1953. Ers hynny, heidia pobl yno, gan ddefnyddio amryw o lwybrau a dringfeydd yn y gaeaf a'r haf, sgïo, eirfyrddio a pharagleidio i lawr oddi arno. Erbyn heddiw, bron na ellid dweud ei fod wedi datblygu'n rhyw fath o barc antur yn yr uchelfannau, ond un peryglus iawn.

Cefais yr olwg gyntaf ar Everest ym 1976. Gan fod Aled Vaughan, uwch-gynhyrchydd gyda HTV yn fodlon iawn â ffilmiau Leo Dickinson ar yr Eiger ac ym Mhatagonia, cafodd Leo benrhyddid ganddo, fwy neu lai, i wneud rhaglenni dogfen antur. Ei brosiect ar y pryd oedd ffilmio ymgais i deithio i lawr afon Dudh Khosi mewn canŵ – afon oer sy'n llifo'n gyflym o ucheldir dyffryn Khumbu yn Nepal. Roedd y tîm yn brofiadol iawn gyda Mike Jones, meddyg ac un o brif ganŵwyr y byd ar daith o'r fath, yn arwain. Yr oedd wedi arwain teithiau i Awstria, Affrica, De America ac Asia

Canwio dan rewlif y Khumbu

Ar rewlif y Khumbu

ac fe chwiliai'n barhaus am her newydd. Trwy holi mynyddwyr, clywodd fod llyn gweddol o faint yn rhewlif Khumbu, 17,500 troedfedd i fyny, a oedd yn bwydo afon Dudh Khosi. Oddi yno felly y cychwynnwyd y daith. Estynnodd Leo wahoddiad i mi fynd ar y daith fel swyddog diogelwch, gan y byddai fy mhrofiad fel mynyddwr yn gymorth i'r canŵwyr fynd i fyny ac i lawr yr hafnau a'r ceunentydd ar yr afon.

Gyda Mike daeth pum canŵydd profiadol arall o Loegr ac fe gawsant brofiadau rhyfeddol ar y ffordd wrth deithio yno bob cam mewn lori. Cyfarfu Leo a minnau gyda nhw yn Kathmandu ac aed ati'n syth i drefnu cael y papurau angenrheidiol gan yr awdurdodau. Yn dilyn y daith hir o Kathmandu, dyma gychwyn cerdded y llwybr maith tuag at Everest. Wrth gynllunio'r daith, yr oeddem wedi penderfynu mynd yn ystod cyfnod y monsŵn, cyfnod a gâi ei osgoi gan fynyddwyr. Y rheswm am hynny oedd er mwyn sicrhau y byddai digon o ddŵr yn y Dudh Khosi. Oherwydd hyn, yr oedd y daith yn annifyr a pheryglus yn aml. Glawiai'n drwm bob dydd a ninnau'n aml iawn yn wlyb at ein crwyn. Âi'r llwybr yn fwdlyd a llithrig ac fe wnâi hynny waith y cludyddion gyda'u llwythi trymion yn anoddach fyth. Niwsans arall oedd y gelod a fyddai'n canfod eu ffordd at bob rhan o'r corff. Ar ddiwedd un diwrnod, cyfrais ddeuddeg ar gefn Leo, gyda'r diawliaid bach wedi chwyddo ar ôl sugno'r holl waed. Byddent yn mynd i'ch esgidiau hefyd ac wedi tyfu'n fawr ar ôl sugno'ch gwaed, byddent yn cael eu gwasgu. Ar ddiwedd y dydd, byddai sanau rhywun yn waed i gyd.

Yr oedd y trigolion lleol wedi hen arfer gweld mynyddwyr yn teithio drwy eu pentrefi ond rhyfeddent at y cychod rhyfedd a gariai'r cludyddion. Atyniad arall oedd y ffaith bod meddyg gyda phob criw, felly deuai cleifion lleol at Mike pan fyddem yn gwersylla yn y nos. I ddechrau teimlwn fod agwedd Mike braidd yn galon galed tuag atynt ac yn amlach na pheidio byddai'n rhoi tabledi fitaminau lliwgar ar gyfer pob anhwylder. Ond eglurodd fod yn rhaid i'r pentrefwyr ddibynnu ar eu trefn feddygol eu hunain, waeth pa mor hen ffasiwn oedd honno. Ond pe byddai achos difrifol, yna byddai'n ei drin. Ambell fore, byddai'n gofyn i ni pwy oedd am chwarae meddyg y diwrnod hwnnw er mwyn rhannu'r tabledi lliwgar!

Sefydlwyd y prif wersyll yn Pheriche, yr ardal lle byddai afon Dudh Khosi yn ddigon dwfn i'w chanŵio. Aeth Mike ynghyd ag un arall o'i griw, dyn camera HTV a minnau ymlaen am lyn rhewlif Khumbu. Ar ôl ei gyrraedd, dyma'r ddau ganŵydd yn paratoi eu canŵau. Golygfa ryfedd oedd gweld y ddau yn eu canŵau yn llithro i lawr y rhew serth ac i'r llyn bychan. Tynnais eu lluniau a ffilmiwyd nhw gan y dyn HTV. Tynnais lun o Mike yn dal altimedr i hawlio record y byd am y canŵio uchaf erioed. Teithiwyd yn ôl i'r prif wersyll gan dynnu lluniau unigryw o'r canŵau gyda rhewlif Khumbu yn gefndir 3,000 troedfedd uwch eu pennau.

Ar y ffordd i lawr, achubais ar y cyfle i ddringo Kalipatar, sydd tua 1,000 o droedfeddi uwchlaw'r rhewlif, gyda golygfa ardderchog i mewn i'r Western Cwm ger Everest a chael fy ngolwg cyntaf ar ben y byd. Dychwelwyd i Pheriche wrth i'r paratoadau olaf gael eu cwblhau ar gyfer y daith ganŵ.

Profiad pleserus i mi oedd cael crwydro o gwmpas dyffryn Khumbu yn dysgu am ddiwylliant y Sherpa, gan ryfeddu at y golygfeydd gwych o gopaon yr Himalaya. Wrth i'r canŵio go iawn ddechrau, rhyfeddwn at allu a dewrder y canŵwyr wrth ymladd eu ffordd i lawr y cerrynt gwyllt, nid yn unig wrth geisio dygymod â'r problemau technegol ar yr

Croesi crefas ar rewlif y Khumbu

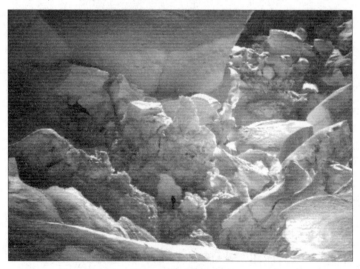

Ar rewlif y Khumbu

afon ond effeithiau uchder a thymheredd eithriadol o oer y
dŵr a lifai o rewlif Khumbu. Ymddangosai rhai rhannau o'r
afon yn amhosibl i mi ond yr oedd y dynion hyn yn canŵio'n
anhygoel, yn troi drosodd, yna'n troi'n ôl i fyny ac yn parhau.
Roedd Leo yn ei elfen ac wedi ei gyffroi gyda'r lluniau a
dynnai. Hefyd, yr oedd wedi gosod camerâu ar y canŵau a
oedd yn dangos mor anhygoel oedd yr her a wynebai'r
canŵwyr wrth ddod i lawr yr afon.

Wrth ddod yn is, cynyddai maint yr afon wrth i afonydd
a nentydd o'r dyffrynnoedd cyfagos lifo iddi. Âi llwybr yr
afon drwy geunentydd dyfnion anghyraeddadwy a olygai
waith caled i bawb wrth gario'r canŵau er mwyn eu hosgoi.
Yn ddyddiol, byddai problemau'n codi ar yr afon. Bu bron
inni golli un o'r criw pan drodd canŵ Mick Hopkinson
drosodd ac fe gafodd ei sgubo i ffwrdd gan y llif nerthol.
Daliai Leo i ffilmio a chredai ei fod yn ffilmio marwolaeth
Mick. Ond llwyddodd Mick i afael ym mhen-ôl canŵ Mike
Jones a chael ei dywys i'r lan. Wedi tair ymgais, llwyddwyd
i'w godi o'r afon – yr oedd wedi blino'n llwyr ac yn oer iawn.
Bu ond y dim iddo golli ei fywyd y diwrnod hwnnw.

Gadawodd y deuddeng niwrnod ei ôl ar y criw. Yr
oeddent wedi ymlâdd yn llwyr yn gorfforol, roedd nerth llif
yr afon wedi difetha'r rhan fwyaf o'r canŵau ac roedd pres i
dalu'r cludyddion yn darfod. Problem arall oedd mai dyna
ddiwedd cyfnod y monsŵn ac felly roedd lefel y dŵr yn
gostwng a chreigiau peryglus yn dod i'r golwg yn yr afon. Yn
wyneb yr holl drafferthion hyn, penderfynwyd rhoi'r gorau
i'r ymgais i ddod i lawr yr afon at y cymer rhyngddi hi ac afon
Sun Khosi. Rhyddhad oedd bod yn ôl yn Kathmandu i gael
pryd da o fwyd, ychydig o gwrw a chysgu mewn gwely iawn,
er y siomedigaeth o fethu cwblhau'r daith. Yr oedd Leo yn
anhapus iawn hefyd, am nad oedd ganddo ddiweddglo i'w

ffilm. Oherwydd hyn, penderfynwyd hedfan yn ôl at ran isaf yr afon a phadlo'r ychydig filltiroedd olaf er mwyn cwblhau'r daith ac er mwyn i Leo orffen y ffilm ddogfen. Gan na allai'r awyren fach gario mwyn na dau ganŵ, dim ond dau o'r tîm ynghyd â Leo a ddychwelodd at yr afon i ganŵio rhan olaf afon Dudh Khosi.

Ddeuddydd cyn i'r criw roi'r gorau iddi, bu'n rhaid i mi adael oherwydd galwadau yn ôl gartref. Cyrhaeddais Kathmandu wedi pedwar diwrnod o daith ond nid cyn cael profiad brawychus iawn un noson. Wrth gerdded y llwybr ar grib, deuthum ar draws dwy eneth ifanc yn hel geifr (neu ddefaid, dwi ddim yn siŵr iawn beth oeddent). Wrth inni sgwrsio, gofynnwyd i mi a ddymunwn gael lle i aros y noson honno. A hithau'n nosi, cytunais, yn enwedig wrth gofio fy mod wedi cysgu o dan lwyn y noson cynt. Ddau funud yn ddiweddarach, dyma gyrraedd eu cwt pren a mwd. Wedi iddynt gorlannu'r anifeiliaid, cyneuwyd tân ac yn fuan iawn yr oedd y lle'n gynnes a chlyd. Yn un gornel, yr oedd pedwar gwely, felly arferai teithwyr aros yno dros nos. Coginiodd y ddwy bryd o reis a llysiau ac wedi bwyta, setlais yn fodlon yn fy ngwely.

Ymhen ychydig, agorodd y drws a daeth pedwar o hogiau ifanc i mewn, fy nghyfarch ac eistedd i siarad gyda'r genod. Er eu bod yn siarad yn eu tafodiaith leol, edrychent i'm cyfeiriad gan ei gwneud hi'n amlwg mai fi oedd testun eu sgwrs. Siaradai un ohonynt ychydig o Saesneg a holodd fi a oeddwn ar fy mhen fy hun, yna dywedodd fod gen i oriawr hardd a gofynnodd faint oedd ei gwerth. Erbyn hyn, yr oedd ei ymarweddiad wedi troi'n fygythiol ac fe ofynnodd sawl doler Americanaidd oedd gen i hyd yn oed, ac a fynnwn roi rhai iddo. Dechreuais boeni gan fy mod wedi clywed hanesion am deithwyr ar eu pen eu hunain yn diflannu, yn bur debyg wedi cael eu lladd a'u hysbeilio. Yn araf, tynnais y cramponau miniog a'r gaib rhew o'm sach gefn a'u gosod wrth fy ochr ar y gwely yng ngŵydd y llanciau. Dymunwn ddangos iddynt, er bod pedwar ohonynt, y byddwn yn siŵr o frifo rhywun cyn cael fy nhrechu. Rhagwelwn noson hir iawn ac fe ystyriwn adael, ond fy ngobaith gorau oedd aros. Yr oedd awyrgylch yr ystafell yn drydanol a'r pedwar llanc yn amlwg yn trafod ymysg ei gilydd. Er imi fod mewn cyfyng gyngor fwy nag unwaith pan oeddwn yn gweithio i Heddlu'r Fyddin, yr oedd hyn yn wahanol ac yn fwy brawychus. Ymhen dwyawr, cododd y pedwar, a heb ddweud yr un gair, gadawsant y cwt.

Newidiodd yr awyrgylch yn syth. Dechreuodd y genethod sgwrsio a gwneud te gan bwyntio at y drws a dweud 'dynion drwg'. Teimlwn ryddhad mawr ond wnes i ddim cysgu'n dda iawn. Lawer gwaith wedyn bûm yn pendroni am y digwyddiad – a oeddwn mewn perygl go iawn neu ai dychmygu'r cwbl wnes i? Wn i ddim, ond yr hyn sy'n dal yn fyw iawn yn y cof yw'r ofn a deimlwn yn y cwt bychan.

Canlyniad dycnwch a dyfalbarhad Leo oedd ffilm lwyddiannus iawn o'r daith. Trafododd y criw a gymerodd ran yn y fenter beth fyddai ei theitl. Yn amlwg iawn, ni ellid ei galw'n ganŵio i lawr Everest am na wnaed hynny, ond gan fod yr enw 'Everest' mor eiconig a'r canŵio wedi bod yr un mor beryglus ag unrhyw ddringo ar y mynydd, penderfynwyd rhoi dipyn o lastig arni a'i galw'n *Dudh Khosi – Relentless River of Everest*. Rhyfeddai'r cynulleidfaoedd at y canŵio eithafol a pheryglus ond teimladau cymysg oedd gen i am ddilysrwydd y daith. Euthum i ar y daith heb wybod dim am ganŵio, gan feddwl bod y gamp yn debyg i ddringo mynydd, hynny yw, dringo o'r gwaelod i'r copa, ac mai felly oedd hi ar afon hefyd – mynd o'r dechrau i'r diwedd, heb ddeall bod angen cario offer dros geunentydd. Ar ôl bod ar lannau Dudh Khosi gallai unrhyw un weld bod teithio rhannau ohoni'n amhosibl mewn canŵ ac felly yr oedd hynny'n arwain at y cwestiwn mawr – pa ganran o'r daith ar yr afon sy'n rhaid ei chanŵio ar ei hyd er mwyn hawlio llwyddiant?

Y flwyddyn ganlynol, arweiniodd Mike Jones griw i ganŵio afon Braildu – yr afon sy'n llifo o gyffiniau K2, ail fynydd uchaf y byd. Yn drasig, fe'i boddwyd ac ni chanfuwyd ei gorff. Rai misoedd yn ddiweddarach, mynychais wasanaeth i ddathlu ei fywyd yn hytrach na'i goffáu. Yn ystod y gwasanaeth, adroddodd Mick Hopkinson hanesyn am Mike pan oedd yn feddyg ifanc yn gorfod rhoi archwiliad i ferched beichiog. Yn ddiweddarach y diwrnod hwnnw, ar ôl i Mike gwblhau'r archwiliadau, aeth arbenigwr o amgylch y merched i holi sut oeddent. Sylwodd gyda chryn syndod fod gan bob merch gylch brown taclus ar ei bol. Deallwyd wedyn fod gan Mike far o siocled yn yr un boced â'i stethosgop! Chwarddodd y gynulleidfa dros y lle, er nad oedd y rheithor yn hapus iawn. Ond yr oedd y stori honno'n cyfleu cymeriad Mike i'r dim – yr hogyn dawnus oedd yn aml â'i ben yn y cymylau.

* * *

Chefais i erioed rhyw awydd mawr i ddringo Everest. Yn yr Alpau a Phrydain yr oedd fy niddordeb i mewn dringo technegol ac ar fy mhen fy hun. O'r hyn a ddarllenais am ddringo ym mynyddoedd yr Himalaya, golygai lawer o deithiau diddiwedd i fyny llethrau a rhewlifau peryglus a dim llawer o ddringo technegol – nid oedd hynny'n apelio at fy

Rheinold Messner ar y South Col wedi iddo ddod i lawr oddi ar Everest

agwedd braidd yn ffwrdd-â-hi tuag at ddringo.

Derbyniodd Leo a minnau wahoddiad i Ŵyl Ffilmiau Trento ym 1976 lle dangosid ein ffilm yn adrodd hanes dringo wyneb gogleddol y Matterhorn. Ein cyfieithydd oedd Uschi Messner, gwraig y dringwr chwedlonol Reinhold Messner. Tarodd Messner y byd dringo fel corwynt yn y 1960au. Bwriodd ei brentisiaeth ddringo yn ei Ddolomiti brodorol ac fe ddaeth yn fyd-enwog pan ddringodd wyneb gogleddol y Droites uwch ben Chamonix ar ei ben ei hun ym 1969. Y flwyddyn ganlynol ymunodd â thaith Karl Helikofer i Nanga Parbat. Fe laddwyd ei frawd, Gunther yn ystod y daith a dioddefodd Reinhold ei hun yn ddrwg o ewinrhew, gan golli'r rhan fwyaf o fysedd ei draed. Credai pawb mai dyna ddiwedd ei yrfa ddringo eithafol ond nid oedd paid arno ac yn ôl pob tebyg, ef yw'r dringwr gorau a fu erioed.

Mae'n amlwg fod gallu a sgiliau camera Leo wedi creu argraff ar Uschi. Cysylltodd ag ef yn fuan wedyn ac estyn gwahoddiad iddo ymuno â Reinhold a'i dîm ar Everest ym 1978. Ymhen rhai wythnosau, cyrhaeddodd llythyr arall: gan fod 1978 mor bell i ffwrdd, sut oedd Dhaulagiri ym 1977 yn apelio? Estynnodd Leo wahoddiad i minnau fynd gydag ef a dyma ymuno â'r criw yn Kathmandu. Ymysg y criw yr oedd Peter Habeler o Awstria, cydymaith dringo arferol Messner, y ddau ohonynt wedi syfrdanu'r byd dringo gyda'u dringo cyflym, mentrus. Un arall yn y criw oedd y dringwr Americanaidd Michael Covington, gŵr y byddem yn tynnu ei goes drwy ddweud mai'r unig enwogrwydd a ddaeth i'w ran oedd bod y gantores Americanaidd enwog Joni Mitchell, cyn-gariad iddo, wedi ysgrifennu cân amdano, sef '*Michael from Mountains*'!

Nod y daith oedd dringo wyneb deheuol anferth Dhaulagiri. Hwn, ar 26,795 troedfedd, yw'r seithfed mynydd uchaf yn y byd a'i wyneb deheuol yr ail glogwyn uchaf ar ôl wyneb Rupal Nanga Parbat. Teithiwyd am gant ac ugain o filltiroedd i'r gorllewin o Kathmandu i Pokhara, ail ddinas fwyaf Nepal, llecyn hardd ar lan llyn yng nghysgod Anapurna, Dhaulagiri a Machhapuchre. Oddi yno y cychwynnwyd y daith tuag at y mynydd.

Un noswaith, cerddais at lan y llyn ac fe'm syfrdanwyd gan y golygfeydd o'r mynyddoedd hyn a'u hadlewyrchiad yn y dŵr. Ar y lan, eisteddai gŵr ifanc yn chwarae gitâr. Dyma daro sgwrs a chanfod mai'r canwr pop, Cat Stevens oedd o. Dywedodd ei fod yn ymwelydd cyson â'r ardal a'i fod wedi gwirioni ar harddwch y lle.

O Pokhara, dilynwyd llwybr poblogaidd y teithwyr ar y ffordd at Annapurna hyd nes cyrraedd pentref ffynhonnau poeth Totopani. Gan nad oedd neb arall wedi mentro dringo wyneb deheuol Dhaulagiri, bu canfod y ffordd at waelod y mynydd yn waith anodd iawn. Rhyfeddwn at allu'r cludyddion i ddygymod â'r dirwedd anodd heb ddim ar eu traed tra llithrem ni yn aml yn ein hesgidiau modern.

Unwaith y sefydlwyd y gwersyll, fe'm syfrdanwyd gan anferthedd yr wyneb deheuol – bron yn 12,000 troedfedd o uchder yn arwain i'r copa 26,500 troedfedd, gyda chlogwyni rhew anferth yma ac acw arno. Bob diwrnod, ysgubai eirlithradau anferth i lawr yr wyneb. Wrth i amser fynd yn ei flaen, rhaid oedd cario llwythi er mwyn sefydlu gwersyll arall ar grib a edrychai dros yr wyneb deheuol. Un diwrnod, yr oedd Leo a minnau newydd gario llwyth i'r gwersyll ac yn dychwelyd i lawr y grib am y gwersyll yn y gwaelod pan glywsom andros o sŵn. Dyma edrych i gyfeiriad yr wyneb a gweld darn anferth yn torri oddi ar un o'r clogwyni rhew, gyda miloedd o dunelli'n syrthio pum mil o droedfeddi'n glir i'r rhewlif oddi tano. Golygfa frawychus ond teimlem yn ddiogel ar y grib. Neu felly y credem ar y pryd. Wrth i'r rhew daro'r rhewlif, ffrwydrodd gyda grym bom, bron. Yn sydyn, dyma deimlo ein bod mewn perygl. Er bod gwaelod y clogwyn tua dwy filltir i ffwrdd, rhuthrai'r rhew tuag atom ar gyflymdra anhygoel.

Rhuthrodd Leo a minnau i lawr ochr y grib i chwilio am gysgod ond nid oedd cysgod yn unman. Cuddiais y tu ôl i graig fechan, gan geisio gwneud fy hun mor fach â phosibl a chysuro fy hun nad oedd modd i'r eirlif fy nghyrraedd. Yn sydyn, diflannodd yr haul ac fe'm trawyd gan chwa anferthol o wynt. Gafaelais yn y graig â'm holl nerth tra ysgydwai fy nghorff yn yr aer gwyllt fel dillad yn sychu ar lein mewn corwynt. Sylweddolais mai'r wal o aer ar flaen yr eirlif oedd hwn a phe byddai hwnnw'n cyrraedd y grib, byddwn yn siŵr o farw.

Yna, yr un mor sydyn ag y trawodd o ni, gostegodd y gwynt. Cliriodd y crisialau rhew a guddiai'r haul. Gwaeddais ar Leo ac atebodd yntau ei fod yn iawn. Er bod y ddau ohonom wedi ein gorchuddio â chrisialau rhew gwyn, teimlem ryddhad eithriadol o fod yn dal yn fyw. Yn dilyn hyn, yn ogystal â phrofiadau tebyg gweddill y criw, penderfynodd Reinhold fod yr wyneb yn rhy beryglus o lawer ac er iddo ef a Peter fynd i gael golwg ar y grib dde-orllewinol, daethant i'r casgliad mai dyna ddiwedd yr ymgais i ddringo wyneb deheuol Dhaulangi. Fel rhyw fath o wobr gysur, aeth pedwar ohonom i ddringo Manapati, mynydd 21,000 troedfedd gerllaw. Yr oedd honno'n ddringfa bleserus ond wrth edrych draw at ein nod gwreiddiol, nid oedd y mynydd hwn ond megis bryncyn o'i gymharu. Yn ôl yn y gwersyll, cadwyd yr offer a thridiau'n ddiweddarach, yr oeddem yn Totopani yn mwynhau'r ffynhonnau poeth a chymdeithasu gyda theithwyr eraill.

Ar ôl dychwelyd i Kathmandu, dymunai Reinhold a Leo gael gwell golwg ar Everest. Gwyddent fod Emil Wick yn beilot a hedfanai awyren i Nepal am ryw ddeufis bob blwyddyn er mwyn dysgu peilotiaid o Nepal ac fe gytunodd i fynd â ni am Everest. Yr oedd Emil yn gymeriad unigryw a thros gwrw, adroddodd hanesion ei anturiaethau. Ymddengys iddo hedfan yn anghyfreithlon i Dibet lawer gwaith a hedfan o gwmpas Everest. Ychwanegodd, gyda gwên ar ei wyneb, y byddai'n hoffi hedfan i Llahsa, hedfan o gwmpas plas Potala a dychwelyd i Nepal. Dywedais y byddai Tsieina'n siŵr o yrru awyren jet i'w saethu. 'O, dim problem,' meddai, 'buaswn yn hedfan yn isel i mewn ac allan o'r dyffrynnoedd ac ni fyddai ganddynt obaith fy nal!'

Y bore wedyn, i ffwrdd â ni. Er ein bod yn hedfan ar uchder o 30,000 troedfedd, tynnodd Reinhold ei fwgwd er mwyn cael y profiad o fod heb ocsigen – arwydd o'i fwriad ar y mynydd. Wedi hedfan am awr o Kathmandu, dyma gyrraedd ardal Everest gan godi at lefel y copa. Yr oedd y golygfeydd yn anhygoel ac aeth Leo'n wyllt gyda'r camera. Yn y cyfamser, câi Reinhold drafferth o ganlyniad i'r diffyg ocsigen heb ei fwgwd. Trodd ei wefusau'n las, aeth ei leferydd yn aneglur ac ni allai newid y ffilm yn ei gamera. A dweud y gwir, nid oedd hyn yn adlewyrchiad teg o'r amodau gan iddo gyrraedd y fath uchder heb gynefino'n raddol, a heb gael cyfle i wneud hynny, nid oedd yn brawf dilys o sut y byddai pethau ar Everest.

Ar ôl hedfan o gwmpas copa Everest a thresbasu yn awyr Tsieina, hedfanodd Emil i lawr i'r Western Cwm ac yna'n isel dros rewlif Khumbu a'r prif wersyll. Aeth â ni'n nes at gribau a chopaon trawiadol ac o gwmpas copa Cho Oyo. Yn dilyn taith anhygoel, dychwelwyd i Kathmandu a daeth gwefusau Reinhold yn ôl i drefn.

* * *

Ers pan oeddwn i'n ifanc, gwyddwn ychydig o hanes Everest, yn bennaf oherwydd cysylltiadau lleol. Ganwyd fy mam tua hanner milltir o dŷ rhieni Sandy Irvine, a safai cartref mam Charles Evans gerllaw fy ysgol gynradd yn Derwen. Lladdwyd Irvine ar Everest gyda George Mallory ym 1924 tra bu Charles Evans yn hynod anlwcus i beidio cyrraedd y copa yng nghwmni Tom Bourdillon ym 1953. Pe na byddai problem wedi codi gyda'r offer ocsigen, yna mae'n debygol mai nhw ac nid Hillary a Tenzing fyddai wedi cael y clod o fod y dringwyr cyntaf i gyrraedd copa Everest.

Mae'n amheus gen i a fyddwn wedi dymuno ymweld â mynyddoedd yr Himalaya heblaw am y gwahoddiad i ymuno â thîm Leo. Er fy mod yn cael fy nhalu gan HTV fel rhan o'r tîm i ffilmio ymgais Messner a Habeler, teimlwn, petai'r cyfle yn codi, y byddwn yn mynd am y copa fy hun.

Y flwyddyn ganlynol, 1978, dychwelwyd i Kathmandu yng nghwmni dyn camera a dyn sain HTV oedd am ffilmio o gwmpas y prif wersyll. Dyma gyfarfod Reinhold a Peter ac aelodau'r criw o Awstria gyda'u harweinydd Wolfgang Nairz y byddem yn cydweithio â nhw. Byddem yn defnyddio eu hadnoddau nhw – pebyll, cludyddion, bwyd ac ati. Gan fod Reinhold a Peter yn adnabod y rhan fwyaf o'r criw, teimlai Leo a minnau'n dipyn o ddieithriaid. Aethpwyd drwy'r camau arferol i gynefino drwy ddringo'n uwch yn raddol, cyn dychwelyd i'r gwersyll i orffwys a dod atom ein hunain. Yn 42 oed, ystyriwn fy hun yn brofiadol fel dringwr Alpaidd ond yn hollol ddibrofiad ym mynyddoedd yr Himalaya. Er imi fynd ar y daith i brif wersyll Dudh Khosi ym 1976, a theithio i Dhaulangiri ym 1977 gyda Reinhold a Peter, gwyddwn y byddwn yn cael trafferth dal i fyny gyda hwy ar y mynydd. Yr oeddwn ddeng mlynedd yn hŷn na nhw ac yn ddibrofiad yn y mynyddoedd hyn, ac nid oeddwn erioed wedi ystyried fy hun yn athletwr mawr. Yr oeddwn yn 26 oed yn dechrau dringo ac wedi byw fy mywyd i gyd, bron, ar lefel y môr. Yr oedd y ddau arall wedi dechrau dringo ar ucheldir yr Alpau pan oeddent yn fechgyn bach, yr oeddent yn athletwyr penigamp, yn brofiadol iawn ym mynyddoedd yr Himalaya ac ymysg y goreuon yn y maes. Er hynny, yr oedd gan Leo a HTV (a oedd yn noddi'r ffilm) ddigon o ffydd ynof ac addewais i mi fy hun y byddwn yn ceisio cadw i fyny gyda'r ddau ddringwr eithriadol o sydyn.

Teithiwyd o Kathmandu i ddyffryn y Khumbu a thrwy bentrefi'r Sherpaid yr oeddwn yn gyfarwydd â nhw ers y daith i Dudh Khosi ddwy flynedd ynghynt. Ymhen deng niwrnod, cyrhaeddwyd y prif wersyll ar uchder o 17,000 troedfedd. Nid yw'n lle braf ar gyfer gwersyll gan ei fod ar rewlif Khumbu sy'n symud yn barhaol ond mae'n gyfleus ar waelod rhewgwymp Khumbu. Sefydlodd y cludyddion a'r Sherpaid y gwersyll cyn chwilio am ffordd i fyny'r rhewgwymp 3,000 troedfedd eithriadol o grefasog. Dyma ran fwyaf peryglus y ddringfa, dryswch llwyr o flociau rhew a symudai'n barhaol, felly newidiai llwybr y daith bron yn ddyddiol. Byddai'r ysgolion a ddefnyddid i groesi crefas yn cael eu canfod yn ei waelod ychydig ddyddiau'n ddiweddarach gan fod y rhewlif wedi symud a'r crefas wedi ehangu. Neu weithiau byddai'r gwrthwyneb yn digwydd gyda'r crefas yn cau gan wasgu'r ysgol yn ddarn diwerth o alwminiwm. Euthum i fyny ac i lawr y rhewgwymp nifer o weithiau yn ystod y cyfnod o ymgynefino ond teimlwn yn annifyr bob tro wrth feddwl y gallai'r tyrrau rhew uwch fy mhen syrthio unrhyw amser.

Ar y rhewgwymp gosodwyd rhaffau ac ysgolion, ac unwaith y gorffennwyd hynny gellid gosod y gwersylloedd yn y Western Cwm a'u defnyddio ar gyfer ymgynefino; y syniad oedd codi'n raddol gan ddod i lawr yn ôl i gysgu. Mae hyn yn hollbwysig rhag datblygu'r cyflwr *HAPE* (*High Altitude Pulmonary Oedema*).

Yn ystod y cyfnod o ymgynefino, bu dwy ddamwain drasig. Syrthiodd un o'r cludyddion i grefas ar rewgwymp Khumbu. Aeth pedwar aelod o'r tîm Awstraidd at ymyl y crefas ac fe abseiliodd un ohonynt 150 troedfedd i lawr i'r crefas ond gwelodd fod hwnnw'n ddiddiwedd. Ni allai neb oroesi codwm o'r fath ac ni welwyd corff y cludydd wedyn. Yn yr ail ddamwain, dioddefodd cludydd arall waedlif ar yr ymennydd ar wyneb Lhotse ac fe'i parlyswyd yn rhannol.

Bu'r ddamwain honno, ynghyd â rhai amheuon eraill, yn ddigon i beri i Peter newid ei feddwl ynghylch dringo heb ocsigen.

Bu sawl trafodaeth dros y blynyddoedd ynglŷn â'r posibilrwydd o ddringo Everest heb ocsigen. Yn fy marn i, os oedd Norton wedi dringo dros 28,000 troedfedd yn 1924, yna byddai'r datblygiadau mewn offer, dillad a hyfforddiant yn ei gwneud hi'n bosibl i athletwyr mor arbennig â Messner a Habeler lwyddo.

Ar ôl newid ei feddwl ynghylch defnyddio ocsigen, ceisiodd Peter ymuno â'r prif griw a oedd yn defnyddio ocsigen, ond gan fod rhai aelodau yn credu ei fod yn dipyn o *prima donna*, dywedwyd wrtho y byddai'n rhaid iddo aros nes bod gweddill y tîm yn cael cyfle i gyrraedd y copa. Gwylltiodd Peter wrth glywed sylwadau un neu ddau aelod o'r tîm a phan welodd bod ei gyfle i gyrraedd y copa yn mynd yn llai ac yn llai, cafodd ei berswadio gan Messner i ailymuno â'r ddringfa heb ocsigen. Yr oeddwn innau hefyd yn bwriadu dringo heb ocsigen. Fel dringwr ar fy mhen fy hun yn yr Alpau, cawn y boddhad mwyaf wrth ddringo gyda chyn lleied o offer â phosibl ac yma yn yr Himalaya, ni fyddai gwisgo mwgwd clawstroffobig ar fy wyneb a gorfod cario'r silindrau ocsigen ar fy nghefn yn cyd-fynd â'm syniad o'r hyn oedd y gwir brofiad mynydda. Yn ôl Messner, yr oedd dringo gydag ocsigen yn ddull cwbl wahanol ac roeddwn yn cytuno ag ef.

Gyda rhyddhad y dringai rhywun o'r rhewgwymp i'r Western Cwm, dyffryn dwy filltir o hyd wedi ei gau i mewn gan Nuptse ar un ochr ac Everest ar y llall, gan godi'n raddol o 21,000 troedfedd i 23,000 troedfedd, gyda dim ond ychydig o grefasau yn rhwystrau. Sefydlwyd Gwersyll 1 uwchlaw'r rhewgwymp a Gwersyll 2 yn uwch yn y Western

Cwm. Oddi yno, mae'r ddringfa'n esgyn yn fwy serth i fyny wyneb 3,000 troedfedd y Lhotse gan arwain i'r South Col ar 26,000 troedfedd. Tyllwyd Gwersyll 3 o'r llethr tua deuparth y ffordd i fyny wyneb Lhose, llecyn agored iawn sy'n edrych yr holl ffordd i lawr i'r Western Cwm. Dringais i'r gwersylloedd hyn nifer o weithiau wrth ymgynefino, gan aros un neu ddwy noson cyn dychwelyd i'r prif wersyll. Byddai gwahanol aelodau o'r criw yn aros yn y gwersylloedd hyn, gan ddibynnu ar ddull pawb o ymgynefino yn ôl ei gynllun neu ffitrwydd ei hun. Yn ystod y cyfnodau hyn, deuthum i adnabod aelodau eraill y criw ond yn y prif wersyll, teimlai Leo a minnau ar wahân am mai Almaeneg oedd yr iaith a heblaw am ychydig eiriau, nid oedden yn ddeall rhyw lawer, yn enwedig y dadlau rhwng Messner a'r aelodau eraill a oedd am ddringo gydag ocsigen. Gan ein bod am ffilmio eu hymgais, teimlem ein bod yn cael ein derbyn oherwydd yr arian mawr a fuddsoddwyd gan HTV yn y fenter.

Chwe wythnos ar ôl inni gyrraedd y prif wersyll, a'r prif griw wedi cyrraedd y copa, gwnaeth Reinhold a Peter eu paratoadau terfynol ar gyfer eu hymgais. Ar fore Mai y 6ed, 1978, yr oeddwn yng Ngwersyll 2 pan ddaeth Reinhold a Peter i'm pabell i ddweud eu bod am fynd i fyny'r diwrnod hwnnw ac y cawn eu dilyn y diwrnod canlynol. Atebais mai'r prif reswm i mi fod yno oedd er mwyn ffilmio eu hymgais mor uchel â phosibl, felly byddwn yn eu dilyn y diwrnod hwnnw. Cadarnhaodd hynny fy amheuon nad oedd arnynt eisiau fy nghwmni am ryw reswm a chefais y teimlad nad oeddwn yn perthyn. Cesglais fy offer ar frys a'u dilyn i Wersyll 3 ar wyneb Lhose.

Y bore wedyn, dyma gychwyn am y South Col ar 26,000 troedfedd. Symudwn yn araf ond llwyddais i ffilmio ychydig o Messner a Habeler cyn iddynt ddiflannu ar i fyny gan eu bod yn dringo'n llawer cynt na mi. Y gwahaniaeth rhwng Gwersyll 3 a'r South Col yw tua mil o droedfeddi ac fe gymerodd amser hir i geisio cyrraedd at y ddau arall. Pan gyrhaeddais y Col, yr oedd y ddau yn glyd yn eu pabell wrthi'n paratoi bwyd. Gan fod dringwr arall wedi dweud bod dwy babell ar y South Col gyda matiau a bwyd, cerddais at yr ail un a chanfod y babell yn agored, gyda llawr o rew y tu mewn a dim mat. Wrth edrych yn ôl, fe ddylwn fod wedi dweud wrth y ddau am wneud lle i mi gan fod y babell arall yn dal pedwar ond treuliais noson annifyr gyda chyfuniad o syched, oerfel eithafol, diffyg ocsigen a hunan-dosturi. Felly, pan waeddodd Habeler eu bod am gychwyn am y copa, nid oeddwn mewn unrhyw gyflwr i'w dilyn a dyma drefnu eu ffilmio pan fyddent yn dychwelyd i'r Col ac efallai fynd i fyny fy hun y diwrnod canlynol.

Ar ôl torri rhew i gael diod teimlwn yn fwy calonnog. Yr oeddwn ar fy mhen fy hun ond wedi arfer dringo ar fy mhen fy hun o ddewis ac yn hyderus y gallwn fynd am y copa y diwrnod wedyn. Gan fod gwneud popeth ar yr uchder hwn yn gryn ymdrech, teimlwn yn ddifywyd. Daliais i doddi rhew er mwyn paratoi diodydd ar gyfer y ddau pan fyddent yn dod yn ôl. Yr oedd fy nghamera'n barod a minnau'n cadw golwg ar y llethrau uwchben y Col am arwydd o'r ddau yn dychwelyd.

Tua 2.30 y prynhawn gallwn weld rhywun yn llithro allan o'r niwl i lawr y llethrau ar ei ben-ôl. Wrth iddo agosáu, gwelwn mai Peter oedd o ac er ei fod i'w weld wedi blino yr oedd mewn hwyliau da. Dywedodd eu bod wedi cyrraedd y copa ac ysgydwais ei law i'w longyfarch. Holais lle'r oedd Reinhold ac atebodd ei fod wedi ei adael ger y copa. Gan ei fod yn dechrau colli teimlad yn ei freichiau, ofnai ei fod wedi cael strôc neu drawiad felly penderfynodd Peter ddod i lawr mor gyflym â phosibl. Yn anhygoel, yr oedd wedi llwyddo i ddod i lawr tua mil o droedfeddi mewn awr.

Tua awr yn ddiweddarach, baglodd Reinhold i'r gwersyll, mewn andros o boen a phrin yn gweld am ei fod wedi tynnu ei gogls er mwyn cael ffilmio ac, o ganlyniad, yr oedd bron yn eira-ddall. Daliais ati i wneud diodydd iddynt drwy'r min nos er mwyn rhoi dŵr yn ôl yn eu cyrff. Er fy mod yn medru symud bysedd fy nhraed, collais y teimlad ynddynt. Gwyddwn fod hen broblem wedi dychwelyd – ewinrhew. Yn ystod y nos, clywn Reinhold yn griddfan mewn poen oherwydd ei lygaid. Ceisiwn ymresymu pa un ai mynd am y copa ai peidio oedd orau i mi y bore wedyn. Yr oedd Peter a Reinhold wedi llwyddo; efallai y gallwn innau lwyddo hefyd. Ymddangosai mor agos ond eto mor bell. Teimlwn y gallwn roi cynnig arni ac y gallwn droi'n ôl unrhyw bryd. Yna cofiais fod Reinhold wedi colli bysedd ei draed o ganlyniad i ewinrhew ac ystyriais a oedd hi'n werth y risg.

Daliwn i bwyso a mesur a oeddwn i am fynd ai peidio. Y diwrnod cynt, yr oeddwn wedi tynnu fy menyg er mwyn newid batris y camera ac o ganlyniad yr oeddwn yn colli'r teimlad yn fy mysedd. Hynny a wnaeth imi benderfynu beth i'w wneud. Doedd cyrraedd y copa ddim yn werth y pris o golli rhannau o'm bysedd. Ar ôl penderfynu, ymlaciais ac aros yn fy sach gysgu.

Yn y bore, wrth i'r ddau adael y Col a Reinhold yn dal i riddfan oherwydd ei lygaid poenus, yr oeddwn yn gyndyn iawn o adael. Tybed a oeddwn i wedi penderfynu'n ddoeth? Dryswyd fy rhesymeg yn raddol gan Salwch y Copa (*Summit Fever*), salwch angheuol sy'n codi o awydd eithriadol i gyrraedd y copa gan ddiystyru problemau iechyd a diogelwch. Llwyddais i drechu hynny drwy fy argyhoeddi fy hun petawn yn mynd i lawr i'r prif wersyll y gallwn roi cynnig arall arni wedi i'r ewinrhew wella.

Wedi rhyw awr o ystyried y broblem, dyma droi cefn ar y South Col a'i chychwyn hi ar i lawr. Y diwrnod wedyn, wrth gyrraedd y prif wersyll, cefais bigiad o Ronicol er mwyn gwella cylchrediad y gwaed i fysedd fy nhraed a oedd, erbyn hyn, yn swigod duon drostynt. Yr oedd hi'n amlwg fod yr ewinrhew wedi gwneud cryn ddrwg iddynt ac felly dyna ddiwedd yr antur i mi. Teithio i lawr y dyffryn ar gefn iac fyddwn i yn ystod y dyddiau nesaf yn hytrach na dychwelyd i fyny Everest.

Pan gyrhaeddodd y newyddion i Ewrop fod Messner a Habeler wedi creu hanes, hedfanodd newyddiadurwr o'r Almaen mewn hofrennydd i'r prif wersyll er mwyn cyfweld a thynnu lluniau'r dringwyr. Yn wirion, yr oedd wedi codi o lefel y môr hyd at 18,000 troedfedd heb gynefino'n araf ac fe ddioddefai o salwch uchder yn ddifrifol. Rhaid oedd mynd â fo i lawr neu fe fyddai'n marw. Galwyd yr hofrennydd yn ôl a chefais glywed y newyddion da fod lle i minnau arni hefyd, felly anghofiwyd am yr iac. Gadawyd y gwersyll y noson honno a threulio'r nos yn yr hen westy Siapaneaidd yn Synaboche.

Yng nghanol y nos, daeth y peilot Indiaidd i'm llofft wedi cynhyrfu'n lân, gan ddweud ei fod yn meddwl bod y newyddiadurwr yn marw. Wrth lwc, cofiwn weld silindrau ocsigen a mygydau yng nghyntedd y gwesty ac fe euthum i'w nôl, gan frysio i'w lofft. Erbyn hyn, yr oedd ei wefusau'n las a châi drafferth anadlu. Unwaith y cafodd ocsigen, fe wellodd pethau ond sylweddolwyd y byddai'n rhaid ei hedfan i rywle is ar frys.

Torrodd y wawr a ninnau yn yr hofrennydd yn barod i

gychwyn. Yr oedd hi'n gymylog ac fe geisiai'r peilot chwilio am fwlch yn y cymylau am ein bod yn awyddus i gludo'r newyddiadurwr i lefel is cyn gynted â phosibl. Yn sydyn, agorodd bwlch yn y cymylau ac fe blymiodd y peilot yr hofrennydd yn syth amdano. Ddwy awr a hanner yn ddiweddarach, yr oeddem yn Kathmandu a dyna ddiwedd yr antur i mi.

Lawer gwaith wedyn, bûm yn ystyried a fyddwn i wedi cyrraedd y copa petawn wedi mynd yn fy mlaen y diwrnod hwnnw. Efallai y byddwn wedi llwyddo ond mae'n bur debyg y byddwn wedi colli rhai o'm bysedd; oherwydd hynny'n unig, gwn fy mod wedi penderfynu'n gall. Gall Salwch y Copa ladd a dychwelyd yn fyw yw'r nod.

Yn fy marn i, nid yw'r math hwn o ddringo ym mynyddoedd yr Himalaya yn ddringo go iawn. Dringo ar gefn ymdrech rhai eraill yr ydych chi, gyda'r Sherpaid yn eich bwydo yn y prif wersyll ac yn gosod rhaffau sefydlog a gwersylloedd eraill uwchben. Collir rhywfaint o'r antur ac er bod camp Messner a Habeler yn anhygoel, ni allent fod wedi ei chyflawni heb gymorth y Sherpaid a drefnai'r gwersylloedd. Yr oedd hyn ar feddwl Messner pan aeth, ym 1980, am Everest o'r ochr ogleddol ar ei ben ei hun heb gymorth cludyddion, cogyddion na Sherpaid, heblaw am ei gariad a ddaeth i'r prif wersyll gydag ef. Llwyddodd i gyrraedd y copa gan gyflawni hynny am y tro cyntaf drwy'r hyn a alwai ef yn 'ddull teg'.

Dychwelais i ardal Everest ym 1989 a 1990 i falŵnio (ceir rhagor am hynny yn nes ymlaen) ac ym 1995 i roi cynnig arall ar y *Big E*. Yn ystod un o'i deithiau yn yr Unol Daleithiau, cyfarfu Leo â Tom Whittaker, athro o Arizona (ond yn enedigol o Borthmadog) oedd wedi colli'r rhan o'i goes chwith o'r pen-glin i lawr mewn damwain car ond ni wnaeth hynny ei rwystro rhag parhau â'i ddiddordebau, sef canŵio a dringo. Un o'i uchelgeisiau oedd bod yr unigolyn anabl cyntaf i ddringo Everest a chan fod Leo'n awyddus iawn i wneud rhaglen ddogfen am yr ymgais ac yn ymwybodol o'm siomedigaeth innau ar ôl methu cyrraedd y copa, cefais wahoddiad i roi un cynnig arall ar ei ddringo.

Yn dilyn pum taith flaenorol i fynyddoedd yr Himalaya, teimlwn nad oedd fy nghorff yn addas ar gyfer y mynyddoedd uchel hyn. Ers pan oeddwn yn blentyn, cawn drafferth gyda'm stumog, gyda rhai bwydydd yn achosi dolur rhydd eithafol. Digwyddodd hyn ar bob un o'm teithiau i'r Himalaya ac wrth golli'r awydd am fwyd, sy'n arferol mewn lle mor uchel, golygai fod fy nghryfder corfforol yn gwanhau'n gyflym. Hefyd, ym 1995 yr oeddwn yn 58 oed a'm blynyddoedd gorau fel dringwr wedi hen fynd ac fe gynghorai fy synnwyr cyffredin imi beidio mentro. Ond llwyddodd Leo i newid fy meddwl a chytunais i fynd.

Byddai'r ymgais o'r ochr ogleddol (o Dibet) yn wahanol gan fod dod at y mynydd o'r ochr honno yn llai o drafferth. O Kathmandu yn Nepal, mae'r prif wersyll yn nes at galon y mynydd ond gyda'r anfantais fawr o orfod dringo rhewgwymp Khumbu sy'n 3,000 o droedfeddi peryglus iawn. Ar ochr Tibet nid oes rhewgwymp peryglus ond mae'r daith yn hir o'r prif wersyll at y dringo go iawn. Y broblem fwyaf yw'r drawstaith hir yn uchel ar y mynydd, sy'n golygu treulio mwy o amser yn yr 'ardal farwol'.

Russell Brice, tywysydd o Seland Newydd a weithiai yn Chamonix oedd yn trefnu'r pethau angenrheidiol ar gyfer y daith. Yr oedd yn fynyddwr profiadol a gwydn a'i lysenw oedd Captain Neverest. Bu gyda ni wrth falŵnio dros Everest ac yr oedd cynhyrchydd y prosiect hwnnw'n ei alw yn *full-blown adrenalin freak,*' braidd yn annheg efallai, ond fe rydd hynny ddarlun o'i gryfder a'i frwdfrydedd. Hefyd yn y grŵp hwnnw yr oedd Alison Hargreaves, y ddiweddar erbyn hyn, a oedd am roi cynnig ar y copa heb ocsigen.

Hedfanodd ein grŵp y daith fer o Kathmandu i Lhasa ond methwyd â glanio oherwydd cynnwrf aer clir eithafol. Yn hytrach na dychwelyd i Kathmandu, hedfanodd yr awyren *China Airways* i Chengdu yn Tsieina. Y bore wedyn, aethom am Lhasa ac unwaith eto, methwyd â glanio ond fe newidiodd ein lwc ar y trydydd bore a glaniwyd yn Lhasa. Treuliwyd y ddeuddydd nesaf yn archwilio'r ddinas hanesyddol hon yn Nhibet, gan ryfeddu at harddwch yr hen adeiladau Tibetaidd o'u cymharu â'r rhai Tsieineaidd dwl a di-liw.

Ar ddiwedd y cyfnod hwn, llwythwyd ein hoffer ar lorïau cyn teithio mewn confoi i'r prif wersyll. Am fod gwahaniaeth o 7,000 troedfedd rhwng Lhasa a'r prif wersyll, rhaid oedd teithio'n raddol er mwyn i'n cyrff gynefino â'r uchder cynyddol. Gan ein bod mewn cerbyd yn hytrach nag a'r droed, yr oedd hyn yn ddull brafiach o gynefino.

Cludwyd ni yn y lorïau yr holl ffordd i'r prif wersyll, a hwnnw 19,000 troedfedd i fyny yn nyffryn Rongbuk, ac yno fe aildrefnwyd yr offer. Rai dyddiau'n ddiweddarach, cychwynnwyd am y gwersyll nesaf ar uchder o 21,000 troedfedd ac er nad oeddem ond yn codi rhyw 2,000 o droedfeddi, buom yn cerdded am chwe awr. Yr oedd tri chriw arall yno, gan gynnwys yr un a arweiniwyd gan Henry Todd, anferth o gymeriad a dreuliodd wyth mlynedd yng ngharchar am gynhyrchu a dosbarthu LSD. Syndod pleserus oedd canfod bod hen gyfaill, Caradog 'Crag' Jones yn aelod o'r criw. Bu Sian, chwaer Caradog, yn byw drws nesaf i mi yn Nhremadog am nifer o flynyddoedd ac fe gyfarfûm â Crag lawer gwaith pan oedd yn ddringwr ifanc, brwdfrydig.

Wrth inni gynefino â'r uchder, yr oedd Sherpaid Russell yn gosod y rhaffau ac yn sefydlu'r gwersyll nesaf ar y North Col, ar uchder o 23,000 troedfedd. Yr oeddwn i eisoes yn dioddef o broblemau uchder – colli awydd bwyd, chwydu ac ambell ddiwrnod byddwn yn treulio'r rhan fwyaf o'r amser yn y tŷ bach. Yn y diwedd, llwyddais i ddringo rhyw 500 troedfedd uwchlaw'r North Col ond er bod fy nghorff yn cynefino, daliwn i wanhau. Ar ôl rhyw bythefnos yn y gwersylloedd is, sylweddolais na fyddwn yn gallu cyrraedd y copa. Er imi orfod rhoi'r gorau i ddringo i'r copa, yr oeddwn yn benderfynol o fynd i'r gwersyll ar y North Col er mwyn nôl fy offer.

Cychwynnais ar hanner nos a theimlwn yn wan iawn gyda phob cam yn ymdrech. Er bod yr wyneb rhew/eira i fyny'r col yn weddol serth, yr oedd y rhaffau sefydlog yn gwneud y dringo'n haws. Ond daeth y noson honno'n 'Everest' bersonol i mi. Dringwn ddau neu dri cham ar y tro, yna gorffwys. Doedd gen i ddim nerth a chawn hyrddiau o chwydu. Synnwyr cyffredin fyddai troi'n ôl a gadael i'r Sherpaid ddod â'm hoffer i lawr ond daliai fy malchder ystyfnig i'm gyrru ymlaen gam wrth gam. Yn y diwedd, llwyddais i gyrraedd y North Col ond bu'r dringo yn araf iawn, deng awr caletaf fy mywyd ond o leiaf cefais ryw foddhad o'i gwblhau, fel rhyw fath o iawn am fy ail fethiant ar Everest.

Methodd Tom Whittaker y tro hwnnw, hefyd, ond dychwelodd y flwyddyn ganlynol gan gyrraedd y copa o ochr Nepal. Cyrhaeddodd Alison Hargreaves ac Anatoli Bukreev y copa heb ocsigen, a'r flwyddyn ganlynol fe ddringodd Alison Hargreaves K2 ond bu farw mewn storm ar y ffordd i lawr. Lladdwyd Anatoli ym 1997 pan ysgubwyd ef gan eirlithrad ar Anapurna.

Uchafbwynt y daith i mi oedd eistedd yn y prif wersyll un bore yn gwrando ar Caradog yn gweiddi dros y radio ei fod wedi cyrraedd pen uchaf y byd – y Cymro cyntaf i ddringo Everest!

Pennod 11

KILIMANJARO

Tra oeddwn yn gweithio fel tywysydd a chyfarwyddwr dringo yn ysgol antur Americanaidd *Swiss Challenge* yn Zermatt ym 1975, deuthum ar draws Cornelia Rockwell Stevens a oedd yn athrawes sgïo yno. Dyma ddechrau canlyn a chynllunio dyfodol efo'n gilydd. Hyd at y cyfnod hwnnw, yr oeddwn wedi mynd drwy fy mywyd gyda'm pen yn y cymylau, heb feddwl dim am y dyfodol. Pan oeddwn yn gweithio yn ffatri Courtaulds yn y Fflint, yr oeddwn wedi ystyried dilyn cwrs ymarfer dysgu i fynd yn athro, gan y byddai'r gwyliau hir yn caniatáu mwy o amser i fynd i ddringo. Ar y pryd, yr oedd gen i gariad gyda'i busnes ei hun a oedd yn fodlon fy nghynnal drwy'r coleg – ar yr amod y byddwn yn rhoi'r gorau i ddringo. Nid yw'n syndod dweud bod y garwriaeth honno wedi dod i ben. Hefyd, pasiais arholiad y Gwasanaeth Sifil ar gyfer Cyllid a Thollau ond ni chefais lwyddiant yn y cyfweliad.

Yr oedd Cornelia a minnau o'r farn y byddai'n syniad da ceisio gwneud bywoliaeth o weithgareddau yn y mynyddoedd yr oeddem ein dau yn eu caru, felly dyma sefydlu busnes teithio a'i alw'n *Alpine Ventures*. Gan fod Cornelia yn Americanes, yr oedd ganddi lawer o gysylltiadau yn yr ysgol Americanaidd, felly ymddangosai y byddai'r Unol Daleithiau yn ffynhonnell addawol ar gyfer denu cwsmeriaid.

Ym 1977 yr oedd Leo Dickinson a minnau wedi dringo Kilimanjaro sy'n 19,340 troedfedd o uchder – y mynydd uchaf ar gyfandir Affrica. Gwnaethom hyn fel rhan o'r ymarfer ar gyfer Everest. Mae mynd i fyny'r ddringfa arferol yn dechnegol hawdd ac i bob pwrpas yn ddim mwy na thaith gerdded, er bod yr uchder yn creu peryglon i iechyd a'r tywydd yn gallu bod yn wael hefyd. Felly, penderfynwyd mai menter gyntaf *Alpine Ventures* fyddai taith i Kilimanjaro gan dreulio'r ddeuddydd cyntaf yn Eryri er mwyn asesu a chreu tîm o'r criw. Dilynwyd 'Blas ar Gymru' gan ddogn go lew o 'Flas ar Affrica'!

Dyma gyfarfod y criw o wyth ym maes awyr Heathrow a'u cludo i'w gwersyll yn Hostel Ieuenctid Pen-y-Pas. Yn ystod y noson gyntaf, cafodd dau o gamerâu drud y criw eu dwyn. Galwyd yr heddlu ond ni ddaliwyd y lleidr neu'r lladron. Yr oedd hyn yn ddechreuad trychinebus i'r fenter ac ychydig a wyddwn mai dyma gam cyntaf 'y daith uffernol'. Wrth edrych yn ôl, ein camgymeriad oedd sefydlu taith rad – nid oedd ein cwsmeriaid Americanaidd wedi arfer byw mor elfennol â hyn. Fel arfer, pan fydd criw yn mynd i ddringo Kilimanjaro, bydd y tywysyddion a'r trefniadau yn nwylo'r gwestai ym Moshi wrth droed y mynydd. Ar ein taith ni, fi oedd y tywysydd a Cornelia oedd y cogydd.

Ar ôl hedfan o Lundain i faes awyr Kilimanjaro, fe'n codwyd ni gan fws mini o'r gwesty a ddewiswyd gennym ym Moshi. Synnai'r rheolwr nad oeddem yn defnyddio adnoddau'r gwesty ar y mynydd a deuthum innau i ddifaru hefyd pan ddaeth hi'n bryd cyflogi cludyddion a threfnu'r drwydded ddringo. Mynnai awdurdodau'r Parc y byddwn yn gorfod mynd ag un o'u tywysyddion nhw gyda ni ond gwrthodais gan fy mod yn dywysydd fy hun ac wedi dringo i'r copa y flwyddyn cynt. Ildio a wnaethant, felly doedd dim angen talu costau ychwanegol.

Yn dilyn deuddydd cyfan o drefnu, prynu bwyd ac yn y blaen, dyma gychwyn drwy giât y Parc ac anelu am gwt Mandara, 9,000 troedfedd i fyny. Gwaith anghysurus oedd cerdded drwy'r tyfiant trofannol yn y gwres ond ar ôl dechrau esgyn, oerodd yr aer a daeth hi'n fwy pleserus. Cariwyd y rhan fwyaf o'r offer a'r bwyd gan y cludyddion, gydag aelodau'r grŵp yn cario sachau cefn ysgafn yn cynnwys dŵr, ychydig o fwyd a siaced. Er hynny, dechreuodd un neu ddau lusgo ar ôl y lleill. Casgliad o gytiau bach pren oedd y 'cwt' Mandara, pob un yn dal pedwar o bobl gyda lle bwyta a chymdeithasu yn y prif adeilad. Gwelsom pa mor wirion oedd ein taith rad unwaith eto. Er bod gennym fwyd da ar gyfer y mynydd, sylwai ein grŵp fod y gwestai yn gweini bwyd ffres, safonol i'w grwpiau nhw. Eisteddai eu tywysyddion gyda'u cwsmeriaid i siarad ac yfed cwrw. Yr oedd tywysyddion ein grŵp ni, sef Cornelia a minnau, yn gorfod coginio a gweithio'n galed ac ni allem gystadlu â safon y bwyd a gâi criwiau'r gwestai. Rhaid oedd golchi'r llestri ar ôl gorffen hefyd, wrth gwrs.

Treuliwyd y diwrnod canlynol yn ymgynefino ac yn paratoi ar gyfer y daith hir i gwt Horombo, 12,000 troedfedd i fyny. Y diwrnod wedyn, dyma gychwyn, gyda Cornelia ar y blaen a minnau yn y cefn i wneud yn siŵr fod pawb yn aros gyda'i gilydd. Âi'r daith o'r Mandara i fyny llwybr serth drwy goed cyn dod allan ar wastadedd o wair sy'n arwain at gwt Horombo. Pan ddeuthum allan o'r coed, eisteddai un o'r cludyddion ar ymyl y llwybr yn siarad gyda chludyddion un o grwpiau'r gwesty. Dywedodd un o'r rhain wrthyf yn Saesneg fod y cludydd oedd gen i yn cario gormod o lwyth a'i fod eisiau rhagor o arian. Atebais innau ei fod wedi cytuno i gario dwywaith y llwyth am ddwywaith yr arian. Holais fy nghludydd pam oedd o'n troi cefn ar y cytundeb ond gwrthodai fy ateb. Crechwenai'r cludyddion eraill ymysg ei gilydd, yn amlwg yn gwybod fy mod mewn sefyllfa amhosibl. Erbyn hyn, yr oeddwn wedi gwylltio'n arw; tynnais y sach oddi arno gan ddweud yn fy ngwylltineb y byddwn yn ei chario fy hun a'i fod o bellach yn ddi-waith ac y byddwn yn gwneud cwyn amdano gerbron awdurdodau'r Parc.

Tua 100 pwys oedd y llwyth. Clymais fy sach yn y sach drom a chodais y ddwy ar fy nghefn gyda chryn drafferth gan eu bod, erbyn hyn, yn pwyso 130 pwys. Megais fwy o egni yn fy ngwylltineb a chychwynnais am gwt Horombo. Wrth i'm gwylltineb leddfu, âi'r llwyth yn drymach, gyda'm grŵp a gweddill y cludyddion wedi hen fynd. Yr oedd y dringo i gwt Horombo yn echrydus, y tywydd yn boeth iawn a harnais y sach yn hollti i mewn i'm hysgwyddau. A dweud y gwir, brifai fy nghorff i gyd o ganlyniad i'r ymdrech. Ond daliwn i fynd gan fy mod yn benderfynol o beidio rhoi'r gorau iddi a rhoi'r boddhad i'r cludyddion eraill fy ngweld yn methu. Cyrhaeddais y cwt rhyw awr ar ôl y grŵp, wedi blino'n lân. Gan fod Cornelia wrthi yn paratoi swper, rhaid oedd troi o fod yn gludydd i fod yn gogydd er mwyn ei chynorthwyo. Dechreuais gasáu'r gwaith.

Dydd cynefino oedd y diwrnod wedyn, rhan bwysig wrth ddringo'n uchel er mwyn i'r corff gynhyrchu mwy o gelloedd coch yn y gwaed er mwyn gallu ymdopi â'r aer tenau. Yr oeddwn yn falch o gael y diwrnod i orffwys wedi holl strach y diwrnod blaenorol. Rhannwyd y llwyth y bûm yn ei gario rhwng y cludyddion eraill ac fe gawsant fwy o arian am wneud hynny.

Y diwrnod wedyn, dechreuwyd ar y daith hir, undonog i gwt Kibo, 16,000 troedfedd i fyny. Erbyn hyn, yr oedd yr uchder cynyddol yn dechrau dweud ar y grŵp a bu'n rhaid dal ar rai i'w hargyhoeddi i fynd yn eu blaenau. Cwt Kibo yw'r lloches olaf ar y mynydd ac yn dilyn rhai oriau o gerdded, dyma ei gyrraedd, gwneud ein hunain yn gartrefol a bwyta. Erbyn hynny, yr oedd hi'n ddeg o'r gloch a dywedais wrth y grŵp am orffwys gymaint â phosibl gan ein bod am ailgychwyn am y copa ymhen wyth awr ar hugain. Y noson ganlynol felly, am un ar ddeg, coginiodd Cornelia a minnau fwyd ond nid oedd ar neb ei awydd. Wrth gwrs, mae colli'r awydd i fwyta yn digwydd pan fo rhywun yn uchel ar fynydd felly euthum ati i'w hannog i fwyta er mwyn iddynt gael cynhaliaeth.

Am ddau o'r gloch y bore, dyma adael cwt Kibo am y copa. Mae'r llwybr yn serth a'r graig folcanig yn rhydd gan ei gwneud hi'n anodd cynnal camau rheolaidd wrth i'r llwybr esgyn 3,000 o droedfeddi i ymyl y crater ar y copa, sef Gilmans Point, 19,000 troedfedd i fyny. Ar ôl esgyn am tua awr, yr oedd dau aelod o'r grŵp yn teimlo'n sâl a ddim yn dymuno parhau. Dywedais wrth Cornelia am ddal i ddringo tra awn i â'r ddau i lawr i Kibo. Ar ôl cyrraedd a gwneud yn siŵr eu bod yn iawn yn y cwt, dringais yn ôl cyn gyflymed ag y gallwn er mwyn ailymuno â'r gweddill. Gan eu bod yn symud mor araf, yn y man dyma gyrraedd y criw. Yr oedd yr uchder yn cael effaith arnom i gyd.

Cyn bo hir gwelsom ddau grŵp arall yn dod i lawr i'n cyfarfod. Ar ôl cyrraedd atom, dywedasant nad oeddent wedi llwyddo i gyrraedd y copa oherwydd amodau eira drwg a pheryglus y tu hwnt i Gilmans Point ac awgrymwyd na ddylem ninnau fentro ychwaith. Diolchais am yr wybodaeth a dweud y byddem yn penderfynu ar ôl cyrraedd Gilmans

Point. Ar ôl llawer o anogaeth a seibiannau gorffwys, cyrhaeddwyd Gilmans Point. Yr oedd yr olygfa yn heulwen y bore yn ardderchog. I gyfeiriad y gogledd gallem weld Mount Kenya, a Tanzania i'r de, gydag ychydig o fwg yn codi o grater y llosgfynydd cwsg oddi tanom. Dringais yn ddidrafferth i fyny'r graig er mwyn cael golwg ar y llwybr tuag at y prif gopa, Uhuru Point, 19,340 troedfedd i fyny. Byddai'n rhaid cerdded awr o drawstaith ar hyd ymyl y crater heb esgyn rhyw lawer. Rhyfeddais wrth weld bod yr amodau eira yn berffaith. Fe ddaeth hi'n amlwg fod y tywysydd y bûm yn siarad ag o'n gynharach wedi dweud celwydd a'i fod wedi dyfeisio'r stori i arbed iddo orfod dringo am ddwyawr arall – hen dric sâl i'w chwarae ar ei griw – ac ni chawsant gyrraedd y copa o'r herwydd. (Deuthum ar draws sgâm debyg ar grib Hornli ar y Matterhorn hefyd.)

Awr yn ddiweddarach, dyma gyrraedd y copa. Ar ôl cofleidio, ysgwyd llaw a thynnu lluniau, eglurais mai o'r fan yma ar ddiwrnod clir y gall rhywun weld yr arwynebedd mwyaf o'r blaned o unrhyw safle ar y ddaear oherwydd anferthedd y gwastadeddau o gwmpas y mynydd. Y funud honno maddeuwyd i Cornelia a minnau am ein coginio sylfaenol. Eglurais iddynt beth oedd y tywysydd arall wedi ei ddweud o dan Gilmans Point ac ychwanegu, er nad oeddent wedi cael bwyd ffres, safonol, o leiaf cawsant gyrraedd y copa. Yn ôl cofnodion y Parc Cenedlaethol, dim ond rhyw 30% o ddringwyr sy'n cyrraedd Uhuru gan fod y mwyafrif yn troi'n ôl yn Gilmans Point.

Dychwelwyd i gwt Kibo erbyn amser cinio, gan ymuno â'r ddau arall a oedd, erbyn hyn, yn teimlo'n well. Gwnaethom gawl poeth a diodydd, hel ein pac a'i chychwyn hi am gwt Horombo. Erbyn cyrraedd y cwt a choginio'r pryd nos, yr oedd hi'n naw o'r gloch a Cornelia a minnau wedi bod wrthi'n gweithio'n ddi-baid yn yr uchder am bedair awr ar hugain. Yr oeddem wedi blino'n lân ond yn falch fod pob dim wedi mynd yn iawn, heblaw am siomedigaeth y ddau a drodd yn ôl cyn cyrraedd y copa.

Dychwelwyd i'r gwesty ym Moshi y diwrnod canlynol a threulio deuddydd yn Arusha gan ymweld â pharc anifeiliaid. Jim oedd enw un aelod o'r grŵp, cymeriad rhyfedd o Efrog Newydd. Yn ystod y daith, yr oedd wedi llwyddo i dynnu'n groes i bawb arall, gymaint felly nes i rai ddechrau amau mai ef oedd wedi dwyn y ddau gamera yng Nghymru. Yr oeddent wedi gofyn i mi, fel arweinydd y daith, chwilio drwy ei fagiau ond er fy mod, fel hwythau, yn dymuno datrys y dirgelwch, eglurais nad oedd gennyf yr hawl i wneud hynny. Awgrymodd Cornelia ateb i'r broblem. Ar ôl cyrraedd Llundain, dylem fynd drwy'r tollau cyn y lleill ac egluro'r broblem i'r swyddogion. Yn Heathrow, aeth y swyddogion drwy fagiau Jim ond doedd dim golwg o'r camerâu. Teimlwn yn annifyr ar ôl gwneud hyn am nad oeddwn wedi amau Jim ond nid oedd rhai o'r lleill yn cytuno a daethant i'r canlyniad ei fod wedi gwerthu'r camerâu yn Tanzania.

Ar ôl noson yn Llundain, gyda chryn ryddhad ffarweliwyd â'r grŵp wrth iddynt gychwyn ar eu taith yn ôl adref i'r Unol Daleithiau. Yr oedd yr hunllef ar ben. Tybed? Ar draffordd yr M1, chwythodd injan y car!

Ond mae tro bach yng nghynffon y stori hon. Flynyddoedd yn ddiweddarach, cyfaddefodd Fred Jamieson o Efrog Newydd iddo fod yn aelod o'r daith honno, a hynny er mwyn cywain gwybodaeth ar gyfer sefydlu busnes dringo o'r fath. Erbyn hyn, mae'n rhedeg teithiau llwyddiannus i Kilimanjaro gan godi mwy na dwywaith ein pris ni. Dywedodd wrthyf fod ein taith ni yn rhy rad a bod

Americanwyr yn hoffi teithiau mwy moethus. Honno oedd ein taith gyntaf a'r unig un. Penderfynwyd y byddem yn hoffi bywyd tawelach ac felly aed ati i brynu caffi!

Pennod 12

TREMADOG

Dringo yn yr Alpau oedd fy holl fyd ar y pryd, ond gan mai diwedd y gân yw'r geiniog a chyda'r arian yn darfod, doedd gen i ddim gwaith i'm cynnal. Nid oedd dychwelyd i'r ffatri yn ddewis. Gan fy mod wedi peintio a phapuro fy nhŷ, penderfynais geisio gwneud hynny fel bywoliaeth.

Un noson ar ôl dychwelyd o'r Alpau, yr oeddwn yn cael sgwrs gyda Dave Thomas, tafarnwr y *Vaynol Arms* yn Nant Peris. Digwyddais sôn am fy mwriad a dywedodd yntau fod gwir angen côt o baent ar y dafarn. Gofynnodd imi roi pris am y gwaith er mwyn iddo'i drosglwyddo i berchennog y dafarn. Doedd gen i ddim syniad sut i'w wneud ond drwy lwc, yr oedd Paul Braithwaite, cyd-ddringwr i mi, yn beintiwr proffesiynol. Daeth gyda mi i'r dafarn a rhoi cwrs carlam ar sut i brisio'r gwaith. Gyrrwyd y pris i fragdy Robinsons a thair wythnos yn ddiweddarach, cefais wybod fod y pris wedi'i dderbyn. Deuthum yn 'arbenigwr' dros nos.

Yn ystod y ddwy flynedd nesaf, llwyddais yn weddol ond gwellodd pethau'n arw pan ddywedodd Edwin Hammond, perchennog gwesty *Waterloo* ym Metws-y-coed a gwesty *Wasdale Head* yn Ardal y Llynnoedd, y cawn gymaint o waith ag yr oeddwn ei angen ganddo, yn ogystal â chael amser rhydd i ddringo. Dyma'r union beth yr oeddwn ei angen – rhyddid yn ogystal â sicrwydd. Treuliwyd y blynyddoedd nesaf yn peintio ac addurno gwesty *Waterloo* a thŷ Georgaidd anhygoel Ed ger Conwy.

Dymunai Ed imi wneud rhyw waith penodol ar westy *Wasdale Head* ond ar ôl dychwelyd o Everest ym 1978 a'm traed wedi dioddef effeithiau ewinrhew, canfûm fod gweithio ar ysgol gyda slipars ar fy nhraed bron yn amhosibl gan fod fy nhraed mor boenus. Cefais fy ngyrru i weithio y tu ôl i'r bar yn y gwesty ond yr oedd hynny'n boenus hefyd. Ar benwythnosau yn enwedig, byddai'r bar yn brysur iawn a chan fod tri neu bedwar ohonom yn

Arfon Haines Davies a minnau ar graig Bwlch y Moch, Tremadog wrth ffilmio 'Pobol Port', 1984

gweithio yno, câi fy nhraed druan eu sathru a byddent yn friwiau i gyd erbyn diwedd y noson.

Fel y soniais eisoes, yn ystod un o'm cyfnodau blynyddol yn yr ysgol Americanaidd yn Zermatt, cyfarfûm a Cornelia, athrawes sgïo a ddaeth drosodd i fyw gyda mi yng Nghymru. Trafodwyd y dyfodol, gan gynnwys ffyrdd gwahanol o wneud bywoliaeth, heblaw peintio. Dyna pryd y cawsom y syniad o sefydlu cwmni *Alpine Ventures* i dywys grwpiau i ymweld â mynyddoedd ac ardaloedd anturus ledled y byd. Y daith gyntaf a'r unig un a drefnwyd oedd honno i Kilimanjaro; fe gawsom gymaint o broblemau yn ystod y daith nes inni benderfynu nad hynny yr oeddem yn dymuno ei wneud.

Un prynhawn yn ystod haf 1978, yr oedd fy nghyfaill Leo ar ymweliad â ni a chydag ef a Cornelia euthum i un o'm hoff fannau dringo – Tremadog. Dyma fy ymweliad cyntaf ers dros flwyddyn a synnais wrth weld arwydd 'Ar Werth' ar y caffi lleol. Daeth y tri ohonom i'r casgliad mai'r dyma'r busnes delfrydol i ni. Aethom i siarad gyda Mrs Williams, perchennog y caffi a gwraig yr oeddwn yn ei hadnabod ers blynyddoedd. Dywedodd faint oedd y pris a chan fod Cornelia a minnau wedi gwirioni efo'r syniad, ar y dydd Llun canlynol yr oeddem y tu allan i swyddfa'r arwerthwr am naw o'r gloch y bore. Ni wnaethom drafod y pris, dim ond cynnig yr hyn a ofynnwyd rhag ofn i brynwr arall ein trechu. Petaem ni wedi bod yn gallach, efallai y byddem wedi arbed ychydig filoedd o bunnoedd ond bu prynu'r busnes yn gam da. Dros y blynyddoedd, yr wyf wedi cyfarfod miloedd o ddringwyr o bedwar ban byd, wedi gwneud llawer o ffrindiau a gweld cymeriadau anhygoel yn mynd ac yn dod.

Yn y 1950au y dechreuwyd datblygu dringfeydd newydd yn ardal Tremadog ac ym 1960, daeth Joe Brown a'i gyfeillion yno gan sefydlu dringfeydd o safon uwch nag a ddringwyd o'r blaen. O ganlyniad i hyn, daeth y creigiau'n boblogaidd iawn a datblygwyd llawer o ddringfeydd newydd dros y blynyddoedd. Wrth i boblogrwydd y lle gynyddu, aeth parcio ceir yn broblem ar y ffordd o dan y clogwyni. Yr oedd y Cyngor wedi cysylltu â Mr a Mrs Williams, perchenogion tir cyfagos i geisio prynu tir ganddynt ar gyfer gwneud maes parcio ond fe welodd y perchenogion eu cyfle a dweud wrth y Cyngor y byddent yn darparu maes parcio mawr ar gyfer dringwyr petaent yn cael caniatâd i agor gorsaf betrol yno.

Pan ddechreuais ddod i ddringo i Dremadog yn y '60au, byddwn yn prynu poteli o lefrith a sudd oren gan Mr a Mrs

Williams i dorri fy syched ar ôl dringo. Roedd ganddynt fusnes gwerthu llefrith o Fwlch Moch. Pan agorwyd yr orsaf betrol, dechreuodd Mrs Williams werthu diodydd a chacennau. Daeth yn boblogaidd gyda'r dringwyr ac fe welodd fod posibilrwydd am fwy o fusnes, felly adeiladwyd y caffi gerllaw a'i agor yn 1970. Ers hynny mae miloedd o gwsmeriaid wedi mynd a dod a llawer o gymeriadau lliwgar a hopffus wedi ymweld â'r caffi.

Ers imi agor y caffi yn 1979, daeth cymeriad o'r enw Terry Walker, deifiwr môr dwfn, a oedd yn byw yn ffrind. Er iddo ennill arian mawr ym mlodau ei ddyddiau, fe wariodd ei ffortiwn ar geir crand a 'go-carts' rasio. Gan mai gwaith i bobl ifanc oedd y deifio, erbyn iddo gyrraedd canol ei bedwardegau, nid oedd gwaith i'w gael. Yr oedd gan Terry gryn ddychymyg a byddai bob amser wrthi'n datblygu rhyw syniad newydd, megis cynhyrchu sach gefn a fyddai'n troi'n sled, yn ogystal â nifer o rai eraill na welsant olau dydd.

Yn nyddiau cynnar gwaith ar raff, neu *'rope access'*, lle byddai technegau dringo yn rhatach na sgaffaldiau, penderfynodd Terry ffurfio cwmni a'm darbwyllo innau i ymuno ag ef. Enw'r cwmni oedd *Sky Jacks* ond ni fu'n llwyddiannus, yn bennaf am nad oedd digon o waith yn lleol a minnau'n anfodlon teithio'n bellach oherwydd y caffi. Er hynny, cawsom waith gwerth chweil unwaith, a hynny gyda Chyngor Môn, yn glanhau nenfydau dwy o'u canolfannau chwaraeon. Yn anffodus, yr oedd hyn yn dilyn damwain a gefais wrth baragleidio (ceir yr hanes yn nes ymlaen) pan dorrais fy nwy ffêr ac er na allwn gerdded heb faglau, teimlwn y gallwn wneud y gwaith yma drwy hongian mewn harnais ddringo.

Rhaid oedd gweithio yn ystod y nos pan oedd y neuadd chwaraeon yn wag felly awn i Amlwch erbyn 11.00 y nos, gyda Terry'n gosod y rhaffau a minnau'n hercian ar fy maglau, cysylltu'r offer dringo a mynd i fyny ar y rhaff gan adael y baglau ar y llawr. Byddem yn gweithio drwy'r nos yn glanhau'r nenfwd gyda brwshys hirion. Tua chwech o'r gloch y bore, cyrhaeddai'r glanhawyr a edrychai mewn syndod ar ein hymdrechion. Duw a ŵyr beth a feddylient wrth fy ngweld i'n abseilio i lawr y rhaffau cyn hercian i ffwrdd ar fy maglau. Credaf y byddai Terry wedi llwyddo gyda'r fenter ar adeg arall ac mewn lle arall. Yn drist iawn, bu farw o ganlyniad i drawiad ar y galon yn ddim ond 52 oed.

Er ein bod wedi prynu'r caffi ym 1978, bu'r cyfnod o drefnu morgais gyda'r cwmni petrol yn hir iawn ac fe aeth yn fis Mai 1979 cyn inni ddod yn berchenogion y caffi. Yn ystod y cyfnod hwnnw, cefais wahoddiad i fynd i ddringo i'r Andes ond bu'n rhaid gwrthod y cynnig oherwydd fy mod ar ganol prynu'r caffi. Fel y digwyddodd pethau, gallwn fod wedi mynd yn hawdd a dod yn ôl cyn i'r pryniant gael ei gadarnhau ac felly yr oeddwn yn flin iawn o golli'r cyfle i ddringo yn yr Andes.

Daeth creigiau Tremadog yn enwog drwy'r byd dringo am safon y dringo a'r tywydd gorau yn Eryri. Gall y tywydd fod yn hynod fwyn yng ngwyntoedd gogleddol y gaeaf. Pan fydd tref Porthmadog gerllaw yn oer iawn, gall fod yn gynnes ar y clogwyni hyn am eu bod yn wynebu'r de ac yn gysgodol ac nid peth anarferol yw gweld dringwyr yn eu crysau-T ym mis Ionawr a Chwefror hyd yn oed.

Pan agorodd y caffi ei ddrysau am y tro cyntaf ym 1970, daeth yn fan cyfarfod poblogaidd i ddringwyr cyn dechrau ac ar ôl gorffen dringo. Cofiaf y croeso a gawn gan Mrs Williams ond yr oedd ganddi rai syniadau rhyfedd hefyd. Amser cinio dydd Sul, byddai'n cloi'r caffi am awr er mwyn i'w staff gael cinio dydd Sul traddodiadol a byddent wrth eu bodd gyda chinio Mrs Williams. Felly byddai'r dringwyr yn edrych drwy'r ffenest â'u cegau'n agored, bron â marw eisiau paned. Droeon eraill, gyda'r tywydd yn wlyb a'r caffi yn llawn o ddringwyr yn ymochel am gyfnod hir dros baned, byddent yn cael eu hel allan pe bai cwsmeriaid eraill angen y byrddau. Efallai bod hynny'n beth da i fusnes ond nid oedd yn syniad a werthfawrogwyd gan gwsmeriaid rheolaidd ond er hynny roedd Mrs Williams yn boblogaidd iawn.

Drwy gydol yr holl flynyddoedd y bûm yn rhedeg y busnes, efallai mai fy nghyfraniad *PR* gorau oedd te am ddim i'r gwersyllwyr oedd yn aros ar y safle y tu ôl i'r caffi. Wrth fynd o gwmpas y pebyll bob bore i gasglu arian byddwn yn rhoi paned o de i bawb – yr unig faes pebyll yn y byd, efallai, i gynnig y gwasanaeth hwn! Yn drist iawn, daeth y gwasanaeth i ben ar ôl imi gael damwain wrth baragleidio am na allwn gerdded heb faglau ac felly yr oedd hi'n amhosibl cario tebot, llefrith a siwgr wrth fynd o gwmpas i gasglu'r arian.

Ar hyd y blynyddoedd, cwrddais â llawer o gymeriadau difyr a ddeuai draw i wersylla. Un tro, wrth fynd o gwmpas gyda'r te, yr oedd gwraig yn aros mewn pabell fach gyda thri chi. Wrth agosáu at y babell, âi'r cŵn yn wallgo' ac fe gâi'r wraig drafferth i'w rheoli a byddai'n gweiddi'r tri enw gwahanol ar yr un pryd. O'r tu allan, yr oedd yr holl beth yn ddoniol iawn a byddai'r babell yn siglo i bob cyfeiriad! Dro arall, agorais ryw hen babell fawr a chanfod fan mini y tu mewn. Ar ôl holi, canfûm mai dan ddylanwad y ddiod y digwyddodd y fan orffen ei thaith y tu mewn i'r babell!

Yn ystod un haf, aeth dringwr o Dde'r Affrig ar goll. Gan fy mod yn poeni am ei ddiogelwch, galwais yr heddlu ac aethant drwy gynnwys ei babell a darganfod tri phasbort, pob un gydag enw gwahanol. Daeth y dringwr i'r golwg rhyw ddeuddydd yn ddiweddarach gan synnu wrth weld bod gan yr heddlu fwy o ddiddordeb yn ei gefndir personol na'i weithgareddau dringo.

Dro arall, trefnais blymio o'r awyr i'r gwersyll pan oedd dau o'm cyfeillion o Galiffornia, Ralph a Moe ar ymweliad. Ar ôl cael caniatâd, aethom i faes awyr Caernarfon, dringo i'r awyren a hedfan i Dremadog. Dros greigiau Bwlch y Moch, ar uchder o 10,000 troedfedd, dyma neidio allan ac yr oedd y golygfeydd o'r ardal yn anhygoel wrth i ni syrthio'n rhydd. Agorwyd y parasiwt ar 2,000 troedfedd. Glaniodd Ralph a minnau yn y cae y drws nesaf i'r gwersyll ond gan fod Moe yn llawer mwy medrus, glaniodd yn union o flaen y caffi.

Pan ddechreuodd Leo a Mandy falŵnio, daethant atom i'n gweld ac fe hedfanwyd nifer o weithiau yn lleol, gan neidio o'r falŵn yn anghyfreithlon ambell dro. Er ein bod yn cael hwyl, fy nghyfrifoldeb i fyddai ceisio tawelu'r ffermwyr Cymraeg lleol pan fyddai Mandy yn glanio ar eu tir. Doedden nhw ddim yn hoff iawn o'r falŵn aer cynnes am fod y gwresogyddion yn tueddu i ddychryn eu hanifeiliaid.

Balŵnydd arall a ddeuai i'n gweld oedd Nick Mason ac ar un o'n teithiau balŵn, fe fu bron i drychineb ddigwydd. Yr oedd ganddo falŵn fechan gyda dwy sedd oddi tani yn lle basged. Gan nad oedd o erioed wedi gollwn parasiwtydd o'r blaen, fe'i cynghorais ef i ddringo at 3,500 o droedfeddi, stopio'r codi a gadael i'r aer oeri er mwyn iddi ddechrau dod i lawr. Rhaid oedd gwneud hyn er mwyn cydbwyso'r gostyngiad mewn pwysau ar ôl i mi neidio. Pe na bai'n gwneud hyn, byddai'r falŵn yn codi'n gyflym iawn nes gwthio'r aer poeth allan ac fe allai hynny arwain at drychineb. Byddai fy nghyngor wedi bod yn iawn petawn yn neidio o fasged ond yr oedd angen mwy o amser i'r falŵn hon oeri a dod i arfer â'r gostyngiad pwysau. Cychwynnwyd ar y daith o'r tu ôl i'r caffi, codi i 3,500 o droedfeddi ac yna dod i lawr i 2,500 troedfedd yn ôl y cynllun. Neidiais, ac wrth edrych i fyny dychrynais o weld bod y falŵn wedi newid ei siâp i ffurf pêl rygbi. Sylweddolais beth oedd fy nghamgymeriad – yr oedd y golled mewn pwysau wedi achosi i'r falŵn godi'n sydyn gan wthio'r aer poeth allan. Y rheswm am hynny oedd, wrth neidio o falŵn gyda basged, dim ond rhyw 15% o'r holl bwysau oedd pwysau fy nghorff i, ond gyda'r un fach yma, fy mhwysau i oedd tua 40% o'r holl bwysau. Dyna pam y cododd y falŵn fel roced pan neidiais i ohoni. Agorais fy mharasiwt a chydag ochenaid o ryddhad, gwelais y falŵn yn dychwelyd i'w siâp gwreiddiol. Ar ôl glanio, daeth Ann fy ngwraig i'm codi a dilynwyd Nick i'w lanfa yntau tua thair milltir oddi yno. Dywedodd fod y falŵn wedi codi o 2,500 i 5,000 troedfedd fel roced yn union ar ôl i mi neidio, gan ei adael yn gafael am ei fywyd. Teimlwn gywilydd mawr wrth ymddiheuro am gamgymeriad angheuol, bron, ac addawodd faddau i mi pe bawn yn prynu peint iddo. Cymaint fu'r rhyddhad nes imi brynu potel o wisgi iddo!

Am nifer o flynyddoedd bûm yn helpu i achub dringwyr a fu mewn damweiniau ar y clogwyni. Yn swyddogol, Tîm Achub Aberglaslyn oedd yn gyfrifol ond ni châi'r tîm lawer o gefnogaeth yn lleol. Pan glywn am ddamwain, gyrrwn dair milltir i Neuadd Aberglaslyn i nôl stretsier a gofyn am gymorth gwirfoddolwyr o blith y dringwyr oedd yn yr ardal. Gan sylweddoli y gallasai'r oedi diangen hwn wneud y gwahaniaeth rhwng byw a marw i'r sawl a anafwyd, cefais afael ar hen stretsier gan Dîm Achub y Fali a bu hwnnw'n gymorth i arbed amser wrth ymateb i ddamwain. Yn ystod fy nghyfnod yn rhedeg caffi Bwlch y Moch bu sawl damwain ar y clogwyni, rhai bach, rhai'n ddrwg ac o leiaf bump damwain angheuol. Byddai'r rhai angheuol bob amser yn codi cwestiynau am fenter a diogelwch dringwyr. Yn ystod y blynyddoedd diweddar, ailsefydlwyd Tîm Achub Aberglaslyn gyda nifer o aelodau lleol a'r offer diweddaraf sy'n gymorth i ddelio'n syth ag unrhyw ddamwain neu argyfwng.

Ers 1979 yr wyf wedi cwrdd â miloedd o ddringwyr ar ymweliad â'r ardal, llawer ohonynt yn ifanc a ddaethant ymhen amser yn enwog yn y byd dringo. Erbyn heddiw, heb fawr o ddringfeydd newydd ar gael, aeth penllanw'r dringo heibio a bydd dringwyr blaenllaw yn chwilio am her yn rhywle arall, ond serch hynny deil yn lle poblogaidd i ddringwyr o bob safon. Ym 1979/1980 yr oedd un ddringfa heb ei dringo ar y clogwyni a daeth dau o brif ddringwyr y cyfnod, Ron Fawcett a John Redhead, i gystadlu er mwyn bod y cyntaf i'w dringo. Hyd y gwn i, ni ddaethant yno ar yr un diwrnod. Treuliwyd wythnosau, gyda'r ddau wrthi'n ceisio dringo, yn methu, yna'n rhoi cynnig ar ffordd arall, ac yn y blaen. Ym mis Mawrth 1980, llwyddodd Ron Fawcett i'w chwblhau a'i galw'n 'Strawberries'. Hyd yn oed heddiw, deil y ddringfa hon i herio, gydag dim ond dyrnaid wedi llwyddo i'w chwblhau.

Gwahanodd Cornelia a minnau ym 1982. Ychydig wedyn, deuthum i adnabod Ann, athrawes ddel o Awstralia oedd ar wyliau ym Meddgelert. Yr oeddwn wedi gwirioni ac yn ddiweddarach, euthum i'w gweld yn Awstralia. Ymhen amser, rhoddodd y gorau i ddysgu a dod i fyw ataf i Fwlch Moch. Y cam nesaf oedd priodi ac fe anwyd ein merch, Rebecca ar Fai yr 11eg, 1986. Fues i erioed yn un â rhyw awydd i gael plant ac felly y byddai wedi bod pe na bai Ann wedi dod i'm bywyd. Erbyn gweld, camgymeriad mwyaf fy mywyd fuasai bod wedi aros yn hen lanc. Profiad bythgofiadwy oedd genedigaeth y fechan a bu'r dathliadau a ddilynodd hefyd yn rhai cofiadwy. Yr oedd Paul, cyfaill o feddyg, yn aros gyda mi ar y pryd. Y bore wedi'r enedigaeth, dyma ni'n dringo i ben y clogwyn gerllaw'r tŷ, abseilio i lawr ei hanner ar y rhan fwyaf serth, cloi'r rhaffau a 'gwlychu pen y babi' drwy yfed siampên. Yna, dychwelyd i'r tŷ i yfed mwy. Dyna fu ein hanes gydol y dyddiau nesaf hefyd – mynd i weld Ann a Rebecca yn yr ysbyty, dod adref, chwarae cerddoriaeth a meddwi. Dipyn o ryddhad oedd eu cael adref er mwyn imi aros yn sobor a dysgu newid clytiau! Ychydig dros ddwy flynedd wedyn, fe anwyd Keira ar Orffennaf y 26ain, 1988, geneth hardd arall, ond y tro hwn cedwais drefn ar y dathlu!

Wrth edrych yn ôl dros y blynyddoedd, sylweddolaf fy mod wedi cael llawer o lwc. Yn rhyfedd iawn, digwyddodd y ddamwain ryfeddaf a'r fwyaf chwerthinllyd imi ei chael tua milltir yn unig o'm cartref. Ychydig flynyddoedd yn ôl, yr oeddwn yn reidio fy meic ar hyd y llwybr beic wrth ochr y Cob ym Mhorthmadog. O'm blaen, yr oedd gwraig yn gwthio pram ac o'i blaen hithau ar gefn ei feic yr oedd ei mab, tua wyth oed. Wrth agosáu, cenais gloch y beic a gwyro i'r ochr er mwyn mynd heibio. Pan oeddwn union gyferbyn â hi, trodd y bachgen yn sydyn o'm blaen a thrawais olwyn gefn ei feic. Arhosodd y bachgen ar ei feic ond syrthiais i ymlaen gan daro fy moch ar flaen y beic. Ymddiheurodd y fam ac er fy mod wedi gwylltio, sylweddolwn mai damwain oedd y cwbl. Erbyn imi gyrraedd adref, yr oedd fy llygad yn cau'n gyflym ac erbyn y diwrnod wedyn yr oeddwn wedi datblygu llygad du go iawn.

Ddeuddydd yn ddiweddarach, yr oeddwn yn teithio i Belfast, Dulyn a Chorc ar daith ddarlithio. Teimlwn yn ddigon annifyr wrth geisio egluro nad o ganlyniad i ddamwain wrth wneud rhywbeth eithafol y cefais y llygad du ond yn dilyn gwrthdrawiad gyda phlentyn bach!

Pennod 13

DWY FFILM – *FIVE DAYS ONE SUMMER* A *SCREAM FOR STONE*

Ym 1981 cafod Leo gynnig gwaith gan Gwmni Ladd o Hollywood a chefais fynd gydag ef i gario ei gamera. Yr oeddent yn gwneud ffilm o lyfr Kate Boyle *Maiden Maiden*, hanes dringo, cariad a marwolaeth yn yr Alpau yn ystod y 1930au. Cyfarwyddwr y ffilm oedd Fred Zinnemann, un o enwogion Hollywood a fu'n gyfrifol am ffilmiau enwog megis *From Here to Eternity, High Noon, Oklahoma, Day of the Jackal* a nifer o rai eraill. Ac yntau erbyn hynny yn ei saithdegau, carodd Fred y mynyddoedd ar hyd ei oes a bu'n chwilio am stori fynydda addas i'w throsglwyddo i'r sgrin. Sêr y ffilm oedd Sean Connery, Betsy Brantley a'r Ffrancwr Lambert Wilson. Ym mynyddoedd Bernina y ffilmiwyd hi, gyda'r criw yn aros yn Pontresina a St Moritz. Chwaraeai Connery ran meddyg o Sais yn mynd i'r Alpau ar wyliau dringo gyda'i nith, sydd hefyd yn gariad iddo ac yn ddim ond hanner ei oed. Yn y Swistir, maent yn llogi tywysydd ifanc (a chwaraewyd gan Wilson) sy'n syrthio mewn cariad â'r nith (Betsy Brantley).

Arweinydd y criw diogelwch oedd yr Albanwr Hamish McInnes, dringwr chwedlonol a ddaeth â dringwyr enwog eraill gydag ef.

Er mai dyn bychan o gorff oedd Fred Zinnemann, parchai ac ofnai'r criw ffilmio ef. Câi ei alw'n Mr Z gan yr aelodau hŷn a oedd wedi gweithio gydag ef o'r blaen ond galwai pawb arall ef yn 'Syr'. Gan fod y criw dringo yn gymeriadau cryfion, heb fod ag ofn unrhyw actor neu gynhyrchydd o Hollywood, galwent hwy ef yn 'Fred'. Yn eu cynefin, y criw dringo oedd yn rheoli pethau ac yr oedd aros mewn gwestai pum seren, hedfan i bobman mewn hofrenyddion a chael cyflogau anferth yn brofiad tra gwahanol i'r pebyll a'r bwyd rhad arferol. Câi'r criw diogelwch andros o amser da, gyda phartïon bob nos a digonedd o alcohol o Livinio, yr hafan ddi-dreth gerllaw. Wrth aros am yr hofrennydd bob bore, gallech feddwi, bron, ar arogl yr alcohol ar anadl y rhai oedd wedi bod mewn parti tan y wawr!

I Leo a minnau, yr oedd ffilmio ym mynyddoedd anhygoel y Bernina, a garwn gymaint, yn waith delfrydol. Dyletswydd Leo oedd cofnodi'r ffilm yn cael ei ffilmio a chan fod dau leoliad gwahanol i'r ffilmio bob dydd, câi ddewis yr un mwyaf diddorol yn ei dyb ef. Fel arfer, byddai wedi ffilmio digon ar ôl rhyw bedair awr, felly byddem yn gyrru i lawr i Lyn Como wedyn i hwylforio ychydig. Oedd, yr oedd yn waith boddhaol ac yn talu'n dda.

Cyn dechrau gweithio ar ffilm Zinnemann, bu Leo a minnau'n ffilmio ychydig o gefndir ar gyfer ein ffilm ninnau am yr Eiger ac felly yr oeddem yn dechrau rai ddyddiau'n hwyrach na gweddill y criw diogelwch. Yn ystod ein diwrnod cyntaf ar y set, cawsom ein cyflwyno i Connery a'r sêr eraill. Gan mai ffilmio oeddem ni, doedden nhw ddim yn ymwybodol ein bod yn ddringwyr. Ar ôl ychydig ddyddiau yn y mynyddoedd, ystyriai Connery ei hun yn arbenigwr ar fynydda. Ar ein hail ddiwrnod, a minnau'n cerdded o gwmpas cwt tua 12,000 troedfedd i fyny, fy nghrys ar agor a'm corff yn y golwg, a hwnnw'n goch ar ôl treulio cyfnod yn haul Grindlewald cyn cyrraedd mynyddoedd Bernina, daeth Sean ataf a dweud, *'You want to be careful laddie. Keep yourself covered as the UV rays are very strong at this altitude.'* Rhag gwylltio James Bond, ni ddywedais air.

Tua phythefnos yn ddiweddarach, wrth wylio'r sioe nosweithiol o'r ffilmio a wnaed y diwrnod cynt, dangosodd Leo rywfaint o'i waith ffilmio ar yr Eiger. Ar y diwedd, daeth Sean ataf a dweud, *'Eric, I'm very sorry, you must think me an idiot for what I said to you.'* Yna, ychwanegodd ei fab Jason, *'Yes Dad, the difference between you and these guys is that they do it for real'*!

Un diwrnod, ffilmiwyd golygfa ar gopa Morterasch, mynydd 12,000 troedfedd o uchder. Yn yr olygfa, mae cymeriadau Connery a Lambert Wilson bron â dechrau ymladd dros Betsy. Penderfynodd Fred Zinneman nad oedd yr eira'n edrych yn ddigon gwyn felly dywedodd wrth beilot yr hofrennydd am hedfan i gopa cyfagos er mwyn nôl eira glanach. Edrychodd y peilot yn hollol hurt arno ond daeth allan ohoni drwy ddweud bod gormod o gynnwrf yn yr aer iddo allu hedfan a chario llwythi trymion. Newidiodd Fred i Gynllun B. Cludwyd peiriant chwalu pridd (petrol) i fyny o St Moritz ac aed ati i 'droi' llwyfandir y copa. Toc wedi hanner nos, gadawodd dau Almaenwr gwt wrth fôn y mynydd. Wedi deng awr o ddringo caled, dychmygwch y syndod a gawsant wrth weld Hamish McInnes yn cerdded i fyny ac i lawr ger y copa yn troi'r eira gyda pheiriant. Mae'n siŵr eu bod yn credu eu bod yn dechrau colli arni!

Yn ystod y ffilmio, cafwyd cyd-ddigwyddiad rhyfedd. Yn un rhan o'r ffilm, ceir hyd i gorff tywysydd ifanc a syrthiodd i grefas ddeugain mlynedd ynghynt, gyda'r rhew wedi cadw cyflwr y corff yn berffaith. Un bore, derbyniodd y rheolwr cynhyrchu alwad gan dîm achub mynydd Pontresina yn dweud eu bod wedi cael hyd i gorff go iawn ar un o'r rhewlifau a gofynnodd a hoffai Mr Zinnemann ei weld. Gyrrwyd Leo a minnau i fyny yn yr hofrennydd i'w ffilmio. Pan laniwyd ar y rhewlif, yr oedd y corff wrthi'n cael ei dyllu o'r rhew. Gwelwn fod y pen ar goll a'r gweddill fel cig wedi ei sychu a'i halltu. Nid oedd yn edrych fel corff dynol ac ni fu lluniau Leo o ddim cymorth o gwbl i'r criw ffilmio. Mewn darn o ddilledyn ar y corff yr oedd modrwy briodas a blwyddyn wedi'i ysgythru y tu mewn iddi, a hefyd tocyn trên o ddinas Lucerne. Wedi cysylltu â'r awdurdodau yn Lucerne, canfuwyd pwy oedd wedi priodi yn y flwyddyn oedd ar y fodrwy. Profwyd mai sgïwr wedi'i ladd mewn codwm oedd y corff a'i fod wedi bod yng nghrombil y rhewlif am tua'r un amser â'r cymeriad yn y ffilm.

Yn ystod un o'r toriadau yng nghyfnod y ffilmio, penderfynais ymweld â Zurich. Teithiais ar drên enwog y *Glacier Express* a threulio diwrnod braf yn y ddinas yn edrych o'i chwmpas, yn mwynhau bwyd da ac ychydig o ddiod gyda'r nos. Cyfarfûm â dringwr Americanaidd a threuliais rai oriau yn ei gwmni yn trafod dringo a mynydda. Ffarweliais ag ef gan ddychwelyd i'r orsaf er mwyn dal y trên i St Moritz. Yn anffodus, yr oedd y trên olaf wedi gadael a chan ei bod yn rhy hwyr ac yn rhy ddrud i ganfod gwesty, crwydrais ganol y ddinas a chael coffi neu ddau. Gyda rhyw deirawr i fynd tan y byddai trên cyntaf y bore yn gadael am St Moritz, euthum yn ôl i'r orsaf ond ar ôl cyrraedd gwelais fod yr ystafelloedd aros wedi eu cloi. Wrth y drysau, cysgai trueiniad meddw ac ambell drempyn. Cefais hyd i le gwag a setlo yno. Er ei bod hi'n oer a minnau heb ddillad addas, llwyddais i gysgu yn y diwedd. Yn sydyn, cefais fy neffro gan gic yn fy nghlun. Edrychais i fyny wrth gael cic arall gan blismon a ddywedodd wrthyf na chawn gysgu yno. Doedd gen i ddim dewis felly ond mynd i loetran ar y strydoedd tan doriad gwawr. Wrth eistedd ar y trên yn dychwelyd i'r mynyddoedd, fedrwn i ddim llai na chwerthin wrth feddwl amdanaf fy hun yn cael fy nghicio gan blismon a'm trin fel un o wehilion Zurich un funud, a'r funud nesaf byddwn yn cymysgu â mawrion Hollywood!

Ar ôl un wythnos ar ddeg o ffilmio, dyma ddychwelyd i'r byd go iawn. Euthum yn ôl i Dremadog, i goginio sglodion a glanhau toiledau dros dymor yr haf. Dychwelodd rhai o'r criw i'r Swistir y gaeaf canlynol er mwyn gwneud rhywfaint o ffilmio ychwanegol. Rhyddhawyd y ffilm gyda'r enw *Five Days One Summer* ac er bod y golygfeydd oedd ynddi mor hardd, ni fu'n llwyddiant, efallai am fod y stori'n rhy gymhleth. Un cyd-ddigwyddiad doniol fu i Betsy Brantley gael perthynas â Hamish McInnes, a oedd yn ddwywaith ei hoed, sef yr union beth a ddigwyddodd yn y ffilm, gyda chymeriad Sean Connery ugain mlynedd yn hŷn na'i nith!

Dros y blynyddoedd, rhoddais gymorth i Leo ar nifer o brosiectau ffilmio gan gynnwys cyfres o'r enw *Dead Men's Tales* a oedd yn ail-greu digwyddiadau mewn chwaraeon eithafol. Hanesion rhyfeddol am bobl yn goroesi yn wyneb angau oedd y rhain ac yn un rhaglen, adroddwyd hanes Joe Simpson, dringwr a ddaeth yn enwog o ganlyniad i'w lyfr poblogaidd *Touching the Void*, sef hanes ei frwydr i oroesi ar fynydd ym Mheriw. A dweud y gwir, nid dyma'r unig dro iddo ddod yn agos at farw – mae ei gyfnod fel dringwr yn frith o ddamweiniau lle daeth yn agos iawn at gael ei ladd.

Yn y 1980au, aeth Joe a chyfaill iddo i ddringo Pilar Bonatti ar yr Aguille du Dru uwch dyffryn Chamonix yn Ffrainc. Ar ddiwedd y diwrnod cyntaf, sefydlwyd *bivouac* ar silff fechan tua hanner y ffordd i fyny'r ddringfa. Yn ystod y

nos bu cwymp cerrig, syrthiodd y silff oddi tanynt ac fe'u
gadawyd yn hongian ar y wal syth gyda dim ond un piton yn
eu dal. Bu'n brofiad brawychus i'r ddau gyda phob symudiad
yn peri i'r piton symud. Treuliwyd noson ddychrynllyd wrth
i'r ddau sylweddoli y gallai'r piton ddod yn rhydd ac y
byddent wedyn yn syrthio rhyw 2,000 o droedfeddi ac yn
cael eu lladd.

Er mwyn ail-greu'r digwyddiad, cyflogwyd Ron Fawcett
a Stevie Haston, dau o'r dringwyr Prydeinig cryfaf, a hefyd,
am y tro cyntaf, cyflogodd Leo actorion ar gyfer y ddrama
ddogfen. Ffilmiwyd un o'r golygfeydd ar y rhewlif o dan yr
Aguille du Midi, arwynebedd o tua 13,000 troedfedd a oedd
angen cramponau a cheibiau rhew. Nid oedd gan y ferch *PR*
oedd gyda'r criw ffilmio unrhyw fath o brofiad dringo a chan
ei bod hefyd braidd yn dew, awgrymodd Leo, mor ddoeth â
phosibl, ei bod yn cymryd diwrnod rhydd ac yn aros yn y
dyffryn. Ond yr oedd hi'n benderfynol y byddai'n iawn ac fe
fynnodd ddod i wneud y gwaith. Ildiodd Leo i'w dymuniad
a gofyn i mi fod yn dywysydd personol iddi.

Yn y bore, gadawyd Chamonix ar y *telepherique* i'r
Aguille du Midi. O'r orsaf ar y Midi, mae taith ar hyd crib
finiog a serth i lawr i'r Mer de Glace, gyda dibyn 3,000 o
droedfeddi i ddyffryn Chamonix. Gan fod y ferch wedi
dychryn yn ofnadwy, cafwyd cryn drafferth i'w pherswadio
i ddod i lawr y grib. Unwaith y cyrhaeddodd y
rhewlif, daeth ati ei hun a llwyddwyd i gyrraedd y rhan
grefasog a'r man ffilmio. Erbyn hyn, dioddefai gryn dipyn o
ganlyniad i effaith uchder a'i gorbwysau a sylweddolais y
byddai'n cael cryn drafferth dringo i fyny'r grib serth er
mwyn cyrraedd yr orsaf *telepherique*. Dywedais hyn wrth
Leo a chynghorodd fi i droi'n ôl yn syth. Erbyn hyn,
cynhesai'r haul y rhewlif gan wneud y daith yn anodd drwy'r

eira meddal. Yr oeddem yn suddo yn yr eira hyd at ein pengliniau ac fe âi bob cam yn anoddach i'm cydymaith 'anghymwys'. Cymerwyd amser maith i gyrraedd gwaelod y grib ac erbyn hynny, yr oedd y ferch wedi blino'n lân ac yn ofnus a sylweddolais y byddai'n waith hir ac anodd ei chael i fyny i'r orsaf.

Symudwyd fesul dau neu dri cham, yna gorffwys am ychydig. Ceisiais ei hannog drwy ei chanmol ond atebodd na allai fynd gam ymhellach. Wedyn, dyma newid tacteg drwy ddweud os na fyddai'n symud yna byddai'n rhaid galw'r hofrennydd achub. Erbyn hyn, yr oedd hi'n ganol y prynhawn, gyda llawer o ddringwyr yn dod i lawr y grib ar eu ffordd i gwt Cosmic er mwyn gorffwys am ychydig oriau cyn dringo Mont Blanc y bore canlynol. Achosai hyn lawer mwy o broblemau am nad dyna'r lle gorau i gael tagfa draffig ddynol! Yn un lle, gorweddai'r ferch ifanc ar draws y grib, y rhan uchaf o'i chorff yn wynebu'r Eidal a'r rhan isaf dros ddyffryn Chamonix pan ddaeth rhyw dywysydd pwysig yr olwg i lawr gyda'i gwsmer. Syllodd arnaf a holodd pam yr oeddem ni wedi stopio mewn lle mor wirion. Syllais yn ôl a dweud y dylai ef, fel tywysydd, fod yn ddigon abl i ddringo o amgylch y ferch flinedig. Wedi cega am dipyn gydag ef, daliais ati i geisio annog y ferch a'i thynnu ar y rhaff. O'r diwedd, llwyddwyd i gyrraedd yr orsaf a minnau'n llusgo fy nghydymaith i mewn fel petawn yn bysgotwr wrthi'n dod â physgodyn anferth i'r lan!

Do, bu'n ddiwrnod caled iawn ac afraid dweud na ddaru'r *PA* adael y dyffryn weddill y cyfnod ffilmio!

* * *

Yn ystod gwanwyn 1991, a minnau'n brysur yn torri gwair

yn y maes gwersylla cyn gwyliau'r Sulgwyn, galwodd Ann fi at y ffôn. Leo oedd yno yn gofyn i mi a fyddwn yn hoffi mynd i Batagonia. Cynhyrfais yn syth gan fy mod wedi ymweld â'r lle deirgwaith o'r blaen yn ystod y 1970au ac wedi dotio at fawredd a harddwch y lle, ac wedi breuddwydio llawer am gael mynd yn ôl. Daeth hi'n amlwg fod gan Leo rhyw gynllun ar y gweill a dywedais yr hoffwn fynd. 'Wel,' meddai, 'os wyt ti eisiau mynd, rhaid mynd fory, felly mae gen ti hanner awr i benderfynu.'

Yr oedd y gwneuthurwr ffilmiau byd-enwog Werner Herzog am wneud ffilm ar Cerro Torre o'r enw *Scream for Stone*, yn seiliedig ar syniad gan Reinhold Messner gyda Donald Sutherland, Vittorio Mezzogiorno a'r seren ddringo o'r Almaen, Stefan Glowacz yn adrodd stori'r genfigen rhwng dau ddringwr yn ystod eu hymgais i ddringo Cerro Torre. Yr oedd y rhan fwyaf wedi ei ffilmio yn ystod haf Patagonia y mis Rhagfyr blaenorol. Wrth olygu, penderfynwyd bod angen mwy o olygfeydd er mwyn cwblhau'r ffilm ac un o'r golygfeydd angenrheidiol fyddai un o'r dringwyr yn disgyn i lawr yr wyneb a'r hyn yr oedd o'n ei weld. Ystyriwyd cael gŵr camera yn awyrblymio allan o hofrennydd uwch copa Cerro Torre cyn syrthio i lawr yr wyneb de-ddwyreiniol anferth.

Pan oedd Walter Saxer, y cynhyrchydd o'r Swistir, yn aros am ei awyren i Buenos Aries ym maes awyr Rhufain, clywodd fod yr awyrblymiwr o Ffrainc a fyddai'n gwneud y gwaith newydd dorri ei goes y diwrnod cynt. Aeth ati ar frys i ffonio o gwmpas Ewrop er mwyn cael rhywun i gymryd ei le. Cysylltodd â Leo ond gan fod hwnnw'n brysur, awgrymodd fy enw i a dyna'r rheswm am yr alwad ffôn.

Wyddwn i ddim beth i'w wneud. Ni allwn fynd gan fod y Sulgwyn yn gyfnod mor brysur yn y caffi ac nid oeddwn ychwaith wedi awyrblymio ers blwyddyn. Ar y llaw arall, byddwn wrth fy modd yn dychwelyd i Batagonia er mwyn neidio i lawr Cerro Torre. Dyna fyddai antur! Yn hollol ddryslyd, cerddwn yn ôl ac ymlaen o gwmpas y tŷ fel ci ar ôl ei gynffon. Siaradais ag Ann, a hithau mor gefnogol ag erioed yn dweud wrthyf y cawn anghofio am y caffi – byddai hi'n siŵr o fedru cadw trefn pe dymunwn fynd. Ymhen munud, ffoniais Leo a chytuno i fynd. Bu'r pedair awr ar hugain nesaf yn fwrlwm o drefnu awyren, offer a thaith frys i Heathrow er mwyn dal yr awyren ganol dydd i Dde America.

Wedi blino'n llwyr yn dilyn yr holl drefnu munud olaf a'r daith hir dros Fôr Iwerydd, edrychwn ymlaen at ddiwrnod o orffwys yn Buenos Aires cyn parhau ar fy nhaith i Batagonia. Ond nid felly'r oedd hi i fod. Wrth ddod allan o'r maes awyr, gwelwn ddyn yn sefyll gyda phapur yn ei law a'm henw i arno a chefais fy nhywys ar draws y ddinas i faes awyr arall er mwyn dal awyren fyddai'n hedfan am bedair awr a hanner arall i Río Gallegos yn y de. Yn y dref honno, gwyddwn am westy cyfforddus i orffwys cyn mentro ar y daith hir ac anghyffforddus i Barc Cenedlaethol Fizroy. Ond yn y maes awyr, ailadroddwyd yr hyn a ddigwyddodd yn Buenos Aires ac i ffwrdd â mi mewn hen dryc. Ni siaradai'r gyrrwr yr un gair o Saesneg a phan ofynnais iddo '*Hotel Río Gallegos?*' ei ateb oedd, '*No, no, Parque Nacional.*'

Yn ddigon digalon, sylweddolais ein bod yn cychwyn ar daith naw awr anghyffforddus ar draws y paith. Ymddangosai fel petai'r daith yn parhau am byth drwy'r nos ac erbyn inni gyrraedd pentref Chalten wrth droed mynyddoedd Fitzroy, yr oeddwn wedi blino'n llwyr. Pan fûm yno y tro blaenorol, ddwy flynedd ar bymtheg cyn hynny, nid oedd yno ond tŷ'r warden ac ychydig o gytiau'r gauchos ond erbyn hyn, gwelais fod pentref gweddol o faint wedi ei godi yno.

Ymddengys fod cryn anghydfod rhwng yr Ariannin a Chile ynglŷn â pherchenogaeth yr ardal honno ac er mwyn cadarnhau ei hawl ar y lle, rhoddodd yr Ariannin anogaeth ariannol i rai o ddinasyddion Río Gallegos ddod i Chalten i fyw.

Pan gyrhaeddais Chalten, daeth y cynhyrchydd, Walter Saxer ataf gan ysgwyd fy llaw a'm cyflwyno i Oscar, peilot yr hofrennydd, y criw ffilmio a thri thywysydd mynydd o Awstria. Gan fod Walter yn awyddus i barhau gyda'r ffilmio, awgrymodd y dylwn neidio y prynhawn hwnnw. Dywedais wrtho fod yn rhaid imi orffwys ac wedyn gwneud naid ymarfer dros y pentref cyn mentro dros y mynyddoedd. Er ei fod yn anfodlon, cytunodd â mi a chefais weddill y diwrnod i orffwys. Gan mai hwn oedd fy ymweliad cyntaf yn ystod y gaeaf, yr oedd hi dipyn yn oerach a chrynais drwy'r nos yn y caban oer. Cefais gyfle i hel meddyliau yn yr awyrgylch ddigroeso hon – nid oeddwn wedi neidio ers blwyddyn a'r troeon hynny bron bob un yng Nghaliffornia a Phrydain yn ystod yr haf, dros feysydd awyr gyda man glanio diogel. Dychrynwn wrth feddwl am neidio allan o hofrennydd uwch Cerro Torre dan amodau gaeafol a glanio ar rewlif crefasog. Ond dyna fo, rhaid fyddai gwneud y gorau ohoni.

Bûm yn effro drwy'r nos, bron, yn fy nghaban oer, gan fynd dros y naid yn fy meddwl a'r hyn fyddai'n rhaid ei wneud i sicrhau bod yr offer yn iawn, yn ogystal â cheisio cofio lle'r oedd y man glanio ar y rhewlif yr ymwelais ag ef pan oeddwn ar deithiau i Cerro Torre a Torre Egger. Yn y bore, dringais i'r hofrennydd ac aeth y peilot â mi hyd at 6,000 troedfedd uwchben y pentref. Neidiais allan ac aeth popeth yn iawn, gan roi hyder i mi ar gyfer yr her a wynebwn. Treuliais weddill y diwrnod gyda'r criw camera yn trafod eu dymuniadau wrth ffilmio a minnau'n ymgynefino â'r camera ar fy helmed. Wrth wneud y naid gyntaf, dymunent imi droi tin-dros-ben wrth syrthio er mwyn i'r camera ar yr helmed dynnu lluniau'r awyr, wyneb y mynydd a'r rhewlif yn dod tuag ataf – yr union bethau fyddai'r dringwr yn ei weld wrth ddisgyn. Gyda'r nos, eglurodd Walter y drefn ar gyfer y diwrnod canlynol. Fe âi i fyny yn y bore gyda'r Awstriaid i'w ffilmio nhw'n dringo ar fynydd cyfagos ac fe fyddwn innau ar alwad i neidio ychydig oriau'n ddiweddarach.

Y noson honno, gwneuthum fy mharatoadau terfynol, gan ailarchwilio'r offer, mynd drwy'r naid yn fy meddwl a dychmygu beth allai fynd o'i le a sut i ymateb mewn argyfwng. Meddyliais am y naid ac am ail-greu codwm y dringwr. Beth petai'n digwydd i mi a beth fyddai'r pethau olaf y byddwn yn eu cofio wrth syrthio? Ni fyddai'r eiliadau olaf o ddioddef yn ddim o'u cymharu â'r boen i'm gwraig a'm plant ar ôl clywed y newyddion. Dros y blynyddoedd, deuthum yn agos iawn at farw nifer o weithiau ac yn y caban oer hwnnw yng nghanol gaeaf Patagonia, teimlais ias a theimlo'n unig iawn.

Tua un ar ddeg o'r gloch y bore, galwodd Walter fi ar y radio i ddweud ei fod ar y ffordd yn ôl yn yr hofrennydd ac y dylwn baratoi ar gyfer y naid. Gan fod mis Gorffennaf yn ganol gaeaf yn Chalten, yr oedd y tymheredd sawl gradd o dan bwynt rhewi ond wrth neidio o bron i 11,000 troedfedd, byddai'n eithafol o oer. Hefyd, oherwydd cyfyngiadau fy siwt neidio a'r parasiwt fedrwn i ddim gwisgo fawr mwy o ddillad. Byddai'n naid oer! Cyrhaeddodd yr hofrennydd ac ar ôl dweud wrth y peilot (drwy Walter, gan na allai'r peilot siarad Saesneg) beth oedd y cyfeiriad a'r cyflymder i fod, dyma gychwyn. Eisteddai Walter yn y tu blaen wrth ochr y peilot a minnau wedi fy ngwasgu i'r cefn. Hedfanwyd yn isel dros y man glanio er mwyn cael golwg ar y crefasau ac er mwyn gosod fy altimedr ar sero.

Dros y dyddiau y bûm yng nghwmni Walter, sylwais fod ei gymeriad yn go wahanol i'r arfer ac wrth inni godi, dywedodd fod y drefn wedi newid. Yr oeddent am fy ngollwng i ar gopa Cerro Adela cyn iddynt fynd i gael golwg ar yr Awstriaid yn ffilmio ar gopa cyfagos. Byddent i ffwrdd am ryw chwarter awr, dyna i gyd. Cyn i mi gael cyfle i feddwl, cefais orchymyn i fynd allan ar y copa ac ymhen ychydig eiliadau, yr oedd yr hofrennydd wedi mynd, gan adael y lle yn hollol ddistaw. O fewn chwarter awr euthum o fod yn yfed coffi mewn bar cynnes yn Chalten i fod yn sefyll ar fy mhen fy hun ar gopa mynydd 10,000 troedfedd. Rhyfeddais at y golygfeydd o'r mynyddoedd cyfagos ac fe welwn Gap Rhew Patagonia yn ymestyn yr holl ffordd i'r Môr Tawel. Crwydrai'r cof yn ôl bron i ugain mlynedd pan groesais ef yng nghwmni Leo a Mick Coffey. Wrth freuddwydio'n hiraethus, sylweddolais yn sydyn fy mod yn hollol hurt yn gadael iddynt fy ngadael yma ar fy mhen fy hun mewn siwt neidio hafaidd a hithau'n -20ºC, heb offer dringo a heb wybod y ffordd i lawr. Petai'r tywydd yn gwaethygu neu'r hofrennydd yn torri, byddwn mewn trafferth go iawn!

Wrth iddi oeri, dechreuais wylltio gyda Walter am newid ei gynlluniau ond gwylltiwn yn fwy byth â mi fy hun am gytuno i gael fy ngadael ar y copa. Ceisiais feddwl am gynllun argyfwng. Gallwn ddefnyddio'r parasiwt i wneud *bivouac* ond heb gaib na chramponau, nid oedd gen i fawr o obaith. Wrth ystyried hyn, clywais sŵn yr hofrennydd yn dychwelyd ac fe'm codwyd yn ôl ar ei bwrdd, wedi rhewi. Anelodd am Cerro Torre ond gyda thri ar ei bwrdd câi drafferth i godi yn uwch na'r copa.

O'r diwedd, llwyddodd i gyrraedd y nod ac fe wnes fy

mharatoadau terfynol ar gyfer y naid. Yr oedd pob naid a wnaethwn cyn hynny dros gaeau glas ond yn awr, neidiwn dros gopaon rhewllyd gyda rhewlifau crefasog yn disgwyl amdanaf islaw. Llifai'r adrenalin drwy fy nghorff ac, yn goron ar y cwbl, fedrwn i ddim teimlo fy mysedd, bron. Gallai hynny fod yn beryglus pan ddeuai'n bryd imi agor y parasiwt. Dri chan troedfedd uwchlaw'r copa dyma neidio allan a syrthio din-dros-ben fel y cytunwyd. Bymtheng eiliad wedyn, tynnais ar y parasiwt ac fe agorodd hwnnw gyda chlec swnllyd. Sythais fy nghorff ac wrth siglo ar y parasiwt, gwelais y col lle buom yn byw am rai dyddiau yn yr ogof eira a dyllwyd gennym yn ôl ym 1971. Yr oedd rhewlif Torre islaw mewn dwy ran – y rhan uchaf yn wlyb, hynny yw, y crefasau o dan eira gan eu gwneud yn beryglus, a'r rhan isaf yn rhewlif sych heb eira ar y rhew ac felly yr oedd hi'n haws gweld y crefasau mawr er mwyn eu hosgoi.

Wrth ddod i lawr, llwyddais i hedfan oddi wrth y rhan uchaf beryglus gan lanio'n ddiogel ar y rhan isaf. Daeth ton o hapusrwydd drosof gan fod popeth wedi mynd yn iawn ond sylweddolais hefyd, petai'r prif barasiwt wedi methu agor, byddwn wedi cael fy ngorfodi i agor yr un wrth gefn ac ni fyddai gennyf ddigon o uchder wedyn i osgoi rhan uchaf y rhewlif. Dychrynwn wrth feddwl am lanio ymysg y crefasau mawrion cuddiedig.

Wrth orffen casglu'r parasiwt, cyrhaeddodd yr hofrennydd, dringais ar ei bwrdd a dychwelwyd i Chalten. Fy ngeiriau cyntaf wrth Walter oedd na fyddwn yn mynd drwy'r un profiad eto ac ar y naid nesaf, byddwn yn neidio'n syth heb oedi. Ymddiheurodd yn arw.

Y diwrnod canlynol, neidiais unwaith eto, gan ffilmio yn wynebu'r wyneb wrth syrthio y tro hwn, a chan fy mod yn gynhesach o lawer, dechreuais fwynhau fy hun.

Yn ystod un diwrnod rhydd, dringais i'r hen wersyll ger Cerro Torre ac wrth weld y golygfeydd, llifodd yr atgofion yn ôl. Wrth gerdded yn ôl am Chalten, cefais y teimlad fy mod yn cael fy ngwylio. Stopiais er mwyn edrych o'm cwmpas. Ar fryncyn bach, tua hanner canllath i ffwrdd, yr oedd llwynog. Ymddangosai fel pe na bai'n poeni fy mod yno a cherddais tuag ato ond pan oeddwn ryw ugain llath oddi wrtho, i ffwrdd ag o. Gan fod ugain mlynedd wedi mynd heibio ers i mi fod yn y fan honno o'r blaen, fedrwn i ddim peidio meddwl a oedd y llwynog hwn yn ddisgynnydd i'r llwynog dof a ddeuai i'r gwersyll bryd hynny. Wrth gerdded yn fy ôl, teimlwn yn gartrefol yn yr ardal – fel petai hen gyfaill wedi dod heibio i ddweud 'sumai'!

Ers imi ymuno â'r criw, yr oeddwn wedi sylwi bod Walter yn anniddig iawn ac yn siarad ar ei ffôn drwy'r amser. Deallais wedyn fod problemau ariannol gan y cwmni cynhyrchu a'r diwrnod wedyn daeth pethau i ben. Dywedodd Walter wrthyf fod y dringwyr a'r criw ffilmio yn hel eu pac ac yn mynd adref y noson honno, am resymau ariannol. Dymunai wybod a oeddwn i'n fodlon aros gyda'r peilot i neidio chwe gwaith wedyn. Dywedais fy mod yn fodlon cyn belled ag y byddai dau dywysydd yn aros fel criw diogelwch, oherwydd pe bai'r prif barasiwt yn methu agor a'r un wrth gefn yn dod â mi i lawr ar rewlif crefasog y rhan uchaf, byddai arnaf angen dringwyr profiadol i ddod ataf. Dywedodd y gallai adael un dringwr ond dywedais innau nad oedd un yn ddigon; byddai'n amhosibl i un fynd ar y rhewlif ar ei ben ei hun. Yn sydyn, cyhoeddodd fod pawb yn mynd adref y noson honno! Fedrwn i ddim coelio'r peth – ni fyddai'r gost o gadw dau dywysydd am ychydig ddyddiau yn ddim o'i chymharu â chadw'r hofrennydd. Yr oeddwn hefyd yn siomedig gan fy mod, ar ôl dwy naid, wedi dod i delerau â neidio ar y rhewlif ac yn edrych ymlaen at neidio eto. Cefais fy nhemtio i ddweud wrth Walter fy mod yn fodlon aros i neidio heb y tywysyddion ond synnwyr cyffredin a orfu. Bûm ar gopa mynydd heb ddim ond parasiwt unwaith yn barod ac nid oeddwn am ailadrodd hynny ar ganol rhewlif crefasog!

Gydol y diwrnod hwnnw, casglwyd yr offer at ei gilydd ar gyfer y daith hir yn ôl i Río Gallegos y noson honno. Mae'n rhaid bod Walter wedi synhwyro fy siomedigaeth oherwydd dywedodd y cawn hedfan yn ôl i Río Gallegos yn yr hofrennydd y bore canlynol. Bu'n daith bleserus, gydag Oscar yn glanio ambell dro ar *estancias* i ymweld â hen ffrindiau. Cyrhaeddwyd yn gynnar yn y prynhawn gan ymuno â gweddill y criw a oedd eisoes yn gwneud eu gorau i yfed un o dafarnau Río Gallegos yn sych!

Yn ddiweddarach, dyma fynd ar fwrdd yr awyren am Buenos Aires ond llwyddodd Walter i'w dal yn ôl am awr a chael ei daflu oddi ar ei bwrdd ym maes awyr Trelew. Wrth i'r awyren gychwyn ar ei thaith, gofynnodd un o'r gweinyddesau i Walter godi ei sedd yn syth a chau ei wregys diogelwch. Gwrthododd yntau gan wenu. Gofynnwyd iddo wedyn a dweud na fyddai'r awyren yn cychwyn ar ei thaith pe gwrthodai eto – ond wnâi o ddim. Cerddodd y weinyddes i ffwrdd a dychwelyd gyda'r prif stiward. Daliai Walter i wrthod. Erbyn hyn, yr oedd yr awyren wedi cyrraedd pen draw y llain glanio, yn barod i gychwyn ar ei thaith.

Eisteddwn wrth ochr Karl, un o'r dynion camera. Gofynnais beth oedd yn bod ar Walter am na allwn ddeall, hyd yn oed petai ychydig yn feddw, pam nad oedd yn sylweddoli fod dal yr awyren yn ôl yn fater difrifol. Cododd Karl ei ysgwyddau gan ddweud mai dyna sut un oedd o.

Amheuwn fod Karl wedi ei weld yn ymddwyn fel hyn o'r blaen.

Ymhen ychydig, dychwelodd y prif stiward, y tro hwn gyda'r capten. Eglurodd hwnnw mewn Saesneg a Sbaeneg fod yn rhaid i Walter gydymffurfio â'r gorchymyn. Gwrthododd unwaith eto. Erbyn hyn, dechreuai'r teithwyr eraill wylltio a gweiddi pethau megis 'idiot' a 'get him off'! Yna, daeth llais y capten dros yr awyren yn datgan fod problem gydag un o'r teithwyr ac y byddai'n rhaid dychwelyd i'r derfynfa er mwyn i'r heddlu dynnu'r teithiwr oddi ar yr awyren. Aeth pethau'n wirion ar yr awyren gyda theithwyr eraill yn gweiddi ar Walter. Ofnwn yr âi pethau'n waeth eto ac y byddai rhywun yn ymosod arno.

Ar ôl cyrraedd y derfynfa, daeth llais y capten unwaith eto i gyhoeddi y byddai'n rhaid gwagio'r awyren oherwydd y perygl o anafiadau i'r teithwyr eraill wrth i'r heddlu daflu Walter oddi ar ei bwrdd. Aeth ambell deithiwr yn wallgo', yn enwedig y dynion busnes oedd eisiau cyrraedd Buenos Aires ar amser, gan fethu deall pam na allai'r awyren gychwyn. Wrth i'r teithwyr cyntaf godi, dyma Walter yn sefyll ac yn cerdded allan i gyfeiliant pob math o regfeydd. Tybiais mai dyna'r tro olaf y byddwn yn ei weld ac y byddai'n treulio'r misoedd nesaf mewn carchar ym Mhatagonia. Beth bynnag, wrth i mi eistedd yn yfed coffi yn y gwesty yn Buenos Aires y bore canlynol, pwy gerddodd i mewn ond Walter, fel pe na bai dim wedi digwydd. Ymddengys ei fod, yn dilyn ychydig o gamdriniaeth gan yr heddlu, wedi defnyddio papurau can doler i brynu ei ffordd allan o'r ddalfa a neidio ar yr awyren nesaf. Wrth drafod Walter gydag un o'r dynion camera, dywedodd ei fod yn foi iawn ond ychydig yn wallgo'!

Gan fod fy nhocyn i ar wahân i weddill y criw, rhywsut cefais le yn y dosbarth cyntaf am y tro cyntaf yn fy mywyd (a'r tro olaf mae'n siŵr!). Wedi eistedd yn fy sedd ar y 747 ar y daith yn ôl i Ewrop, dyma'r weinyddes yn dod â gwydraid o siampên i mi. Erbyn i'r awyren godi i'r awyr, yr oeddwn braidd yn benysgafn. Profiad braf iawn oedd hedfan ar hyd arfordir De America am Rio de Janeiro gan wylio machlud haul hardd iawn yng nghwmni fy mhumed neu chweched gwydraid o siampên!

Do, cefais daith annisgwyl, anturus ac weithiau'n ddigon brawychus ym mynyddoedd De Patagonia. Ac ar ôl yr uchelfannau, rhaid oedd wynebu'r iselfannau – wrth gyrraedd Heathrow gyda 'phenmaen-mawr', cefais wybod bod fy magiau ar goll!

Pennod 14

AWYRBLYMIO, PARAGLEIDIO, NEIDIO *BASE* A NEIDIO O BONTYDD

Gwn fy mod wedi byw ar y ddaear yma ers tipyn o flynyddoedd bellach, ond yr wyf braidd yn rhy ifanc i gofio'r parasiwt cyntaf a ddyfeisiwyd gan Leonardo Da Vinci! Er hynny, bûm â diddordeb mewn parasiwtio ers pan oeddwn yn fachgen bach. Cofiaf wneud parasiwt o glytiau a chortyn belar, rhoi nytan yn bwysau a'i daflu i lawr o ben y tŷ gwair. Efallai fy mod wedi magu'r diddordeb hwn o ddarllen am yr Ail Ryfel Byd mewn comics a fenthycwn gan ffrindiau. Ar ôl gorffen fy hyfforddiant i fynd yn heddwas yn y Fyddin, fy nymuniad oedd ymuno â'r adran barasiwt ond cefais gyngor i beidio gwneud hynny gan hyfforddwr ymarfer corff yr uned oherwydd cyflwr fy mhen-glin o ganlyniad i'r ddamwain moto-beic a gefais.

Ym 1961, ddwy flynedd ar ôl gadael y Fyddin, euthum ar gwrs parasiwtio i'r *School of Sport Parachuting* ym maes awyr Kidlington, Rhydychen. Yn dilyn deuddydd o hyfforddiant dwys, aethom i'r awyr ar gyfer y naid gyntaf. Rhaid cyfaddef nad oedd yr awyren ei hun yn rhoi llawer o hyder i ni – hen *De Haviland Rapide* gyda'r flwyddyn 1933 ar blac pres ynddi. Iesgob, mi roedd yr awyren hon dair blynedd yn hŷn na mi – efallai bod neidio allan ohoni yn saffach nag aros ynddi! Dringodd yn araf i uchder o 3,000 troedfedd ac yna fe neidiodd y pedwar cyntaf allan. Aeth yr awyren o gwmpas unwaith eto a chan fy mod i'n un o'r tri a neidiai ar yr ail dro, safwn yn nrws yr awyren yn teimlo'n sâl ac yn ofnus. Yn sydyn, daeth y gorchymyn 'ALLAN!'. Arafodd yr awyren ac allan â mi. Yn ystod y cwrs, fe'n dysgwyd i weiddi 'mil troedfedd', 'dwy fil', 'tair mil' a '*check canopy*' pan ddylai'r parasiwt fod wedi agor. Os na fyddai hynny'n digwydd, byddai'n rhaid tynnu ar y parasiwt argyfwng.

Ar fynd yn yr awyren ar gyfer fy naid gyntaf

Wrth i'r adrenalin lifo, anghofiais gyfrif ac yn sydyn cefais andros o ysgytiad wrth i'r parasiwt agor. Yna, distawrwydd, heb na sŵn awyren na gwynt ac fe drodd fy ofn yn foddhad pur. Llwyddais i wneud y naid gan deimlo cymysgedd o ryddhad a hapusrwydd. Cyn neidio, bûm yn meddwl, beth petawn yn rhy ofnus i neidio? Yr oedd ofni'r gwrthod yn waeth na'r naid ei hun.

Yn rhy sydyn, daeth y ddaear tuag ataf a dyma baratoi i lanio yn y dull cywir. Anghofiais droi'r parasiwt i wynebu'r gwynt er mwyn arafu'r cyflymdra glanio a dyma daro'r ddaear fel sach o datws. Er fy mod wedi cael dipyn o ysgytiad, yr oeddwn yn iawn a theimlwn yn ddeng troedfedd o daldra. Anghofiais yr ofnau cyn neidio ac yr oeddwn ar dân i neidio eto. Dros y misoedd canlynol, neidiais nifer o weithiau ac ar ôl gwneud un naid ar ddeg, cawn syrthio'n rhydd am dair eiliad cyn agor y parasiwt. Golygai hyn na fyddai'r parasiwt yn agor yn awtomatig wrth imi adael yr awyren, gan fod angen tynnu ar yr handlen ar ôl tair eiliad. Arweiniodd hyn at oedi hirach cyn agor y parasiwt.

Yn ystod y cyfnod hwn y canfûm ddiddordeb arall a fyddai'n ganolbwynt i'm bywyd o hynny ymlaen, sef dringo. Y prif reswm dros newid o neidio i ddringo oedd arian, gan fod parasiwtio'n costio arian. Rhaid fyddai teithio'n ôl ac ymlaen i'r safle neidio – cyfanswm o dri chan milltir a chan fod y tywydd Prydeinig mor anwadal, byddai'r teithiau hyn yn aml yn gorffen heb allu neidio. Ar y llaw arall, yr oedd Eryri'n weddol agos a dringo'n rhad unwaith yr oeddwn i wedi prynu'r offer, felly wnes i ddim neidio rhagor am ddeng mlynedd.

Ym 1973, aeth Leo, 'Tiger' Mick Coffey a minnau ati i geisio croesi Cap Rhew Patagonia ar sgïs a slediau. Y cynllun gwreiddiol oedd parasiwtio i lawr ar y Cap Rhew, felly aeth Leo ati i baratoi drwy fynd ar gwrs neidio mewn canolfan ger Blackpool ac aeth Mick a minnau i ganolfan ger Peterborough. Ond bu'r holl ymarfer yn ofer, gan nad oedd neb yn fodlon ein hedfan i'r Cap Rhew pan gyraeddasom i Batagonia. Wrth edrych yn ôl, efallai bod hyn wedi arbed ein bywydau oherwydd gallasai ein diffyg profiad fod wedi bod yn angheuol.

Yn ystod y 1970au, canolbwyntiai Leo a minnau ar ffilmio mynydda ac aeth hi'n 1982 cyn imi neidio parasiwt eto. Trafododd Leo gytundeb gydag S4C i ffilmio cyfres deledu chwe rhaglen am chwaraeon antur eithafol. Fe'i cynhyrchwyd yn Gymraeg a Saesneg a gofynnwyd i mi gyflwyno'r fersiwn Gymraeg. Er nad oeddwn yn gyfforddus o flaen camera, cytunais er mwyn cael teithio i wahanol fannau diddorol drwy'r byd.

Ffilmiwyd y rhaglen ar awyrblymio yn Perris, Califfornia

ac fel cyflwynydd, cawn ddilyn cwrs A.F.F. (cwrs awyrblymio). Yn y dull hwn o awyrblymio mae'r disgybl yn syrthio'n rhydd, ar y naid gyntaf un, o 13,000 troedfedd gyda dau hyfforddwr yn gafael ynoch. Yna, wrth i'r cwrs fynd yn ei flaen, yn neidio gydag un hyfforddwr yn unig; yna gydag un yn neidio o fewn cyrraedd ac yna ar eich pen eich hun. Yr oedd y dull hwn yn llawer mwy dymunol a chyffrous na'r hen ddull llinell statig a ddysgais yn Kidlington, ugain mlynedd ynghynt. Pan neidiais gyda pharasiwt am y tro cyntaf yn 1961, yr oedd y parasiwt mewn pecyn gweddol fawr ar fy nghefn a pharasiwt argyfwng wedi ei glymu am fy nghanol. Erbyn heddiw, mae'r ddau barasiwt mewn un sach fechan ar y cefn, bron yn hanner y pwysau. Hefyd, mae'r campau sy'n cael eu gwneud yn yr awyr heddiw yn anhygoel o'u cymharu â'r hen amser.

Y flwyddyn ganlynol, dychwelais i Perris a chofrestru i wneud sawl naid ychwanegol. Neidiwn gan ddefnyddio parasiwt triongl o'r enw *Terrodactyl* gyda rhai nodweddion dychrynllyd. Weithiau, wrth agor ar 2,500 troedfedd, byddai'n hedfan ar yn ôl a rhaid oedd ei atal er mwyn newid cyfeiriad. Problem arall gyda'r parasiwt hwn oedd y gallai'r llinynnau tenau fod wedi drysu wrth agor ac felly byddai angen lluchio'r corff o un ochr i'r llall er mwyn unioni'r anrhefn. Gallwch ddeall fy rhyddhad pan ganiataodd yr hyfforddwr imi neidio gyda pharasiwt modern, sgwâr. Hedfanai'n llawer cynt na'r hen un triongl ac yr oedd yn fwy diogel mewn dwylo profiadol. Aeth popeth yn iawn ar y tair naid gyntaf ond ar y bedwaredd, neidiais o 13,000 troedfedd gan agor y parasiwt ar 2,500. Oherwydd safle gwael y corff mae'n debyg, agorodd y parasiwt gyda'r llinynnau yn un anrhefn llwyr. Yn anffodus, ni chefais faddeuant gan y parasiwt hwn a dechreuodd siglo'n wyllt a'm taflu'n wyllt o gwmpas. Wrth ganolbwyntio ar ddadwneud dryswch y rhaffau, anghofiais y cyfan a ddysgais am gadw golwg ar yr uchder – ystyriaeth ddiogelwch hollbwysig wrth gwrs. Wrth dalu sylw i'r altimedr, yn ôl y rheolau, os na fyddwn i wedi dadwneud y rhaffau erbyn imi syrthio i 1,500 o droedfeddi, yna byddai'n rhaid cael gwared â'r prif barasiwt a thynnu handlen i agor y parasiwt argyfwng.

Wrth geisio dadwneud y rhaffau, sylwais ar yr altimedr a gweld 1,000 troedfedd arno ond gyda'r adrenalin yn llifo'n wyllt wnes i ddim sylweddoli maint y perygl. Yna, gwelais y ddaear yn dod tuag ataf ar garlam. Gan fy mod yn rhy isel i gael gwared o'r prif barasiwt tynnais ar handlen y parasiwt argyfwng gan obeithio na fyddai'r prif barasiwt yn rhwystro'r llall rhag agor. Wrth i'r parasiwt argyfwng ddal yr aer, dyma daro'r ddaear ar gyflymdra o tua 50 milltir yr awr a thrwy ryw ryfedd wyrth, arbedwyd fy mywyd gan un siawns mewn miliwn – glaniais ar lethr ar ochr camlas gorlifo a lliniarwyd fy nghodwm wrth imi lithro i lawr yr ochr. Credai'r awyrblymwyr eraill fy mod wedi marw. Dychmygwch eu syndod, felly, wrth fy ngweld yn cropian o wely sych y gamlas yn ddianaf heblaw am ambell glais ac wedi fy ngorchuddio â llwch. Petawn wedi syrthio ddwy droedfedd i un ochr, byddwn wedi taro tir caled; ddwy droedfedd i'r cyfeiriad arall yr oedd gwely caled y gamlas – byddai'r ddau wedi bod yn ddigon i'm lladd. Cefais fy ngalw gerbron cyfarwyddwr y lle glanio i gael darlith go iawn am fy nghamgymeriad hurt ac am roi dipyn o fraw i bawb arall. Bygythiodd fy rhwystro rhag neidio. Er fy mod wedi cael ysgytiad meddyliol, yr oeddwn yn benderfynol o roi'r epig y tu cefn i mi a dal ati.

Bedair awr yn ddiweddarach, neidiais unwaith eto. Wrth gymdeithasu yn y bar y noson honno, daeth fy nghyd-

awyrblymwyr ataf i'm cyffwrdd er mwyn cael lwc ac i dynnu
fy nghoes drwy ddweud, yn nhraddodiad y parasiwtwyr, fod
unrhyw naid y cerddwn oddi wrthi yn un dda. Ond gwers a
ddysgais drwy gamgymeriad oedd hi a bûm yn lwcus iawn.
Addewais i mi fy hun y byddwn yn tynnu'r parasiwt
argyfwng ar yr uchder iawn mewn unrhyw argyfwng yn y
dyfodol. Yn aml iawn wrth ddringo, ceir amser i ddatrys
problem ond wrth awyrblymio, gall problem ddigwydd wrth
i chi syrthio ar gyflymdra o 120 milltir yr awr a dim ond
eiliadau ar ôl cyn taro'r ddaear.

Un tro, yr oeddwn yn neidio yn Packenham ger
Melbourne. Rhoddais fy enw ar y rhestr ac fe'm hysbyswyd
y byddwn yn cael neidio ymhen rhyw hanner awr. Yn sydyn,
gwaeddodd y rheolwr neidio arnaf i wisgo'r parasiwt gan fod
lle ar yr awyren a oedd ar gychwyn ymhen pum munud.
Gafaelais yn fy offer a rhuthro ar fwrdd yr awyren. Dringodd
hyd at 10,000 troedfedd ac ar yr uchder hwnnw neidiais,
syrthio'n rhydd am hanner munud ac ar 2,000 troedfedd,
dyma estyn am handlen y parasiwt. Ond doedd hi ddim yno!
Gan geisio rheoli fy mhanig, chwiliais ym mhobman
amdani. Ar y trydydd tro, deuthum o hyd iddi a thynnu'r
parasiwt allan. Erbyn hyn, 1,000 troedfedd oedd yr uchder a
minnau eiliadau'n unig o gael fy lladd. Ar ôl glanio,
sylweddolais beth oedd wedi digwydd. Yn fy mrys i fynd ar
yr awyren, nid oeddwn wedi tynhau'r harnais yn ddigon tyn
felly yr oedd pac y parasiwt wedi symud rhywfaint a dyna
pam na allwn ganfod yr handlen. Camgymeriad bychan ond
un a allai fod wedi fy lladd. Digwyddodd rhywbeth tebyg i
Jan Davis o'r Unol Daleithiau ar El Capitan yn 1999 ond y
tro hwnnw ni fu mor lwcus â mi a bu farw.

Oherwydd y busnes yn Nhremadog a'm gyrfa ddringo,
ni lwyddais i awyrblymio rhyw lawer iawn yn ystod y

blynyddoedd wedyn, dim ond ambell naid yma ac acw. Bu gennyf ddiddordeb yn y gamp ar hyd fy mywyd ond ni lwyddais i'w meistroli'n iawn, ond daliaf i'w mwynhau, hyd eithaf fy ngallu.

* * *

Credir mai *NASA* yn yr Unol Daleithiau a ddyfeisiodd gamp paragleidio. Ym 1971, dechreuodd yr Americanwr Steve Snyder gynhyrchu a gwerthu'r paragleidars cyntaf. Ar ôl bod â diddordeb mewn parasiwtiau ers pan oeddwn yn blentyn, pan ddaeth paragleidio'n boblogaidd yn y 1980au yr oeddwn yn awyddus i roi cynnig arni.

I'r gwyliwr cyffredin, gall paragleidio ymddangos yn ddull hawdd o hedfan ond coeliwch chi fi, gall fod yn frawychus ac yn beryglus mewn tywydd anffafriol. Ni allaf feddwl am yr un paragleidiwr na chafodd ddamwain neu ddod yn agos iawn at gael un. Fe roddodd amryw o ddringwyr a ddechreuodd baragleidio y gorau iddi oherwydd y peryglon.

Bûm yn dringo ac yn awyrblymio am dros ddeugain mlynedd heb gael anafiadau difrifol – heblaw am ewinrhew – ond torrais fy nwy goes tua milltir o'm cartref wrth baragleidio. Wedi dweud hynny, fy mai i oedd y ddamwain. Wrth edrych ar chwaraeon antur, ar y cyfan ychydig iawn o ddamweiniau a geir o ganlyniad i nam ar yr offer – blerwch dynol yw'r rheswm bron bob tro.

Roedd Phil Brown, dringwr ac awyrblymiwr o ganolbarth Lloegr wedi bod yn defnyddio'i barasiwt i geisio paragleidio. Wedi gwneud tua hanner dwsin o neidiadau o copaon Eryri. Roedd felly wedi dod yn arbenigwr dros nos! Oherwydd hynny, un diwrnod dyma'r ddau ohonom i ffwrdd am fwlch Llanberis. Gosododd Phil a minnau ein parasiwtiau ar lethr y Grib Goch. Gan mai fo oedd yr arbenigwr, fi oedd i fynd gyntaf, dan ei gyfarwyddyd. Gan na chynlluniwyd fy mharasiwt awyrblymio ar gyfer paragleidio, yr oedd yn rhaid cael awel go gryf i'w lansio. Dywedodd Phil y byddem yn aros am chwythiad go gryf ac yna, i mi rhedeg fel y diawl! Nid oeddwn i'n hapus gyda hyn am nad oedd gennym ond rhyw 25 troedfedd i lansio, a'r tu hwnt i hynny gwelwn lawer o gerrig miniog annifyr yn aros amdanaf pe na bawn yn codi i'r awyr. Yr oedd hyn yn ddigon brawychus ond gan ddefnyddio fy llais 'dewraf', dywedais wrth Phil am ddweud wrthyf pryd i fynd.

Ychydig funudau wedyn, daeth ei orchymyn i fynd. Rhedais cyn gyflymed ag y gallwn. Daeth y cerrig miniog yn nes ond ar y funud olaf, cododd y parasiwt fi'n glir, o drwch blewyn, ond cyn gallu ymlacio, ymddangosodd y rhwystr nesaf o'm blaen, sef Craig Rhaeadr. Credwn nad awn heibio ei chopa ac yr oeddwn rhwng dau feddwl a ddylwn geisio glanio arni yn hytrach na'i tharo a syrthio 300 troedfedd i lawr y clogwyn. Penderfynais fynd amdani, gan godi fy nghoesau cyn uched â phosibl a'i chlirio o fodfeddi. Bu gweddill y daith yn ddigyffro ac ymhen dim o dro, glaniais wrth ochr y ffordd ger Pont y Gromlech. Ychydig funudau'n ddiweddarach, glaniodd Phil wrth fy ochr. Fe'i cofleidiais a rhoi siocled Mars iddo am ei drafferth, cyn mynd yn ôl i fyny er mwyn gwneud yr un peth eto.

Yn ogystal â pharagleidio, gwerthai Stuart Cathcart, ffrind a pherchennog siop nwyddau antur o'r Amwythig, baragleidars. Cynigiodd werthu un i mi ond dywedais wrtho nad oedd arnaf angen un gan fy mod yn defnyddio fy mharasiwt i wneud y ddau beth – awyrblymio a pharagleidio. Ond fel gŵr busnes da, daeth ataf rai wythnosau'n ddiweddarach gyda pharagleidar i mi roi cynnig arni. Unwaith y cychwynnais arni, sylweddolais fod gwahaniaeth mawr rhyngddi a'r parasiwt a ddefnyddiwn i. Ar fy mharasiwt, yr oedd y daith i lawr o gopa'r mynydd i'r gwaelod yn gyflym iawn ond gyda'r paragleidar, gallwn deithio ar hyd ochr y mynydd; gallwn hyd yn oed ddringo yn yr uwchwynt. Gwirionais arni gan ffonio Stuart wedi i mi lanio a dweud y byddwn yn ei phrynu.

Yn sydyn, aeth dringo ac awyrblymio i'r cefndir – paragleidio oedd pob dim a daeth edrych ar ragolygon y tywydd ar y teledu yn holl bwysig, gan ganolbwyntio ar gyfeiriad a chyflymdra'r gwynt er mwyn penderfynu ym mha ran o Eryri y byddwn yn hedfan y diwrnod canlynol. Wrth ddod yn dipyn o feistr ar y gamp, neu felly y credwn, deuthum yn or-hyderus a difater – prif achosion damweiniau bron ym mhob un o'r chwaraeon antur. Un diwrnod, wrth neidio oddi ar Graig y Castell yn Nhremadog, yr oedd y gwynt yn dod yn syth o gyfeiriad y môr ac yn hwyluso'r broses o hedfan.

Wrth redeg cyn hedfan, nid oedd y paragleidar wedi sefydlogi fel y dylai ond nid oeddwn yn rhagweld problem. Unwaith y codwn, gan fagu mwy o gyflymdra, byddwn yn iawn. Camgymeriad. Pan godais i'r awyr, caeodd hanner y paragleidar am nad oedd digon o aer ynddi a chan fy mod mor agos at y clogwyn, nid oedd amser i ail-lenwi'r ochr oedd wedi syrthio. Yn y cyflwr hwn, dechreuodd y cwbl droelli. Gan fy mod mor agos at y clogwyn fedrwn i wneud dim er mwyn atal y gwymp. Ymhen eiliadau, gwelais y clogwyn a'r coed yn rhuthro tuag ataf. Yn reddfol, ymestynnais fy nhraed o'm blaen i arbed gweddill fy nghorff a phlymio, gyda'm traed yn gyntaf, i'r coed bach ar ochr y clogwyn. Gan fod Gareth Davies, warden lleol y Parc Cenedlaethol, gerllaw, abseiliodd i lawr tuag ataf. Yr oeddwn mewn cryn boen ac yn amau fy mod wedi torri fy nwy ffêr wrth iddynt daro'r clogwyn. Penderfynwyd mai'r ffordd orau i'm cael oddi yno fyddai i mi glymu fy hun wrth harnais Gareth, cael dwy raff yn hongian i lawr o ben y clogwyn ac i'r ddau ohonom ddringo'r rhaffau ochr yn ochr. Yr oeddwn yn ddiolchgar iawn fod Gareth a rhai o'i gyfeillion yno i'm cael yn ôl i ben y clogwyn. Oddi yno, gallwn gropian i gar cyfaill er mwyn iddo fy ngyrru i Ysbyty Gwynedd cyn gynted â chyda cyn lleied o stŵr phosibl.

Fe achosodd yr hyn a ddigwyddodd nesaf gryn embaras i mi. Yr oedd rhywun o'r pentref wedi sylwi ar baragleidar yn taro wyneb y clogwyn ac wedi galw'r gwasanaethau argyfwng. Cyn pen dim, clywyd swn seirenau dros y lle gyda phlismyn, dynion ambiwlans a dynion tân yn ymddangos ar ben y clogwyn. Safai un dyn tân yn agos iawn at ymyl y clogwyn ac fe waeddodd Gareth arno fod pob dim dan reolaeth ac y dylai symud yn ei ôl rhag ofn iddo gael codwm. Atebodd y dyn tân mai fo oedd y Prif Swyddog Tân ac na ddylai Gareth siarad ag ef yn y fath fodd. Pe na bawn mewn cymaint o boen, byddai gweld dau was sifil yn ffraeo ynglŷn â'm hachub i wedi dod â gwên fawr i fy wyneb!

Diolch i ddyfalbarhad Gareth, llwyddasom i ddringo'r rhaffau i ben y clogwyn ond wrth gyrraedd, teimlais fwy o gywilydd fyth. Cyrhaeddodd hofrennydd o'r Fali a hwnnw aeth â mi i Fangor. Wedi cael tynnu lluniau pelydr X yn yr ysbyty, dywedodd y meddyg wrthyf fy mod wedi gwasgu esgyrn fy sodlau – yr un dde yn ddrwg iawn – ac yn ei farn ef, ni fyddwn yn gallu cerdded y mynyddoedd yn y dyfodol.

Ar ôl cymryd rhan mewn chwaraeon antur am gynifer o flynyddoedd, a hynny'n ddi-ddamwain i raddau helaeth, yr oeddwn wedi gwylltio â fi fy hun am fod mor ddifater. Awgrymodd un o'm hymwelwyr yn yr ysbyty na ddylswn hedfan wedyn. Atebais na fyddwn yn ystyried rhoi'r gorau iddi os oedd fy nghorff yn caniatáu imi ddal i wneud hynny.

Chwe mis yn ddiweddarach, hedfanais oddi ar gopa Babadag, mynydd 6,000 troedfedd yn Nhwrci. Flwyddyn yn ddiweddarach, dychwelais i Dwrci er mwyn cyfuno dau o'm hoff weithgareddau. Cyn belled ag y gwyddwn, nid oedd neb erioed wedi neidio oddi ar ei baragleidar ei hun ac awyrblymio. Canolfan wyliau ar lan morlyn glas yn Nhwrci yw Olu Deniz gyda mynydd Babadag yn esgyn 6,000 o droedfeddi y tu ôl iddo ac yn berffaith ar gyfer paragleidio. Er mwyn ymarfer, aeth Bob Drury – ffrind i mi a oedd yn beilot paraglider tandem – a minnau i gopa Babadag i hedfan gyda'n gilydd.

Er mwyn codi gyda pharagleidar, mae'n rhaid rhedeg i gychwyn ac unwaith y byddwch wedi codi, eistedd yn ôl yn y sedd. Y broblem y tro hwn oedd y parasiwt ar fy nghefn a olygai nad oedd lle i'm corff ar y sedd, gyda phwysau fy nghorff ar y strapiau coesau. Os na allwn eistedd, fe fyddai'n amhosibl datod y strapiau er mwyn neidio. O'r diwedd, gyda Bob yn gafael yn fy harnais o'r cefn a rhoi plwc go lew, llwyddais i eistedd. Hedfanodd y ddau ohonom dros draeth Olu Deniz ac ar ôl cael arwydd gan Bob, datgysylltais y strapiau a chyda 3,000 o droedfeddi oddi tanaf, neidiais oddi ar y paragleidar. Wrth syrthio, troais ar fy nghefn i wylio Bob. Ar ôl eiliad sigledig yn dilyn fy nghwymp, yr oedd y paragleidar wedi dod yn ôl i drefn. Syrthiais yn rhydd am ryw wyth eiliad, troi i wynebu'r traeth a ddeuai ataf ar gyflymdra o 120 milltir yr awr ac agor y parasiwt i lanio ar y tywod.

Ddeuddydd yn ddiweddarach, codais yn fy mharagleidar fy hun ac er cael yr un drafferth wrth eistedd, llwyddais yn y diwedd. Y broblem wedyn oedd y paragleidar heb beilot – lle fyddai hwnnw'n glanio? Ofnais y byddai'n taro gwifrau trydan uwchben Olu Deniz ac yn gadael y pentref heb drydan – rhywbeth na fyddai yn fy ngwneud yn boblogaidd iawn! felly, ar ôl sgwrsio gyda Jocky Sanderson a redai ysgol baragleidio yno, penderfynwyd y byddwn yn neidio uwchben y môr lle byddai yntau'n aros mewn cwch i ddal y paragleidar.

Hedfanais oddi ar y mynydd ac uwchben ei gwch, agorais yr harnais a neidio. Profiad anhygoel, disgyn yn rhydd am rai eiliadau. Agor y parasiwt ac wedyn hedfan yn hamddenol am rai munudau cyn glanio ddecllath o far y traeth. Gwelais y paragleidar yn troelli tuag at gwch Jocky. Rhaid oedd darbwyllo rhai gwylwyr cyfagos i beidio galw'r gwasanaethau brys gan ddweud wrthynt nad oedd neb ar y paragleidar a welsant yn syrthio i'r môr.

Y flwyddyn ganlynol, dychwelais i Olu Deniz, y tro hwn er mwyn mynychu cwrs i ymgyfarwyddo â threfn argyfwng. Er bod modd dysgu popeth angenrheidiol o lyfrau a fideos, rhaid oedd profi llif yr adrenalin er mwyn deall amcan y cwrs. Yn dilyn cyfnod yn yr ystafell ddosbarth, hedfanais oddi ar Babadag a thros y môr lle'r arhosai Jocky mewn cwch. Dros y radio, rhoddodd gyfarwyddiadau imi sut i wneud rhai symudiadau, troelli ac ati, a sut i ddod allan o symudiadau argyfyngus. Er bod y rhain yn sesiynau blinedig ac eithaf brawychus, llwyddais i fagu hyder yn fy sgiliau i reoli'r paragleidar pe digwyddai unrhyw argyfwng.

Dros y blynyddoedd, cefais sawl hedfaniad gwych yn yr Alpau a'r Unol Daleithiau. Profiad bythgofiadwy yw hedfan yn y mynyddoedd uchel, gan deimlo'n un â natur wrth hedfan yn rhydd a chael golwg gwahanol ar y mynyddoedd, a minnau wedi treulio cyfnodau cofiadwy a phrofi llwyddiannau ar nifer ohonynt. Un o'r teithiau gorau oedd yr un nid nepell o'm cartref, oddi ar yr Wyddfa. Meddyliais y byddai'n brofiad cael gweld y milflwyddiant yn gwawrio ar gopa ein mynydd uchaf. Felly, yn oriau mân bore cyntaf y flwyddyn 2000, cariais drigain pwys o baragleidar a dillad cynnes ar y daith hir i fyny'r Wyddfa. Erbyn cyrraedd Bwlch y Moch (nid y caffi yn Nhremadog), dechreuodd golau'r lamp ar fy helmed bylu. Dyna wirion, nid oedd gen i fatris sbâr. Petai'r golau'n diffodd, fedrwn i byth gyrraedd y copa cyn iddi wawrio. Ar yr union adeg, aeth pâr ifanc heibio i mi ar eu ffordd i weld y gwawrio. Yn hytrach na chyfaddef fy ngwiriondeb, meddyliais y gallwn gerdded y tu ôl iddynt ond yn anffodus, yr oedd y ddau yn heini ac yn cario sachau ysgafn ar eu cefnau. Llwyddais i'w canlyn ond erbyn cyrraedd y copa, yr oeddwn bron ar fy ngliniau ac yn laddar o chwys.

Gwisgais fy nillad sbâr a'r siwt hedfan gan eistedd ar y copa i ddisgwyl am y gwawrio yn yr oerfel. Yr oedd tua phymtheg ohonom yno a phawb yn aros gyda'n camerâu er mwyn cofnodi toriad gwawr y milflwyddiant newydd. Pan ddaeth, yr oedd yn wefreiddiol. Gyda rhimyn tenau o gymylau uwchben mynyddoedd y Berwyn i'r dwyrain, cododd yr haul dros y rhimyn cymylau a dechreuodd pawb gymeradwyo a thynnu lluniau, cofleidio, ysgwyd llaw a chytuno ei fod yn werth chweil. Ar ôl rhyw hanner awr yn cynhesu, dringais i lawr ychydig o'r copa at le addas, agor y paragleidar, dringo i'r harnais ac yn sŵn cymeradwyaeth y lleill, i ffwrdd â mi. Nid oedd y daith ei hun yn ddim byd arbennig, dim ond hedfan i lawr i Ddyffryn Gwynant, ond yr oedd y profiad a'r achlysur yn anhygoel.

Gobeithiaf allu parhau i baragleidio am gyn hired â phosibl. Pleser y peiriant hedfan hwn yw y gellir ei gario ar eich cefn a hedfan fel aderyn uwchben ac ynghanol y mynyddoedd – profiad arbennig ac unigryw.

* * *

Cafodd neidio *BASE* ei gydnabod fel camp yn y 1980au cynnar o dan ddylanwad yr Americanwr Carl Boenish. Bu cryn drafod ymysg Carl a'i ffrindiau beth i alw'r gamp hon o neidio oddi ar wahanol wrthrychau sefydlog, er mwyn gwahaniaethu rhwng hynny a neidio o awyren. O'r diwedd, penderfynwyd ei alw'n neidio *BASE*, sef llythrennau cyntaf y geiriau Saesneg am adeiladau, mastiau, rhychwant (pontydd) a daear (clogwyni): *Buildings, Antennas, Spans, Earth.*

Yn ystod y blynyddoedd cynnar, ni châi'r gamp ei chydnabod yn swyddogol am fod neidio o adeiladau, mastiau a phontydd yn anghyfreithlon. Cyhoeddodd y Gymdeithas Barasiwt Genedlaethol fod y gamp yn anghyfreithlon, gan fygwth diarddel aelodau o'r Gymdeithas petaent yn cael eu dal yn neidio fel hyn – canlyniad hynny wedyn fyddai methu cael caniatâd i awyrblymio. Ond daeth yn gamp yn fwyfwy poblogaidd ac ymhen hir a hwyr, synnwyr cyffredin a orfu a daeth y Gymdeithas i sylweddoli fod neidio *BASE* yn gamp hollol wahanol. Erbyn heddiw caiff y gamp ei chydnabod yn rhyngwladol, gyda chwmnïau ledled y byd yn cynhyrchu offer a chynnal cyrsiau yn benodol ar ei chyfer.

Yr un fath â phopeth arall yn fy mywyd, dechreuais neidio *BASE* mewn oedran pan fyddai'r rhan fwyaf o neidwyr wedi'r rhoi'r gorau iddi. Wrth weithio ar y gyfres ddogfen *Pushing the Limits* gyda Leo yn 1983, yr oedd un rhaglen ar neidio parasiwt a minnau'n cyflwyno'r fersiwn Gymraeg ar gyfer S4C. Yn Perris, Califfornia y ffilmiwyd hi ac yn ystod ein harhosiad, deuthum i adnabod cymeriad diddorol iawn o'r enw Ralph Eidem Jr. a oedd newydd ddechrau awyrblymio. Trwy Ralph y deuthum i adnabod Moe Villeto, awyrblymiwr a pharasiwtydd profiadol, yn fach o gorff ond yn gyhyrog ac yn un o'r awyrblymwyr gorau yn yr Unol Daleithiau.

Ar drydydd dydd Sadwrn pob mis Hydref yn New River Gorge, West Virginia, cynhelir 'Dydd y Bont' pan fydd neidio *BASE* oddi ar y bont 870 troedfedd dros New River yn gyfreithlon. Perswadiodd Ralph ei gyfaill Moe i fynd yno i neidio a dyna'r trobwynt yn ei fywyd. Daeth yn gaeth i'r gamp gan neidio bob wythnos wedyn oddi ar glogwyni, adeiladau, pontydd a mastiau a bûm yn dilyn ei hanes gydag eiddigedd. Yn ystod fy mywyd, ceisiais gael cynifer o wahanol brofiadau â phosibl a dyna pam y gofynnais i Moe a allwn i roi cynnig ar neidio *BASE* am fod gennyf ychydig brofiad o awyrblymio. Yng nghwmni Ralph a Moe, cefais wahoddiad i dŷ Carl Boenish yng Nghaliffornia. Carl a'i wraig Jean oedd prif arloeswyr y gamp newydd hon. Gŵr poblogaidd a digon digynnwrf oedd Carl, yn awyddus i gyfleu ei wybodaeth am y gamp beryglus hon. Ar ôl dangos ambell fideo o sawl naid gynnar a wnaeth o adeiladau ac oddi ar fynydd El Capitan, a neidiodd ac a ffilmiodd ym 1978, ac ar ôl mwy nag un gwydraid o win, aethom allan a dringo ysgol ugain troedfedd uwchben ei garej. Gyda dau ar yr ysgol ar yr un pryd, siglai'n ddigon anghyfforddus. Yn llawn brwdfrydedd, dringodd Carl i ben yr ysgol gan gyfeirio at nifer o adeiladau yng nghanol Los Angeles yr oedd o wedi neidio oddi arnynt. Yr oedd o hefyd wedi bod yn gweithio ar nifer o ffilmiau ac fe gredai y gellid datblygu parasiwt pwrpasol er mwyn i neidwyr dibrofiad allu dianc mewn argyfwng o adeiladau uchel oedd ar dân. Tristwch yw nodi bod Carl wedi marw wrth neidio oddi ar y Troll Wall yn Norwy ym 1984 ac yntau ond yn 43 oed.

Yr ymarfer gorau ar gyfer neidio *BASE* yw neidio o falŵn. Wrth neidio allan o awyren, yr ydych yn syth i wynt 80 neu 90 milltir yr awr sy'n rhoi'r gwasgedd aer angenrheidiol er mwyn rheoli'r corff. Wrth neidio oddi ar rywbeth sefydlog, yr ydych yn cychwyn heb ddim cyflymdra ac felly mae safle'r corff, yn enwedig ar naid isel, yn holl bwysig. Gan fod neidio o falŵn (sydd yn symud ar yr un cyflymder â'r gwynt) yr un fath â neidio oddi ar rywbeth sefydlog, mae'n ddelfrydol i ymarfer neidio *BASE*. Neidiais amryw o weithiau allan o falŵn yng Nghaliffornia cyn imi feddwl am wneud naid *BASE*.

Pan nad oes balŵn ar gael, dull arall o ymarfer yw neidio i ddŵr a dyma fu'r cynllun pan ddaeth Moe a Ralph i Gymru ar y daith *BASE* drwy Ewrop. Ym mhwll nofio Pwllheli y buom yn ymarfer. Rhaid dysgu neidio ar ongl o 45° er mwyn syrthio'n ddiogel, felly un noson, neidiai Ralph a minnau oddi ar ymyl y pwll i'r dŵr o dan gyfarwyddyd Moe. Gan fod Ralph yn llawer trymach na mi, pan laniodd yn y dŵr fe greodd don mor fawr nes i'r plant ym mhen arall y pwll fod mewn perygl o gael eu hysgubo allan. Cadwai'r dyn achub lygad barcud arnom, gan geisio deall beth oeddem yn ei wneud ac ar ôl i Ralph neidio unwaith neu ddwywaith, daeth atom. Ceisiodd Ralph egluro beth oedd pwrpas ein 'giamocs' ond yn amlwg gan nad oedd yn deall, dywedod 'Beth bynnag rydych chi'n wneud, rhowch y gorau iddi a cerwch o'ma'! Felly, daeth y sesiwn ymarfer i ben ac ymlaen â ni am Ewrop!

Ym 1986 y cafwyd y syniad o wneud taith Ewropeaidd i'r 'Tîm' – sef neidio *BASE* yn yr Alpau. Dyma brofiad blaenorol aelodau'r tîm: Moe Villeto – cannoedd o

neidiadau; Ralph Eidem – un naid ac yn llawn hyder; ac Eric
Jones – dim un naid ond yn barod i ddysgu. Dyma gyrraedd
Grindlewald yn y Swistir gyda Moe yn chwilio am safleoedd
addas i neidio ohonynt. Ar ôl treulio rhai dyddiau yn yr
ardal, derbyniodd Ralph newyddion drwg a bu'n rhaid
iddo ddychwelyd i Galiffornia. Gyda thristwch o fod wedi
colli cwmni ein cyfaill, aeth Moe a minnau am yr Eiger.
Cytunais i roi gwersi dringo iddo ac yntau'n fy nysgu i neidio
BASE.

Dringwyd i fyny'r ochr orllewinol gan gyrraedd y copa
ymhen pum awr. Wrth ddod i lawr, daliem i edrych am safle
neidio posibl. Tua rhan isaf y grib, sylwodd Moe ar ordo
mawr a fyddai'n ddelfrydol ond byddai'n rhaid abseilio i
lawr tua 200 troedfedd at y man neidio. Dau ddiwrnod
wedyn, roeddem yn ôl, y tro hwn gyda pharasiwtau. Yn
sydyn, fe'm trawyd gan anferthedd yr hyn y bwriadwn ei
wneud. Am chwarter canrif bûm yn dringo mynyddoedd
dros y byd i gyd gyda'r nod o beidio cael codwm. Cyn fy
neidiadau awyrblymio, dioddefwn o'r 'bledren lac' neu'r
angen i bi-pi yn aml; erbyn hyn, yn sydyn iawn, y pen arall
oedd y broblem! Yr unig ymarfer a gefais fu neidio i'r pwll
nofio ym Mhwllheli ac ambell naid o falŵn – ond rŵan, mater
arall oedd hi gyda Kleine Scheidegg ac Alpiglen yn bell oddi
tanaf ac edifarhawn na fyddwn wedi bodloni i ddringo ar fy
mhen fy hun, disgyblaeth yr oeddwn yn hen law arni.

Ar ôl 'datod clos' y tu ôl i graig gyfleus, trefnais y rhaffau
er mwyn abseilio. Yn dilyn dwy abseil o 100 troedfedd,
cyrhaeddwyd silff oedd wedi ei gorchuddio â rhew, felly
cliriais y rhew gyda fy nghaib er mwyn paratoi lle addas i
neidio oddi arno. Dywedodd Moe y byddai'n neidio gyntaf
ond mynnais gael gwneud hynny gan fod yr Eiger yn fynydd
mor arbennig i mi. Onid oeddwn wedi treulio gymaint o

amser yn gwneud dwy ffilm arno? Felly, pan ddaeth hi'n bryd neidio, archwiliodd Moe fy mharasiwt gan fy atgoffa sut i neidio. Yn rhyfedd iawn, teimlwn yn ddigon tawel fy meddwl, fel petai'r ofnau mewnol bellach wedi derbyn yr hyn yr oeddwn am ei wneud ac yn dymuno fy nhawelu er mwyn imi fedru paratoi ar gyfer goroesi'r naid.

Felly, gan roi cipolwg sydyn dros fy ysgwydd a gwên wan i gamera Moe, neidiais. Profiad newydd sbon, dim byd i'w deimlo am ryw eiliad, fel petawn yn hongian yn yr awyr ac yna, wrth i mi gyflymu, deuthum yn ymwybodol o sŵn y gwynt fel yr oeddwn yn cyflymu. Gan mai naid *BASE* fer oedd hi, ar ôl dwy eiliad o syrthio yr oedd yn rhaid agor y parasiwt. Deuthum yn ymwybodol fod y dolydd Alpaidd yn dod tuag ataf yn gyflym iawn ac yna'n sydyn, clec, a dyma arafu wrth i'r parasiwt agor. Daeth teimlad o fodlonrwydd anhygoel drosof. Gwaeddais yn fy llawenydd wrth imi lwyddo. Yr oeddwn yn teimlo mor fyw. Yn dilyn taith fer o dan y parasiwt, cyrhaeddais y man glanio a drefnwyd ymlaen llaw yn ymyl Kleine Scheidegg. Ddau funud yn ddiweddarach, neidiodd Moe a glanio'n ddiogel. Buom yn cofleidio, gweiddi a dawnsio yn ein hapusrwydd – neu dyna beth wnes i! Nid oeddwn erioed o'r blaen wedi cael profiad tebyg ac un mor wahanol i'r hyn a deimlwn wrth ddringo. Dywedodd un o gyn-chwaraewyr rygbi Cymru wrthyf ryw dro nad oedd yr un teimlad i'w gymharu â rhedeg allan ar y Maes Cenedlaethol o flaen miloedd o bobl. Y funud honno, gallwn ddadlau fod yr hyn a deimlwn i yr un mor angerddol.

Fel plentyn mewn siop fferins, ar ôl cael blas arni, yr oedd yn rhaid cael mwy. Gan fy mod wedi neidio oddi ar glogwyn ac wedi cwblhau'r *E*, dim ond *BAS* oedd ar ôl! Bythefnos yn ddiweddarach, yr oeddwn yng nghartref Moe yn Nyffryn Moreno, Califfornia yn paratoi ar gyfer yr hyn a alwai Moe yn 'bont fach neis' Burro Creek yn niffeithwch Arizona. Y diwrnod wedyn, yn dilyn taith chwe awr mewn car, cefais fy nghip cyntaf ar y bont 320 troedfedd o uchder. Gan ei bod ynghanol yr anialwch, ymddangosai'n lle delfrydol i gyflawni camp anghyfreithlon ond yn anffodus, yr oedd hi'n rhy wyntog ac er ein bod ni wedi aros am ychydig oriau rhag ofn i'r gwynt ostegu, yn y diwedd bu'n rhaid mynd yn ôl i Dde Califfornia heb neidio.

Ar ôl un diwrnod arall yn nhŷ Moe, yn siarad a gwylio fideos neidio *BASE*, edrychais ar Moe a gwenodd yntau, fel petai'n dweud 'dwi'n gwybod be ti'n feddwl'. Felly ymatebais drwy ddweud 'i ffwrdd â ni'. Llwythwyd yr offer yn y car, gyrru drwy'r nos ac erbyn toriad gwawr yr oeddem yn ôl yn ymyl y bont. Y tro yma, nid oedd gwynt ac erbyn toriad gwawr, yr oeddem yn barod i neidio gan fod Moe yn poeni y codai'r gwynt unwaith y byddai gwres yr haul yn taro'r tir anial. Un o'r peryglon mwyaf wrth neidio *BASE* yw'r parasiwt yn agor yn anghywir (i'r chwith y dde neu droi ar ongl o 180°) gan hedfan yn erbyn y safle yr ydych newydd neidio oddi arno. Os digwydd hyn oddi ar bont bydd y parasiwt yn hedfan yn ddiogel o dan y bont.

Gan fy mod yn ddibrofiad a'r bont heb fod yn uchel iawn, cynigiodd Moe ddal y parasiwt bach yn ei law un sydd yn arferol mewn poced fach o dan y pac. Golygai hynny y byddai'r parasiwt mawr yn agor yn gynt a minnau'n gallu canolbwyntio ar y naid. Cerddais ar y platfform a redai ar hyd y bont o dan y ffordd. Er fy mod yn teimlo'n ofnus, yr oeddwn yn benderfynol o neidio. Archwiliodd Moe yr offer, rhoi cynghorion munud olaf ac i ffwrdd â mi. Bron yn syth, clywais glec y parasiwt yn agor ond gan ei fod wedi gwneud hynny ar ongl o 45 gradd i'r dde o'r cyfeiriad cywir, symudwn yn gyflym i gyfeiriad wal y ceunant. Ceisiais droi, sylweddoli na fyddwn yn llwyddo i'w hosgoi ac yna tynnais ar y parasiwt i'w arafu a chyda mwy o lwc na dim arall, glaniais yn berffaith ar silff fechan rhyw gan troedfedd i fyny wal y ceunant. Er fy mod yn teimlo rhyddhad o fod wedi glanio'n ddiogel, dychrynais wrth weld, tua llathen o'm blaen, gactws anferth gyda phigau chwe modfedd o hyd! Bûm yn eithriadol o lwcus na laniais ar ei ben. Dringais yn rhwydd i lawr at lan yr afon ac ar ôl i mi eistedd yno, neidiodd Moe a glanio'n berffaith wrth fy ochr.

Er ein bod wedi cario offer ar gyfer dwy naid, gyda'r ail set yn y car, fy ymateb cyntaf wrth syllu ar y cactws oedd na fyddwn yn neidio'r eildro. Ond buan iawn yr anghofiais hynny ac wrth gofio bod Moe wedi dal fy mharasiwt bach, teimlwn nad oeddwn wedi gwneud naid BASE go iawn gan fod angen cael y cwbl o dan eich rheolaeth eich hun er mwyn gwneud hynny. Erbyn i ni ddringo o'r ceunant, yr oeddwn wedi anghofio fy amheuon a phenderfynais neidio eto. Aethom i nôl parasiwt arall o'r car ac ar ôl ei archwilio a dymuno lwc dda i mi, gofynnodd Moe imi beidio gwneud yr un peth eto rhag ofn iddo gael trawiad! Neidiais, a'r tro hwn aeth popeth yn iawn. Wrth i'r afon ruthro i fyny tuag ataf, agorais y parasiwt a rhyw ddeng eiliad yn ddiweddarach, glaniais yn berffaith ar y lan. Wedi gwirioni'n lân, teithio yn ôl i Galifffornia, ac ar ôl cyrraedd yn ôl i dŷ Moe, yr oedd y cwrw'n blasu'n dda.

Y gamp nesaf fyddai neidio oddi ar adeilad. Dyma'r math mwyaf peryglus o neidio BASE fel arfer am fod llawer o rwystrau, megis adeiladau eraill gerllaw, gwifrau ffôn a thrydan, trafnidiaeth yn y stryd, darnau o dir caeedig a'r posibilrwydd o ganfod eich hun yn y carchar (ar ôl glanio)! Gall gwynt fod yn troelli ac, wrth gwrs, nid gwaith hawdd yw canfod y ffordd i ben yr adeilad bob tro. Dros y blynyddoedd, neidiodd Moe oddi ar lawer o adeiladau uchel, y rhan fwyaf ohonynt yn Los Angeles, ac fe gadwai fy niddordeb mewn modd hwyliog wrth adrodd rhai o'i hanesion llawn menter a dyfeisgarwch. Er mwyn mynd i mewn i adeilad, yn aml iawn byddai ei gyfeillion ac yntau'n gwisgo fel trydanwyr, gwŷr cynnal a chadw neu unrhyw beth arall er mwyn medru cyrraedd to'r adeilad. Nid oeddent yn llwyddiannus bob tro a chawsant eu taflu i'r carchar nifer o weithiau.

Gofynnodd sawl un imi ar hyd y blynyddoedd sut y gallaf gyfiawnhau torri'r gyfraith wrth neidio oddi ar adeiladau. Fy ateb yw fy mod yn derbyn torri'r gyfraith am nad wyf yn anafu na chreu risg i neb ond i mi fy hun. Nid wyf yn gwneud difrod i eiddo a phetawn yn cael fy nal, byddwn yn pledio'n euog gan ddweud wrth y barnwr ei fod yn rhywbeth y dymunwn ei wneud a gofyn am drugaredd!

Yn y cyfnod hwn, byddai Moe a'i ffrindiau yn ymweld â chanol Los Angeles yn ystod y nos tua dwywaith yr wythnos er mwyn canlyn eu brwdfrydedd. Gyda Moe cynlluniais i neidio oddi ar adeilad oedd heb gael ei orffen, un a ddaeth yn ddiweddarach yn adeilad Fox yn Century City, Los Angeles. Daeth yr adeilad hwnnw'n chwedlonol ymysg neidwyr *BASE* pan aeth neidiwr oddi ar yr adeilad am dri o'r gloch un bore ac wedi i'w barasiwt agor, deallodd fod rhywrai'n saethu tuag ato. Heb yn wybod i'r neidiwr, yr oedd Arlywydd yr Unol Daleithiau yn aros mewn adeilad gyferbyn ac nid oedd ei ddynion diogelwch yn hapus iawn pan welsant ddyn wedi ei wisgo mewn dillad du yn hedfan ar barasiwt tuag atynt yng nghanol y nos. Llwyddodd i osgoi'r ergydion cyn cael ei roi yn y carchar.

Ddeuddydd ar ôl dychwelyd o Burro Creek, Arizona

dyma gychwyn am Los Angeles. Yr oedd y strydoedd yn gymharol ddistaw am un o'r gloch y bore a Moe yn adnabod y lle fel cefn ei law. Parciodd ei gar tua hanner can llath o'r adeilad a ddewiswyd gennym. Ar ôl neidio, byddai'n rhaid inni lanio yn y stryd, felly cynghorodd fi ynglŷn â'r peryglon – goleuadau stryd, gwifrau a gwynt yn troelli. Wedi gweld nad oedd neb o gwmpas, dyma godi'r parasiwtiau o'r car a cherdded tuag at yr adeilad. Gan fod yr adeilad ar hanner ei godi, yr oedd wedi ei amgylchynu gan ffens uchel a swyddogion yn gwarchod y safle. Gwyddai Moe am drefn yr adeilad yn dda iawn a llwyddwyd i fynd i mewn heb i'r swyddogion ein gweld. Gall adeilad ar ganol cael ei godi fod yn lle peryglus iawn, yn enwedig yn ystod y nos heb fawr o olau yno ac felly, dringodd y ddau ohonom y grisiau yn araf a gofalus yn y tywyllwch rhag ofn i'r swyddogion ein clywed. Gan ei fod yn adeilad tua deugain llawr, gwaith araf iawn oedd dringo i'w ben. Yn y diwedd, cyrhaeddwyd y llawr uchaf, sef dryswch o sgaffaldiau, blociau concrid a chelfi adeiladu. Yr oedd yr olygfa o'r adeiladau concrid o'n cwmpas yn anhygoel ac fe edrychai'r strydoedd yn fach iawn ac yn bell oddi tanom.

Erbyn hyn, llifai'r adrenalin ac er fy mod wedi neidio oddi ar yr Eiger ac oddi ar y bont yn Burro Creek, profiad gwahanol iawn fyddai'r naid hon. Y lle diogelaf i neidio oddi ar adeilad yw un o'r corneli, gan fod mwy o le i'r parasiwt agor, ond y broblem ar yr adeilad hwn oedd nad oedd wedi ei orffen ac felly wedi ei orchuddio â sgaffaldiau. Dyma Moe yn datrys y broblem drwy osod darn o bren o'r gornel i'r sgaffald.

Aed ati i baratoi ar gyfer y naid, gan deimlo'n ofnus wrth feddwl y byddai'n rhaid glanio yn y stryd ac ar ôl gwneud hynny, efallai y byddwn yn cael fy nhaflu i'r carchar. Cymerodd Moe olwg sydyn ar fy offer a dymuno'n dda i mi ac yna cerddais ar hyd y darn pren i'r sgaffald (ond nid i gael fy nghrogi, chwaith!). Yn llawn adrenalin, dywedais wrth Moe fy mod yn barod i neidio ond gwaeddodd yn uchel 'Paid – mae car plismon yn dod i lawr y stryd!' Yn llawn dychryn a'm coesau'n dechrau crynu, dyma droi'n ôl ar hyd y darn pren at ddiogelwch to'r adeilad. Ofnai Moe na fyddwn yn gallu neidio ond sicrheais ef y byddwn yn iawn. Cerddais o gwmpas y to gan anadlu'n ddwfn a siarad â fi fy hun – techneg a weithiodd lawer tro wrth wynebu problemau ar y mynyddoedd.

Ymhen rhyw ddeng munud, yr oeddwn yn teimlo y gallwn neidio. Euthum allan eto ar hyd y darn pren, archwilio'r stryd am draffig ac wedi anadlu'n ddwfn unwaith neu ddwywaith, neidiais. Ar ôl syrthio am ddwy eiliad, agorais y parasiwt ac fe agorodd gyda chlec gan arafu fy nghwymp. Y broblem oedd fy mod yn mynd i gyfeiriad yr adeilad ar draws y stryd, a hynny'n gyflym iawn. Tynnais ar y parasiwt gan ei droi nes fy mod yn hedfan i lawr y stryd. Gan fod yr adeiladau mor agos, cawn argraff o gyflymder gwahanol iawn i'r hyn a brofais o'r blaen a gwelwn y stryd yn dod tuag ataf yn frawychus o sydyn. Wrth ddisgyn y can troedfedd olaf, teimlwn yn bendant y byddwn yn torri fy nghoesau ar y tar caled. Ar yr eiliadau olaf, llwyddais i arafu'r parasiwt gan lanio gyda phedwar neu bum cam a hynny heb syrthio ar fy hyd ar lawr. Bobol bach, am naid! Cesglais y parasiwt at ei gilydd a rhedeg at gar Moe a oedd wedi ei barcio tua phymtheg llath i ffwrdd. Wrth agor cefn y car, daeth tri dyn croenddu rownd y gornel ac ar yr un pryd, neidiodd Moe a chlywais glec ei barasiwt yn agor, gyda'r sŵn yn atsain oddi ar yr adeiladau. Edrychodd y tri dyn i fyny gan weld y parasiwt du yn agosáu'n gyflym iawn. Dechreuasant weddi gan ryfeddu at yr hyn a welent a meddwl bod y cyffur y buont yn ei gymryd yn eithriadol o gryf am dri o'r gloch y bore! Glaniodd Moe ac ymhen hanner munud, yr oedd ei barasiwt yng nghefn y car ac i ffwrdd â ni ar wib. Wrth ddychwelyd i dŷ Moe, yr oedd y ddau ohonom yn gweiddi a chwerthin. Ni chredaf imi brofi cymaint o wefr erioed.

Y nesaf ar y rhestr oedd El Capitan, llethr serth a gordo ithfaen 3,000 troedfedd yn nyffryn Yosemite, Califfornia. Mae'n enwog ers blynyddoedd ym myd dringo creigiau ac ar ôl i Carl Boenish neidio oddi arno tua 1980, daeth yn boblogaidd gyda neidwyr o bob rhan o'r byd, gan ddenu llawer o dwristiaid hefyd i wylio'r neidio. Er mwyn rheoli'r llif hwn, sefydlodd y Parc Cenedlaethol gynllun gosod caniatâd. Câi chwe unigolyn neidio'n gyfreithlon rhwng chwech a naw o'r gloch y bore cyn i fwyafrif y twristiaid gyrraedd. Fodd bynnag, neidiai llawer mwy yn anghyfreithlon, gyda nifer ohonynt o'r dinasoedd heb fymryn o barch at yr amgylchedd. Taflwyd sbwriel a daeth graffiti yn gyffredin ar y creigiau. Yr oedd ymddygiad criw bach yn difetha'r drefn. Doedd hi ddim yn syndod, felly, i awdurdodau'r Parc roi'r gorau i'r cynllun ddeng wythnos yn unig ar ôl ei gychwyn, gan wneud pob naid yn anghyfreithlon. Ond yr oedd El Cap yn dal i ddenu a pharhaodd y neidio anghyfreithlon dros y blynyddoedd. Cafodd llawer o'r neidwyr eu dal a'u dirwyo'n hallt. Deallai Moe a minnau pam y gosodwyd y gwaharddiad ond anghytunem â'r awdurdodau am wrthod ei godi ar ôl deng mlynedd. Bu Moe yn neidio yno'n aml yn ystod y gwaharddiad ond cadwai'n dawel am y peth a mynd i neidio ar doriad gwawr.

Y prynhawn cyn neidio, dangosodd Moe ein man glanio yn y ddôl o dan y clogwyn. Yn y coed, allan o olwg pawb, gwelsom babell fechan mewn llecyn rhyfedd. Credai Moe mai wardeniaid y Parc a'i defnyddiai i gysgodi wrth aros toriad gwawr er mwyn arestio neidwyr. Ar ôl canfod hyn, euthum yn nerfus iawn. Sylweddolwn na chawn ddod yn ôl i'r Unol Daleithiau, mwy na thebyg, petawn yn cael fy nal. Wrth i'r meddyliau negyddol gasglu yn fy mhen, dechreuais gael teimladau drwg am y naid a chyda chalon drom, bu'n rhaid imi ddweud wrth Moe na ddymunwn neidio. Wrth edrych yn ôl, tybed ai fy ngreddf neu gyfuniad o bryder oherwydd y naid a chael fy arestio wedyn fu'n gyfrifol am y penderfyniad?

Aeth wyth mlynedd heibio cyn imi neidio eto. Gan fy mod yn gwneud pethau eraill megis balŵnio dros Everest, awyrblymio i Begwn y Gogledd a pharagleidio, chefais i fawr o amser i neidio *BASE*. Pan ddaeth Moe i ymweld â Thremadog, aethom i gael golwg ar fast teledu Nebo, sydd tua chwarter awr yn y car o'm tŷ. Ar y diwrnod hwnnw, yr oedd hi'n rhy wyntog i neidio ond wrth i'r blynyddoedd fynd heibio, daliai'r mast i fod yng nghefn fy meddwl fel y naid i'w gwneud er mwyn gorffen pedwaredd disgyblaeth neidio *BASE*.

Ar ddiwedd 1996 a minnau'n awyrblymio yn Perris, Califfornia yng nghwmni Moe, daeth y syniad i geisio neidio oddi ar fast Nebo i ddathlu fy mhen-blwydd yn drigain oed. Gan fod Moe yn arbenigwr ar drefnu a phacio parasiwt *BASE*, paciodd fy mharasiwt cyn imi ddychwelyd adref. Dyddiad fy mhen-blwydd yn drigain oedd Rhagfyr y 27ain ond doedd dim gobaith neidio bryd hynny oherwydd y tywydd gwael yng nghanol y gaeaf. Mae'r mast tri chornel yn 1,023 troedfedd o uchder gyda phum gwifren ar bob cornel yn ei ddal. Er mwyn gwneud y naid mor saff â phosibl, mae'n rhaid i'r gwynt chwythu i lawr y canol, rhwng y setiau gwifrau ar bob cornel. Euthum at y mast ym mis Ionawr a mis Chwefror pan gredwn fod yr amodau'n iawn ond ni fyddai'r cyfeiriad neu gryfder y gwynt yn hollol gywir bob tro.

Ar Fawrth yr 11eg, wrth baragleidio oddi ar Foel Hebog, copa cyfagos, sylwais fod amodau'r gwynt bron yn iawn. Hedfanais yn sydyn i lawr a glanio yn y dyffryn. Byddai'r naid hon yn wahanol i'r rhai cynt am nad oedd fy nhywysydd a'm cyfaill Moe gyda mi. Ffoniais fy nghyfaill Steve Peake a gofyn iddo a fyddai'n gallu dod gyda mi i fyny'r mast i dynnu lluniau. Dyma gyfarfod wrth y mast, dringo'r ffens o'i gwmpas gan gymryd gofal i beidio gwneud difrod iddo a dechrau dringo'r ysgol yng nghanol y mast mil troedfedd. Rhyfeddais o weld pa mor galed oedd hi i ddringo'r ysgol gyda pharasiwt ar fy nghefn.

Wrth i ni orffwys tua hanner y ffordd i fyny'r mast, daeth y ffermwr lleol i'r cae wrth fôn y mast er mwyn bwydo ei ddefaid. Gwyddwn ei fod yn casáu tresbaswyr a phetai'n ein gweld, byddai'n siŵr o alw'r heddlu, felly dyma orwedd yn hollol lonydd ar ein llwyfan bychan gan obeithio na fyddai'n edrych i fyny a'n gweld. Ar ôl pum munud a'r ffermwr yn dal yno, dywedais wrth Steve fy mod am gario ymlaen ac y câi'r ffermwr alw'r heddlu achos doedd ond un ffordd y byddwn yn dod i lawr, a hynny o dan fy mharasiwt. Yn rhyfeddol, ni welodd y ffermwr mohonom ac ymhen ychydig, gadawodd y cae.

Gwyddwn fod yr antena microdon ar ben y mast yn beryglus ac y byddai'n eich rhostio petaech yn mynd yn rhy agos at ben y mast, felly penderfynais neidio o 800 troedfedd, a oedd yn uchder digon parchus. Treuliasom awr ac ugain munud i gyrraedd yr uchder o 800 troedfedd, gan gynnwys dipyn o seibiant wrth ddringo. Gosododd Steve ei gamera gan synnu pa mor frawychus oedd y lle a'r mast yn symud yn y gwynt. Credwn ei fod yn fwy nerfus na mi. Archwiliais fy offer a gobeithio fod popeth yn iawn, er fy mod yn hyderus a chwbl ffyddiog yng ngallu pacio Moe. Dim ond gobeithio y byddai fy sgiliau cyfyngedig innau yn addas i'r hyn oedd o'm blaen. Yr oeddwn wedi bod yn ofni y byddwn yn nerfus cyn neidio, fel o'r blaen, ond yr oeddwn yn hollol dawel fy meddwl. Dywedodd Steve fod ei gamerâu'n barod, felly dringais y tu allan i'r mast, anadlu'n drwm, rhoi rhybudd i Steve a neidio.

O'r fan honno, yr oeddwn saith eiliad a hanner oddi wrth y llawr, felly cyfrais dair eiliad cyn agor y parasiwt tua hanner ffordd i lawr. Agorodd gwaith pacio Moe yn berffaith a hedfanais yn glir o'r gwifrau, troi 180 gradd i'r gwynt a glanio'n ysgafn a didrafferth wrth ochr y defaid. Saith mlynedd a hanner yn dilyn fy naid gyntaf oddi ar yr Eiger, llwyddais i gwblhau'r cyfanswm mawreddog o bum naid *BASE*. Er imi gwblhau'r pedair disgyblaeth (sef y *B.A.S.E.*), prin y gallwn alw fy hun yn brofiadol. Ond mi roedd o'n deimlad braf.

* * *

Ers nifer o flynyddoedd, bu dringwyr yn neidio ar eu rhaffau oddi ar leoedd uchel am hwyl. Wrth wneud hyn yn ddiogel a gofalus, mae'n andros o brofiad nad oes angen sgil – dim ond gollwng gafael a mynd! Yn debyg i neidio bynji, ond gan ddefnyddio rhaffau dringo, daeth yn boblogaidd ymysg dringwyr a fu'n neidio rhwng dwy bont yn Calpe, Sbaen. Yn fuan iawn cafodd y gamp ddi-sgil, llawn adrenalin afael ynof innau hefyd a bûm yn neidio oddi ar Bont Menai ac oddi ar y cebl 'blondin' yn hen chwarel lechi Pen yr Orsedd yn Nyffryn Nantlle.

Yr oedd tri chebl ar draws y chwarel, uwchben twll 300 troedfedd yn y ddaear. Pan oedd y chwarel ar agor, byddai'r wagenni llechi yn cael eu codi o waelod y twll ar olwynion a oedd yn rhedeg ar hyd y cebl uchaf i'r man gwagio. Wrth neidio, defnyddid y cebl uchaf i afael wrth gerdded ar hyd y ddau gebl isaf. Ar ôl cyrraedd y canol, clymid un pen y rhaff 150 troedfedd i'r cebl a'r pen arall i'r neidiwr. Yna, symudai'r neidiwr rhyw ugain troedfedd ar hyd y ceblau cyn neidio.

Neidiais am y tro cyntaf yn Chwarel Pen yr Orsedd gyda Gwyn, fy nghymydog, yn gwylio o ymyl y twll. Ar ôl troedio'n nerfus i'r canol a threfnu'r rhaff yn ddiogel ar y cebl, edrychai'r naid 150 troedfedd yn ddigon brawychus. Ymddangosai ochrau'r twll yn agos iawn a chredwn y byddwn yn taro'r ochr wrth i'r rhaff siglo o ochr i ochr fel pendil cloc wrth imi neidio. Gwaeddais ar Gwyn i gael sicrwydd fod digon o le. Atebodd yntau drwy ddweud bod gennyf ddigonedd o le. Dyma feddwl ei bod hi'n iawn arno fo – nid y fo oedd yn mynd i neidio! Gwasgais fy nannedd, cymryd anadl ddofn, dadfachu fy machyn diogelwch a neidio. Profais y teimlad rhyfeddaf wrth neidio drwy'r aer llonydd, hynny yw, teimlo dim byd am eiliad. Dim sŵn, ac yn debyg i'r hyn a gredwn fyddai'r teimlad yn y gofod, ond yn sydyn, dyma ddod yn ymwybodol o'r cyflymu. Edrychais i lawr a gwelais ddympar wedi ei barcio ar y gwaelod yn dod tuag ataf. Credwn yn siŵr fy mod am ei daro. Yn sydyn, gyda phlwc eithafol, aeth y rhaff yn dynn a chefais fy nhaflu'n syth at ochr y twll. Daliwn i obeithio bod Gwyn yn iawn! Yr un mor sydyn, siglais tuag at ochr arall y twll gyda'm corff yn symud fel pendil ar y rhaff. Nid oeddwn yn nerfus bellach a chawn y teimlad o orfoledd yn dilyn tensiwn y naid. Gwelwn pa mor fawr oedd y twll a chan fy mod yn dal 150 troedfedd o'r gwaelod, yr unig ffordd y gallwn ddod oddi yno fyddai drwy ddringo'n ôl i fyny'r rhaff gan ddefnyddio clampiau, cyn symud ar hyd y cebl i gael fy nhraed ar dir cadarn.

Ychydig wythnosau'n ddiweddarach, dychwelais i'r chwarel yng nghwmni fy nghyfaill Moe Villeto o'r Unol Daleithiau gan fwriadu neidio *BASE* oddi ar y cebl. Cerddodd y ddau ohonom i lawr i waelod y twll er mwyn cael golwg ar y lanfa a gwelsom fod y cwbl yn un llanast o wastraff llechi, tomennydd o rwbel miniog, peryglus a llwybr cul yn rhedeg drwy'r canol. Sylweddolais ei bod yn rhy beryglus i mi. Pe bai'r naid yn uwch, yna byddwn yn ffyddiog y gallwn lanio ar y llwybr ond nid oedd uchder o 300 troedfedd yn ddigon i mi fedru rheoli'r glaniad. Gan fod Moe yn llawer mwy profiadol, penderfynodd y byddai'n mynd amdani. Euthum ar hyd y ceblau gydag ef ond gan ei fod yn fyrrach o lawer na mi, ac wrth i'r cebl ymestyn o dan ein pwysau, yr oedd yn rhaid i Moe hongian o'r cebl uchaf heb i'w draed gyffwrdd y lleill. I ddatrys y broblem, dyma glymu'r tri chebl gyda'i gilydd efo sling fel nad oeddent yn gor-ymestyn. Unwaith y cyrhaeddodd Moe i'r canol, paratôdd i neidio a daliais innau ei barasiwt bach er mwyn sicrhau fod y parasiwt yn agor yn syth. Aeth pob dim yn iawn, agorodd y parasiwt ac fe gafodd Moe lai na deng eiliad i baratoi ei hun ar gyfer y glaniad perffaith ar y llwybr.

Dros y blynyddoedd, neidiais lawer gwaith oddi ar Bont Menai, ar fy mhen-blwydd fel arfer ac yng nghwmni ffrindiau, gyda rhai digwyddiadau digon difyr. Byddem yn cyfarfod yn nhafarn yr *Antelope* wrth y bont ac yn mynd i neidio ar ôl cael tipyn o 'hyder cwrw'. Un tro, y cynllun oedd neidio gyda rhyw hanner dwsin o falŵnau yn sownd i'm corff a gwydraid o siampên yn fy llaw. Wrth neidio, teflais y gwydr i'r awyr. Yn sydyn, clywais andros o glec yn fy nghlust. Beth oedd wedi digwydd? Ai'r rhaff oedd wedi torri?

Oeddwn i wedi cael fy nharo gan y gwydr siampên? Dim byd mor ddramatig. Aeth un o'r balŵnau'n sownd rhwng fy mhen a'r rhaff ac wrth i'r rhaff dynhau, yr oedd y falŵn wedi byrstio yn fy nghlust. Cefais tipyn o fraw a bu hen dynnu coes wedyn!

Un o'm cyd-neidwyr oedd Terry Evans o Wrecsam. Un flwyddyn, dywedodd Terry fod ganddo gyfaill a ddymunai neidio oddi ar y bont, ond yr oedd ganddo broblem – nid oedd y cyfaill yn ddringwr. Gan fod y naid oddi ar Bont Menai dros ddŵr, byddai'n rhaid dringo'n ôl i fyny ar y rhaff. Cafodd gwrs brys gennyf yn Nhremadog er mwyn dysgu sut i ddringo'n ôl ar y rhaff.

Yn yr *Antelope* cyn y naid, dechreuais ailfeddwl ynglŷn â chyfaill Terry. Rhagwelwn y byddai'n cael problemau wrth neidio yn y tywyllwch gyda'r adrenalin yn llifo drwy ei gorff a hefyd wrth geisio dringo'n ôl. Dechreuais gael teimladau amheus am mai fi oedd wedi trefnu'r naid yn y lle cyntaf. Rhagwelwn broblemau a mynegi fy amheuon i Terry. Dywedodd hwnnw wrthyf am beidio poeni gan fod ei gyfaill yn arbenigwr Karate ac yn arbenigwr ar reoli'r meddwl. Llwyddodd i dawelu fy ofnau ac aethom ar y bont.

Fi neidiodd gyntaf ac yna Terry. Y Karate Kid oedd nesaf. Rhoddwyd ef mewn harnais a'i glymu i'r rhaff ac eglurais wrtho'n fanwl sut i neidio. Dringodd dros ganllaw'r bont ond yn lle gwthio ei hun oddi arni, dechreuodd fynd drwy ei baratoadau Karate gan duchan a gweiddi 'O! A!' er mwyn cyflyru ei feddwl. Ddeng munud yn ddiweddarach yr oedd yn dal yno yn mynd trwy'i bethau ac ni lwyddodd i ollwng gafael. Dringodd yn ôl dros ganllaw'r bont gyda golwg flin ar ei wyneb. Ers hynny, bu'r Karate Kid yn destun hwyl i bawb oedd yno'r noson honno ac i bawb a glywodd y stori wedyn!

Pennod 15

MEWN BALŴN DROS EVEREST

Gan mai Everest yw'r copa uchaf ar wyneb y ddaear, mae wedi denu dringwyr yn ogystal â hedfanwyr dros y blynyddoedd. Croeswyd y mynydd mewn awyren am y tro cyntaf ym 1933, ei baragleidio am y tro cyntaf ym 1988 ac yn ddiweddarach, ei groesi gan farcutwr. Felly, yn hwyr neu'n hwyrach, rhaid fyddai ceisio ei groesi mewn balŵn. Criw o Siapan oedd y rhai cyntaf i roi cynnig arni a hynny ym 1990. Gan fod eu balŵn yn rhy fach, achosodd terfysg aer iddynt ddod i'r ddaear ar 18,500 troedfedd. Anafwyd un ohonynt yn ddrwg iawn a buont yn lwcus iawn i beidio cael eu lladd.

Magodd Leo Dickinson ddiddordeb mewn balŵnio aer cynnes, gan groesi'r Sahara ynghyd â rhoi cynnig ar sawl ymgais i dorri'r record uchder. Ym 1984 derbyniodd alwad gan yr Awstraliad Chris Dewhurst yn holi a fyddai ganddo ddiddordeb mewn ceisio hedfan yn ardal Everest. Roedd Chris wedi cael trwydded i hedfan yng nghyffiniau Everest ond nid i groesi i Tibet. Er gwaethaf hynny, penderfynodd y ddau roi cynnig ar hedfan mewn balŵn ym 1985 er mwyn casglu gwybodaeth ar gyfer y dyfodol. Mewn dwy ymgais, llwyddwyd i gyrraedd uchder o 29,000 troedfedd ond cafwyd llawer o broblemau technegol.

Ar ôl iddo ddychwelyd i Loegr, clywodd Leo fod Per Linstrand (peilot balŵn Richard Branson) yng nghwmni balŵnydd arall o'r enw Norman Apsey yn cynllunio i hedfan dros Everest. Yr oeddent wedi denu nawdd anferth gan gwmni cyfrifiadurol *Star Micronics* o Siapan a fyddai'n gosod logo'r cwmni ar y falŵn. Cyn rhyddhau'r cytundeb nawdd i'r cyhoedd, daeth y dringwr enwog Chris Bonnington i gymryd lle Norman Apsey yn y fenter. Byddai cael rhywun mor enwog ag ef yn rhan o'r fenter yn hwb *P.R.* anferth i'r noddwyr. Daeth Leo i gysylltiad â Bonnington er mwyn ceisio cael ymuno a'r fenter fel dyn camera, un ai yn drydydd gyda Lindstrand a Bonnington, neu fel dyn camera mewn ail falŵn. Gyda'i feddwl yn rasio, yn ôl yr arfer, tybiai Leo mai'r ffordd orau o ffilmio'r ymgais fyddai dwy falwn yn hedfan yn agos at ei gilydd gan ffilmio o'r naill i'r llall.

Y bwriad oedd rhoi cynnig arni ym mis Hydref 1989 ond cododd llawer o broblemau – terfysgoedd yn Nepal, oedi gyda'r trwyddedau, colli offer ac yn y blaen, felly penderfynwyd gohirio'r ymgais. Dyma lle bu ffawd o blaid Leo. Am ryw reswm, a heb yn wybod i neb arall, penderfynodd Chris Bonnington dynnu'n ôl o'r fenter. Gwahoddwyd Leo gan Per i gymryd lle'r dringwr enwog. Wrth i hyn ddigwydd, cryfhawyd y tîm. Er bod Bonnington yn ddringwr profiadol iawn ac yn holl bwysig petai'r balŵn yn gorfod dod i lawr yn y mynyddoedd, yr oedd Leo, hefyd, yn ddringwr profiadol ac er nad oedd mor enwog, yr oedd ganddo ef brofiad balŵnio, awyrblymio a ffilmio yn ychwanegol at hynny. Dyna pryd y gwahoddodd Leo fi i'r tîm fel cynorthwywr cyffredinol ac i ddefnyddio camera ger prif wersyll Everest yn ystod yr ymgais.

Fy ngwaith cyntaf oedd bod yn dywysydd i Per yn ystod ei gyfnod cynefino. Yr oedd hi'n hanfodol i Leo a Per dreulio amser yn cynefino yn y mynyddoedd uchel rhag ofn y byddai angen glanio ar frys yn uchel i fyny ar un o'r mynyddoedd. Er mwyn gwneud hyn, aeth Leo i'r prif wersyll 17,000 troedfedd ar Everest. Hedfanodd Per, ei wraig Helen, yr arbenigwr tywydd Paul Head a minnau mewn hofrennydd o Kathmandu i Lukla, pentref ar lethr serth 12,000 troedfedd yn nyffryn Lukla. Mae'n debyg mai yma y ceir y llain lanio fwyaf cyffrous i hedfan iddi ac ohoni yn y byd. Gan ei bod yn llain lanio fer iawn, nid oes lle i wneud camgymeriad gyda mynydd serth yn un pen a chwymp 2,000 troedfedd yn y pen arall.

O Lukla, cafwyd taith araf ar droed i Namche Bazaar, y pentref mwyaf yn nyffryn Khumbu, ac ymlaen i Thyangboche. Yn ystod y cyfnod byr ers cyrraedd y mynyddoedd, teimlwn fod brwdfrydedd Per tuag at y prosiect wedi pylu'n arw gan fod y mynyddoedd uchel, y dyffrynnoedd serth a'r ceunentydd dychrynllyd yn amgylchedd anghyfeillgar i hedfan balŵn. Hefyd, treuliodd Per gryn amser yn trafod yn ddwys gyda Paul Head, y dyn tywydd, er mwyn canfod ei farn am yr amodau a fyddai'n ein hwynebu ar y daith. Rwtsh technegol oedd y cwbl i mi ond deuthum i'r casgliad eu bod yn poeni am y dirwedd elyniaethus.

Y bore wedyn yn ôl yn Namche Bazaar, cyhoeddodd Per ei fod yn rhoi'r gorau i'r cynefino ac yn dychwelyd i Kathmandu. Gadawodd yng nghwmni Helen ei wraig i ddringo i'r *Everest View Hotel* yn Synagboche, 1,000 troedfedd uwchben y lle y byddai awyren fechan yn hedfan ohono i Kathmandu y diwrnod wedyn. Y noson honno, cyrhaeddodd Leo yn ei ôl o'r gwersyll ac ar ôl clywed y newydd a'm barn i am Per, gwylltiodd yn gacwn. Er ei fod wedi blino yn dilyn ei daith o'r gwersyll, aeth am Synagboche i geisio dal pen rheswm â Per. Er bod Leo'n frwdfrydig ac yn optimistaidd, ni wrandawodd Per arno a hedfanodd i Kathmandu y bore canlynol gan ddweud y deuai'n ei ôl y flwyddyn ganlynol. Synhwyrwn mai geiriau gwag oedd y rhain a guddiai ei benderfyniad i beidio hedfan y falŵn. Yr oedd fy namcaniaeth yn gywir ac fe dynnodd yn ôl o'r prosiect.

Gan fod Leo wedi meddwl hedfan dwy falŵn, nid oedd am roi'r gorau i'w freuddwyd ac fe lynodd wrth hynny fel gelen. Rai wythnosau'n ddiweddarach, gwireddwyd ei freuddwyd gyda dwy falŵn – ei beilot o Awstralia a fu gydag ef ym 1985 yn y falŵn gyntaf, a Leo'n gyd-beilot. Y Sais Andy Elson fyddai'r peilot profiadol yn yr ail falŵn. Y newyddion anhygoel i mi oedd clywed Leo'n gofyn a hoffwn i hedfan yn yr ail falŵn – cwestiwn gwirion iawn! Yn y cyfamser, aeth Per i hedfan balŵn dros y Môr Tawel gyda Richard Branson, taith yr un mor beryglus â'r un dros Everest. Efallai ei fod yn hapusach uwchben dŵr nag uwchben rhew ac eira!

Ym 1991 ymgasglodd aelodau'r fenter gyda'u hoffer yn Kathmandu lle trefnwyd y trwyddedau ac ailarchwilio'r offer. Ar y dechrau, dim ond caniatâd i hedfan yr ail falŵn oddi mewn i ffiniau Nepal a roddwyd, gydag Andy a minnau'n cael hedfan i fyny dyffryn Khumbu yn unig er mwyn ffilmio'r falŵn gyntaf yn diflannu dros gopa Everest. Edrychodd y ddau ohonom ar ein gilydd gan ddweud 'B******* to that!' – doedd dim perygl y byddem yn dod i lawr ar ochr Nepal. Hwyrach y byddem yn gorffen y fenter mewn carchar yn Tsieina ond ni fyddai'r bygythiad hwnnw'n ein rhwystro. Yn ffodus, ar y funud olaf, cafwyd trwydded i'r ail falŵn am $5,000.

O'r diwedd, yr oedd popeth yn barod ac felly hedfanwyd i Kathmandu er mwyn ymuno â gweddill y criw, sef Chris Dewhurst (peilot Leo) a'i wraig Heather, Peter Mason (rheolwr y prosiect), Dick Dennison (cynhyrchydd ffilm o Awstralia) a'i griw oedd am wneud rhaglen ddogfen am y fenter, Martin Harris a'i griw tywydd, a Glenn Singleman (meddyg y fenter). O Kathmandu, hedfanodd pawb i Lukla mewn hofrenyddion Rwsaidd – pawb heblaw am Russell Brice, tywysydd mynydd o Seland Newydd, a Martin Crook, dringwr o Loegr a fyddai'n teithio drwy'r mynyddoedd i Dibet, y ddau mewn gwahanol leoliadau lle disgwylid i ni lanio, er mwyn ein cynorthwyo i ddod â ni a'r offer yn ôl.

Yn Lukla, llwythwyd popeth ar iacs a chludyddion a dyma gychwyn ar y daith hir, lafurus i Gokyo, pentref bach ar uchder o 16,000 troedfedd gyda mynydd mawr Cho Oyo yn y cefndir. Gan fod y balŵnau wedi eu lapio mewn dau fag melyn hir, fe gymerai ddeg cludydd i gario un o'r tiwbiau hir hyn. Er eu bod yn pwyso tua 400 pwys yr un, gallent gael eu plygu'n hawdd er mwyn tramwyo'r llwybrau culion. Ar y llaw arall, gwaith anodd iawn oedd cario'r ddwy fasged gan eu bod yn fawr ac yn drwsgl ar y llwybrau serth a chul.

Yr oeddwn wedi cael cyfle i weld penglog honedig yr Ieti ym mynachlog Tyanboche yn 1976. Gan fod yr Ieti yn rhan o hanes mynyddoedd yr Himalaya, ni chollodd Leo ei gyfle i chwarae tric yn seiliedig ar y creadur rhyfedd hwnnw yn ystod y daith. Fe ofynnodd i rywun wneud 'siwt' Ieti iddo yn arbennig cyn cychwyn. Ymddengys mai Dick Dennison fyddai testun y tynnu coes ac Ian Bishop un o ffrindiau Leo oedd ar y daith fel cynorthwywr yn gwisgo fel Ieti. Un diwrnod aeth Ian i fyny o flaen y criw, gwisgo'r siwt, dringo uwchben y dyffryn ac ymddangos yn sydyn o'r tu ôl i graig gan wneud synau annaearol a chwifio ei freichiau yn null honedig yr Ieti. Gan nad oedd neb wedi sylwi arno, holais un o'r cludyddion a allen nhw glywed synau rhyfedd. Safodd y cludydd ac edrych i fyny'r mynydd, cyn gollwng ei lwyth a gweiddi 'Ieti!'. Safodd y cludyddion eraill, edrych i fyny a gweld yr Ieti'n mynd o'r golwg y tu ôl i'r creigiau. Gan ei fod o'n blaenau, daeth Dick yn ei ôl i holi beth oedd yn bod. Ar ôl clywed y newyddion, cynhyrfodd yn lân a daeth ataf i holi a oeddwn i wedi gweld unrhyw beth. Cawn hi'n anodd peidio chwerthin ac eglurais fod y cludyddion wedi gweld rhywbeth ar y grib. Ychwanegais fy mod yn amau mai arth neu anifail arall oedd o. Cerddodd Dick i fyny at y creigiau ond ni allai weld dim byd gan fod 'Bish' wedi ailymuno â'r criw yn y cyfamser. Daeth Dick i lawr wedi cynhyrfu'n lân a chynnig $10,000 i'r sawl a dynnai lun y creadur. Rhyfeddwn ei fod wedi llyncu'r stori!

Rai misoedd yn ddiweddarach, aeth Leo i Awstralia er mwyn helpu gyda'r golygu. Dros ginio, cyfaddefodd y gwir wrth Dick. Gwrthodai hwnnw ei goelio hyd nes i Leo ddangos lluniau o'r siwt. Ymateb Dick oedd ei alw'n blentyn siawns (ond nid yn Gymraeg!), mewn anghrediniaeth ei fod wedi llyncu'r fath stori wirion!

Gan gynnwys y cyfnod cynefino, fe gymerodd wyth niwrnod i gyrraedd Gokyo ar uchder o 16,000 troedfedd, a hynny ar yr 28ain o Fedi. Cododd y criw eu pebyll tra aeth Martin Harris, Martin Hutchins a Jacqui a Lisa, ei gynorthwywyr, ati i osod eu hoffer tywydd mewn cwt wedi ei logi. Yna bu cyfnod hir o ddisgwyl am yr amodau iawn i hedfan y balŵnau – amodau llonydd yn y dyffryn i chwyddo'r balŵnau, cyn codi i 20,000 troedfedd ac yna taro'r jetlif i chwythu i'r cyfeiriad cywir er mwyn ein gyrru ar tua 60 milltir yr awr dros gopa Everest.

Treuliwyd yr amser yn cynefino ar gopaon cyfagos. Yr oedd hyn yn hanfodol rhag ofn i'r balŵnau ddod i lawr yn uchel yn y mynyddoedd; ymarfer chwyddo'r balŵnau, ffilmio, archwilio'r rhewlifau a dysgu Andy i ddringo tra ceisiai yntau egluro rhai o gymhlethdodau balŵnio i mi. Bob dydd, byddem yn trafod y dewisiadau petaem yn dod i lawr yn y mynyddoedd, neu'r ofn mwyaf, sef ffrwydrad neu dân yn y falŵn. Petai hynny'n digwydd, ni fyddai gennym ond eiliadau i achub ein bywydau. Ar gyfer argyfwng, cariem sachau cefn llawn offer megis cramponau, pitonau, rhaff, caib rhew, pabell fechan ac ychydig o fwyd. Clipiwyd y sach gyda *carabineer* i ffrâm y gwresogydd wrth fy ochr ond wedi ailfeddwl (gallai ceisio agor y *carabineer* golli eiliad neu ddwy), clymais y sach ar gortyn cotwm a oedd yn ddigon cryf i'w dal mewn amodau arferol ond un y gellid ei rhwygo'n rhydd yn sydyn mewn argyfwng.

Er bod gan Andy bob ffydd a hyder yn ei beiriant hedfan, i mi, ymddangosai'n gamp beryglus iawn. Dim ond arwynebedd mawr o neilon oedd yn eich cadw yn yr awyr ac i'w ddal yno rhaid oedd dibynnu ar aer poeth a gynhyrchid gan bum gwresogydd mawr ryw ddwy droedfedd oddi tano. Dair troedfedd yn is yr oedd y fasged, gyda phedwar i chwech o silindrau propan fflamadwy iawn. Yn ystod y daith drwy'r awyr, rhaid fyddai trosglwyddo'r bibell gludo o un silindr i'r llall ac yr oedd meddwl am nwy yn dianc yn ystod y broses hon ac yn cael ei danio gan wresogydd yn codi ofn arnaf.

Wrth drefnu'r offer, canfuwyd fod y fasged yn rhy fach a phan wisgem y parasiwtiau, nid oedd lle i droi. Awgrymodd Andy y dylid eu gadael ar ôl. Yr oedd wedi neidio gyda pharasiwt nifer o weithiau ond nid oedd yn hoffi gwneud hynny a thybiwn, mewn argyfwng, y byddai'n well gan Andy aros gyda'i falŵn, yn ddigon tebyg i gapten y *Titanic*! Mynnais ein bod yn cadw'r parasiwtiau a datrys y broblem drwy raffu casgen blastig ar ochr y fasged. Hwn fyddai fy lle personol i.

Yr oedd Martin a'i dîm tywydd mewn cwt pren a gallent gasglu'r wybodaeth am y tywydd o ddeuddeg lloeren a gorsafoedd tywydd eraill o gwmpas y byd. Ar ôl gorffen cynefino a phan oeddem yn barod i hedfan, gollyngwyd balŵnau tywydd ddwywaith y dydd. Rhaid oedd cael gwyntoedd ffafriol ar 30,000 troedfedd ond byddem hefyd angen amodau llonydd yn Gokyo er mwyn gallu lansio'r balŵnau anferth.

Un diwrnod, daeth criw o Rwsia a oedd am geisio dringo Cho Oyu draw i'n gweld. Penderfynasant fynd i nofio yn llyn Gokyo a dotiwn at eu dycnwch yn y dŵr oer ar 16,000 troedfedd o uchder. Dim ond drwy fynd i mewn ac allan yn syth y gallwn i ei ddioddef. Mae'n debyg ein bod ni, yn y gorllewin, wedi meddalu yn ein tai cynnes a'n bywyd braf.

Yn ystod diflastod y disgwyl am amodau cywir i hedfan, cafwyd un broblem ddifrifol. Dioddefai Lisa, un o'r criw tywydd, o *HAPE*. Y drefn arferol yw mynd â'r claf yn syth i dir is ond y broblem yn Gokyo oedd bod angen dringo dros fwlch serth i wneud hynny a fyddai wedi gallu profi'n angeuol i Lisa. Wrth lwc, cadwem fag Gamow gyda ni, sef siambr wasgedd ar ffurf bag y gellir ei ddefnyddio i ddod â'r gwasgedd i lawr 5,000 troedfedd mewn ychydig o funudau. Gosodwyd Lisa yn y bag a defnyddiwyd pwmp troed i chwyddo'r bag. Mae hwn yn ddull syml ond effeithiol. Er mwyn cynnal y gwasgedd, bu pawb wrthi yn ei dro yn pwmpio drwy'r nos a bu ein meddyg, Glenn Singleman, yn cadw golwg fanwl arni. Erbyn y bore, yr oedd Lisa wedi gwella'n arw; bu'n lwcus iawn o'r bag – efallai y byddai wedi marw hebddo.

Digwyddiadau nodweddiadol ar deithiau o'r fath yw bod aelodau'n ffraeo am y peth lleiaf un wrth i amser fynd yn ei flaen. Yr oedd nifer o gymeriadau cryf iawn ar y daith hon ac felly nid oedd hi'n syndod bod sawl ffrae neu ddadl wedi digwydd. Wrth i'r wythnosau fynd heibio a'r tywydd yn gwrthod cydweithredu, trafodwyd y dewisiadau, megis cymryd y cyfle cyntaf posibl i hedfan i Dibet. Yr oedd Dick yn gryf o blaid hyn gan ei fod yn awyddus i ffilmio. Ar y llaw arall, gwrthwynebai Leo'r syniad yn gryf iawn, gan ddweud ei fod wedi breuddwydio am hyn ers blynyddoedd ac wedi gwerthu'r daith i noddwr fel taith dros Everest ac na fyddai unrhyw gynllun arall yn dderbyniol. Wnaeth o ddim ildio'r un fodfedd a fo enillodd y ddadl. Edmygwn ef yn fawr iawn gan fod hwyliau'r criw yn isel ar y pryd ar ôl treulio pedair wythnos yn y gwersyll.

O'r diwedd, ar yr 20fed o Hydref, cawsom ar ddeall gan Martin Harris y byddai amodau'r tywydd yn ffafriol y bore canlynol. Yn sydyn, rhuthrai pawb o gwmpas ar frys i gwblhau'r paratoadau. Fedrwn i ddim credu fod pethau'n symud o'r diwedd, yn dilyn cyfnod mor hir. Ar nosweithiau cyn dringo, byddwn weithiau yn llawn adrenalin ac yn hel meddyliau negyddol ond llwyddwn i'w goresgyn drwy edrych yn gadarnhaol ar bethau. Er fy mod yn hyderus fel dringwr, yr oedd hyn yn wahanol – nid oedd neb wedi llwyddo o'r blaen i gyflawni'r hyn yr oeddem am geisio ei wneud. Gan fy mod yn gyd-beilot ac yn ddyn camera, ac yn ddibrofiad yn y ddau beth, yr oeddwn yn gosod fy mywyd yn nwylo eraill, rhywbeth nad oeddwn wedi ei wneud o'r blaen. Nid oeddwn yn hoffi'r sefyllfa o gwbl. Gwyddwn fod Andy yn beilot da ac yn beiriannydd ardderchog ond wrth dreulio'r wythnosau yn ei gwmni, gwelais y gallai fod yn hollol anhrefnus ac yr oeddwn yn poeni am hynny.

Ar ôl codi am dri o'r gloch y bore, dechreuwyd paratoi ar gyfer y daith gan fod Martin, y dyn tywydd, wedi ein sicrhau fod pob dim yn iawn. Wrth i amser y lansiad agosáu, trodd pethau yn anhrefn llwyr. Fe ddaeth hi'n amlwg fod gan Andy ormod ar ei blât gan fod angen gwneud nifer o bethau i'r ddwy falŵn. Cynghorwyd ni i anadlu ocsigen am awr a hanner cyn hedfan a thra gwnâi Chris, Leo a minnau hynny, yr oedd Andy'n dal i ruthro o gwmpas yn gwneud rhyw newidiadau munud olaf i'r offer. Poenwn am hyn gan fy mod yn rhagweld y byddai Andy'n dioddef o ddiffyg ocsigen yn ystod y daith – nid hynny fyddai'r cyfle delfrydol i mi orfod bod yn gyfrifol am hedfan balŵn aer cynnes am y tro cyntaf!

Tua 5.30 y bore, cododd Chris a Leo yn eu balŵn ynghanol ffarwelio emosiynol y criw ar y llawr. Yn ôl y cynllun gwreiddiol, byddai'r ddwy falŵn yn aros yn agos at ei gilydd ar gyfer y ffilmio, gan mai dyna'r rheswm dros gael dwy falŵn. Am nad oeddem ni'n barod, credwn y byddai Chris yn codi'n araf er mwyn rhoi cyfle i ni gyrraedd atynt ond oherwydd rhyw ddiffyg yn y cyswllt radio neu ddymuniad Chris, wnaeth hynny ddim digwydd. Cododd balŵn Chris yn sydyn iawn a phan gododd ein balŵn ninnau oddi ar y ddaear, yr oedd Chris a Leo filltiroedd i ffwrdd a chynlluniau Leo i ffilmio'r ddwy falŵn yn rhacs.

Daeth ein tro ni i ffarwelio cyn codi'n urddasol uwchben dyffryn Gokyo. Gan mai Leo a Chris oedd y tîm a fyddai'n arwain, yr oedd yr offer gorau ganddynt hwy a maint eu basged yn arwydd amlwg o hynny. Gyda'r holl offer a'r silindrau yn llenwi ein basged fechan ni a lle yn hynod brin, yn y gasgen ar ochr y fasged y byddwn i'n hedfan dros Everest. Clywais sôn am rai nytars yn mynd dros Raeadr Niagra mewn casgen ond dros Everest...?!

Ar ôl i Andy fod yn treulio'r eiliadau olaf o drefnu'r falŵn mewn panig llwyr, daeth cymysgedd o deimladau drosof fi – rhyddhad o weld y falŵn yn codi o'r diwedd ar ôl yr holl baratoadau, ynghyd ag ofn am yr hyn oedd o'm blaen gan fy mod yn mentro mewn peiriant hedfan digon bregus ar daith ddieithr. Er ein bod wedi mynd dros y drefn argyfwng lawer gwaith, gwyddwn y byddai ein gobaith o oroesi yn fach iawn petai problemau'n codi yn ystod y daith a ninnau'n cael ein gorfodi i ddod i lawr yn y mynyddoedd. Wrth ffarwelio â'r criw, gwelwn bryder am ein diogelwch yn amlwg ar eu hwynebau.

I fyny â ni yn araf, gan feddwl y byddai'r falŵn arall uwch ein pennau yn aros i ni gyrraedd ati am mai'r cynllun oedd aros gyda'n gilydd i ffilmio. Am nad oeddem yn gweld uwchben y falŵn anferth, a heb radio oedd yn gweithio, wedi dringo am ddeng munud, plygwn allan o'r gasgen i geisio cael cip arnynt. O'r diwedd, gwelais y falŵn arall filoedd o droedfeddi uwch ein pennau, yn diflannu i gyfeiriad Everest yn gyflym iawn. Gwaeddais ar Andy gan bwyntio i gyfeiriad y falŵn arall. Taniodd yntau'r gwresogyddion i gyflymu'r cyflymder dringo. Bu'r ffaith i Chris ein gadael yn destun trafodaethau hallt iawn am gyfnod hir wedyn. Cyfaddefodd Chris ar ffilm na ddymunai fod yn ail dros Everest, a gwelwn hynny'n hunanol iawn o ystyried mai bwriad y fenter oedd inni gydweithio fel tîm. Tybiwn ei fod wedi gwneud tro gwael iawn â Leo – wedi'r cyfan, trwyddo ef y cafodd Chris ei wahodd yn y lle cyntaf. Yn ôl rhai o aelodau eraill y criw, credent mai nerfusrwydd Chris a arweiniodd at ormod o adrenalin yn ei annog i orffen y daith cyn gynted â phosibl. Gan mai Chris yw'r unig un a ŵyr, chawn ni byth wybod, bellach.

Ar ôl yr holl gynnwrf a fu cyn inni gychwyn, codwyd yn dawel allan o ddyffryn Gokyo. Diflannodd holl glawstroffobia'r wythnosau a dreuliwyd yn y dyffryn dwfn wrth imi weld mynydd uchaf y byd yn dod i'r golwg yn raddol. Dringwyd yn sydyn i 20,000 troedfedd ac ar y chwith, cafwyd golygfa anhygoel o Cho Oyu a Shishapama. Wrth adael y dyffryn, dyma daro'r jetlif yn sydyn a diflannodd ein gwersyll o'r golwg wrth inni symud yn gyflym tuag at Everest ar 60 milltir yr awr. Yr oedd y golygfeydd o'n cwmpas mor anhygoel ac fe ffilmiwn gystal ag y gallwn o'm casgen fach las, yn ymwybodol fod mynydd uchaf y byd yn agosáu.

Penderfynwyd mai'r uchder diogel i hedfan dros Everest fyddai 32,000-33,000 troedfedd, tua thair i bedair mil troedfedd uwchlaw'r copa, er mwyn osgoi'r troellwynt ar ochr gysgodol y mynydd. Gan ddringo'n raddol, dyma agosáu at ddyffryn Kumbu. Yn fuan ar ôl inni godi, sylwais fod Andy yn ymddangos yn sigledig iawn ac ar un adeg syrthiodd ar ei liniau, ar ôl baglu neu am ei fod yn dioddef o effeithiau peidio anadlu ocsigen cyn hedfan. Ond wrth godi, edrychai'n weddol hyderus yn hedfan y falŵn a chredais y gallem groesi'r copa ar yr uchder angenrheidiol heb broblem. Yr oeddwn wedi disgwyl bod yn oer iawn a hithau tua -30°C ond teimlwn yn glyd iawn yn fy siwt gynnes. Wrth hedfan mewn balŵn, nid oes effaith gwynt a chyda phum gwresogydd cryf uwch eich pennau, nid oedd hypothermia'n broblem.

A ninnau tua 29,000 troedfedd uwchben, distawodd pob sŵn wrth i'r gwresogyddion ddiffodd. Byddai hynny'n digwydd yn achlysurol yn ystod y daith er mwyn rheoli'r tymheredd yn y falŵn. Yna, deallais fod rhywbeth o'i le pan waeddodd Andy arnaf am gymorth. Dychrynais o synhwyro'r brys yn ei lais am na fyddai, fel arfer, yn poeni am ddim byd ac felly sylweddolais fod rhywbeth mawr o'i le. O ganlyniad i'r oerfel, yr oedd y bibell a gariai'r ocsigen i'r gwresogyddion wedi rhewi. Gwyrai Andy wrth y bibell yn ceisio clirio'r rhew am yn ail â cheisio ail-danio'r fflam beilot ar bob gwresogydd. Gollyngais fy nghamera y tu mewn i'r fasged a llwyddo i ddringo allan o'r gasgen drwy sefyll ar yr ymyl a gafael yn ffrâm y gwresogyddion.

Gafaelwn yn dynn yn y ffrâm wrth geisio tanio'r gwresogyddion tra oedd Andy yn plygu'r bibell er mwyn i'r ocsigen lifo unwaith eto. O'r diwedd, cefais ryddhad wrth lwyddo i danio'r fflam beilot. Yna, taniodd Andy y pum gwresogydd gyda'r sŵn a'r gwres yn frawychus wrth iddo frwydro i gael y falŵn i godi unwaith eto. Yr oeddem wedi dod i lawr yn llawer rhy isel ac fe ymddangosai fel petaem yn siŵr o wrthdaro yn erbyn wyneb de-orllewinol Everest.

Diffoddodd y fflamau ddwywaith wedyn hefyd a minnau'n mynd i mewn ac allan o'r gasgen fel jac-yn-y-bocs. Wedi'r trydydd methiant, bu'r gwres yn gyfrifol am ddatrys y broblem ocsigen yn rhewi a dechreuwyd dringo'n sydyn, ond cael a chael fu hi inni glirio'r copa. Anghofiais y cwbl am y ffilmio (fyddai Leo fyth wedi gwneud hynny) a chanolbwyntio'n llwyr ar wneud yn siŵr y gallwn ryddhau'r offer argyfwng a thynhau'r strapiau ar y parasiwt. Serch hynny, teimlwn na fyddai neidio o'r falŵn yn ddewis – mae'n debyg na fyddai digon o le i'r parasiwt agor ac na fyddai gennym lawer o obaith mewn gwyntoedd 60 milltir yr awr.

Cyn cychwyn, yr oedd un o'r criw tywydd wedi clymu llyffant plastig gydag offer tracio ar waelod ein basged. Wrth ymdrechu i ail-danio'r gwresogyddion, sylwais o gil fy llygad fod y llyffant yn hedfan yn y gwynt ar yr un lefel â'r gwresogyddion. Dyna pryd y sylweddolais pa mor sydyn yr oedd y falŵn yn gostwng. Dros y Western Cwm, llwyddwyd i gyrraedd 30,000 troedfedd ac wrth obeithio y gellid llwyddo i groesi'r mynydd, gwyddwn na allem osgoi'r trowynt ar ochr Tibet o'r mynydd. Gyda'r pum gwresogydd yn rhuo, llwyddwyd i groesi'r copa 1,500 troedfedd uwch ei ben. Dylai fod yn eiliad i'w gofio ond y cwbl ar feddyliau Andy a minnau oedd sut i aros yn fyw.

Wrth ddod i olwg wyneb Kangshung ar ochr Tibet, fe'n trawyd gan y trowynt, gyda'r falŵn a'r fasged yn cael eu taflu o gwmpas fel doli glwt. Ni fedrem wneud dim heblaw gafael yn dynn a gobeithio'r gorau. Yna, yn sydyn, dyma ddod allan o'r trowynt i lonyddwch. Gydag ochenaid o ryddhad, dyma fi'n ymestyn i ysgwyd llaw Andy. Yr oeddem wedi llwyddo ac fe ymddangosai bywyd yn dda, ond ychydig a wyddem nad oedd ein trafferthion wedi dod ben.

O ganlyniad i'r holl wres a chwythwyd i'r falŵn, fe gododd hyd at 38,000 troedfedd. O'r diwedd, gallem fwynhau'r golygfeydd gan dybio y byddem yn cwblhau'r daith yn ddiogel. Wrth i ni ddechrau dod i lawr, edrychem draw ar olygfa fendigedig – Everest, Lhotse, Makalu, Ama Dablam, Cho Oyu, ac yn y pellter, Annapurna a Dhaulagiri. Ynghanol ein trafferthion yr oeddwn wedi anghofio'n llwyr am y ffilmio ond wrth ddechrau disgyn uwch llwyfandir Tibet, gafaelais yn y camera a dechrau ffilmio unwaith eto. Wrth hedfan, yr oedd y falŵn yn troi 360 gradd yn raddol, ac wrth ddal y camera yn berffaith lonydd, gallwn dynnu lluniau panoramig perffaith. Wedi i'r falŵn droi fel hyn am ychydig, dymunwn dynnu lluniau ychydig nes o Everest. Gwaeddais ar Andy i stopio'r troi ond atebodd yntau na allai wneud hynny gan fod y gwres wedi llosgi'r gwifrau rheoli. Sylweddolodd y ddau ohonom fod gennym broblemau ac oherwydd y troi parhaol, gwyddem y caem drafferth ofnadwy i lanio'n ddiogel. Gan fod yr agoriad ar ochr y falŵn a reolai'r troi wedi aros yn agored ac yn gwrthod cau, ni fyddai Andy yn gallu dewis pa ochr i'r fasged fyddai'n taro'r ddaear yn galed wrth lanio a chan fod rhywfaint o danwydd ar ôl yn y silindrau, yr oedd glaniad y fasged yn holl bwysig.

Petai'r silindrau'n cael eu difrodi, gallent ffrwydro gan achosi tân trychinebus. Problem arall, a allai fod yn fwy difrifol, oedd y ffaith fod y wifren a reolai'r rhyddhad sydyn ar ben y falŵn hefyd wedi ei llosgi, felly ni allem ryddhau'r aer poeth o'r falŵn yn sydyn. Oherwydd hyn, byddai'r fasged yn cael ei llusgo ar hyd y llawr a phetai unrhyw wynt yn chwythu wrth inni lanio, byddem mewn andros o drafferth.

Wrth ddisgyn i Dibet a gadael Everest yn y pellter, gallwn weld balŵn Chris a Leo'n amlwg yn paratoi i lanio. Gwyliais eu balŵn yn glanio'n drwm ar farian caregog ac yna dechreuodd y falŵn eu llusgo ar hyd y llawr. Fe ddaeth hi'n amlwg fod dipyn o wynt yno. Dim ond wedyn y deallais fod Leo wedi cael ei daflu allan o'r fasged a'i lusgo am gryn bellter gan dorri rhai o'i asennau. Cafodd y falŵn â'r fasged eu malu a chamerâu Leo yn deilchion. Bu'r ddau yn lwcus i oroesi ond er syndod nid oedd difrod i'r ffilm.

Gan fod Andy yn dipyn o anarchydd, cyn hedfan yr oedd wedi sôn wrthyf am beidio cymryd sylw o'r cynllun hedfan gan ddal i fynd cyhyd ag y byddai'r tanwydd yn parhau, gyda'r posibilrwydd, efallai, o lanio yn Sikkim. Gan bwysleisio na fyddai hynny'n deg i'r fenter, llwyddais i'w berswadio i newid ei feddwl er mwyn glanio ar frys ac yn ddiogel. Wrth weld y lleill yn glanio, teimlwn yn ddigon pryderus ynglŷn â'n glaniad ni am na fyddai gennym ffordd i wagio'r aer poeth o'r falŵn, felly mae'n bosib byddem mewn trafferth ofnadwy. Hedfanwyd am tua deuddeg i bymtheg milltir ymhellach na man glanio balŵn Leo a Chris gan ddod i lawr yn weddol sydyn. Tua 2,000 troedfedd uwchben, dyma anelu am ddyffryn llydan heb lawr caregog. Teimlwn fod ein lwc yn newid. Hedfanodd Andy y falŵn mor bwyllog â phosibl gan danio ychydig ar y gwresogyddion er mwyn arafu'r disgyniad. Pan syrthiwyd i 500 troedfedd, sylweddolais, gyda rhyddhad, nad oedd gwynt ac y byddai modd glanio'n ddiogel.

Dyma daro'r ddaear yn bwyllog ond nid oedd modd dadchwyddo'r falŵn ac fe gododd fel pêl yn bownsio, i fyny hyd at 300-400 troedfedd. Glaniodd dair neu bedair gwaith wedyn gan fownsio llai bob tro a dod i stop yn y diwedd gyda'r fasged ar i fyny. Glaniad perffaith a'r ddau ohonom wedi gwirioni! Dyma ddechrau gweiddi a sgrechian a chofleidio'n gilydd yn llawen wedi'r holl ofnau yn ystod y daith. Yr oeddem wedi glanio tua milltir y tu allan i bentref bychan rhywle ar lwyfandir Tibet. Wrth gau popeth a dechrau pacio'r falŵn, daeth holl drigolion y pentref draw atom, ond gan sefyll ryw ganllath oddi wrth y ddau ohonom. Mae'n amlwg nad oeddent erioed o'r blaen weld anghenfil amryliw tanllyd yn disgyn o'r awyr. Credent ein bod yn dod o blaned arall! Cerddais atynt yn araf a chynnig siocledi i'r plant a dyma nhw'n eu cymryd yn betrusgar. Mae'n amlwg mai ni oedd y bobl gyntaf o'r gorllewin iddynt eu gweld erioed.

Wrth imi gerdded yn ôl at Andy, dyma nhw'n fy nilyn gan ryfeddu at ein balŵn a'n hoffer, yn enwedig y rhaffau amryliw a glymai'r casgenni offer i'r fasged. Erbyn hyn, yr oedd tua deugain ohonynt wedi ymgasglu o'n cwmpas ac ar ôl astudio'r rhaffau dechreuasant gymryd gormod o ddiddordeb yn ein hoffer electronig, megis y GPS a'r radio. Rhoddais ragor o siocledi a melysion iddynt a cheisio eu gyrru i ffwrdd. Yr oeddent yn gyndyn o'n gadael, felly ceisiais ymddangos yn fwy awdurdodol a dangos yr hawl glanio a gawsom gan Lywodraeth Tsieina iddynt. Gweithiodd hynny ond fe newidiodd eu hagwedd tuag atom. Sylweddolais yn syth fy mod wedi gwneud camgymeriad am eu bod yn casáu'r meistri Tsieineaidd, a gwelwn yr olwg elyniaethus yn eu hwynebau.

Yng nghanol hyn i gyd, yr oedd Andy yn ceisio cael gafael ar weddill ein criw, dan arweiniad Russell Brice, ar y radio ond ni châi unrhyw lwyddiant. Yr oedd criw Russell a chriw arall dan arweiniad Martin Crook wedi gosod gwersylloedd mewn gwahanol leoedd ar lwybr arfaethedig y daith wythnosau ymlaen llaw yn y gobaith y gallent ein codi ni a'n cludo'n ôl i Kathmandu. Gadawodd Andy i ddringo bryn cyfagos er mwyn ceisio cysylltu ar y radio tra paratown innau'r gwersyll. Dyna pa bryd y sylweddolais fy mod wedi anghofio'r babell ynghanol ein brys i gychwyn ar y daith. Yr oedd hwn yn gamgymeriad a allai fod yn ddifrifol iawn petaem wedi gorfod dod i lawr yn y mynyddoedd uchel. Felly, dyma droi basged y falŵn ar ei hochr a dechrau paratoi cawl.

Wrth i'r haul fachlud, dychwelodd y Tibetiaid – y dynion yn unig y tro hwn, gan edrych yn fygythiol. Safodd tua phymtheg ohonynt ryw ugain llath o'm blaen a chodi ofn mawr arnaf. Chwifiais y ddwy fwyell rhew yn fygythiol ond gwyddwn na fyddai gennyf obaith petaent yn penderfynu ymosod arnaf. Parhaodd hyn am ryw awr, a minnau wedi dychryn yn arw gan feddwl eu bod yn paratoi i ddod amdanaf ar ôl iddi dywyllu. Gyda lamp ar fy mhen a'r ddwy gaib rhew yn fy nwylo, credwn y byddwn yn ail-greu rhyw fersiwn Himalayaidd o safiad olaf Custer! Wrth iddi nosi, clywais un o synau mwyaf godidog fy mywyd – sŵn lori yn agosáu. Yr oedd Andy wedi llwyddo i gysylltu â Russell a'i arwain at y falŵn. Wrth iddynt gyrraedd, diflannodd y Tibetiaid.

Llwythwyd yr offer ar y lori a rhyw ddwyawr yn ddiweddarach, dyma ailymuno â Chris a Leo yng ngwersyll

Russell gan gyfnewid straeon a bwyta wy a sglodion ac yfed cwrw Nepal a gludwyd i'r gwersyll i ddathlu! Y bore wedyn, dyma gychwyn ar y daith dridiau yn ôl i Kathmandu, gan yrru ar draws llwyfandir eang Tibet a chwilio ar y ffordd am lwybr ein taith yn y balŵnau. Diolchais yn dawel i'n peiriant hedfan bregus am ein cludo dros dirwedd mor fygythiol a glanio'n ddiogel ar ddiwedd antur anhygoel.

Yn ôl y drwydded Tsieineaidd, yn ystod ein taith yn ôl i Kathmandu yr oedd yn rhaid inni aros dros nos yn eu 'gwestai twristaidd' ar y llwyfandir. Costiai $100 y noson – pris drud ofnadwy o ystyried mai $8 fyddai aros mewn hostel Tibetaidd yn ei gostio. Yr oedd hi'n amlwg mai cynllwyn gan y Tsieineaid i hel arian oedd hyn. Gyda gwên slei ar ei wyneb, rhybuddiodd Russell ni i beidio disgwyl gormod o foethusrwydd oherwydd pan arhosodd ef mewn gwesty o'r fath rhyw dro, nid oedd dŵr poeth yno hyd yn oed. Wrth agosáu at y gwesty cawsom gryn syndod – edrychai fel *hacienda* Sbaenaidd anferth na weddai o gwbl i lwyfandir Tibet. Dyma fynd i mewn a chael ein tywys i'n llofftydd gan staff Tsieineaidd sarrug. O gofio sylw Russell, archwiliais dapiau'r ystafell ymolchi ond nid oedd dŵr o gwbl, heb sôn am ddŵr poeth ac yr oedd y baddon yn lliw brown sglyfaethus. Gan fod y toiled yn llawn carthion y sawl a fu yno o'n blaen, defnyddiem y cae gyferbyn â'r gwesty i 'ddatod clos' ac er bod teledu yn yr ystafell, yr un rhaglen oedd ar bob sianel, sef eira gwyn! Wrth archwilio gweddill yr ystafell, canfûm fod llygoden fawr yn byw yn y twll lle'r oedd y plwg trydan i fod. Symudais y cwpwrdd oddi wrth y gwely a'i osod ar draws y twll rhag ofn i'r llygoden deimlo'n unig yn ystod y nos! Fe weithiodd hynny ond fe'm cadwodd yn effro drwy'r nos yn ceisio crafu ei ffordd ataf.

Ar ôl treulio'r noson mewn 'gwesty o uffern' go iawn,

mor wahanol ac mor braf oedd y noson wedyn pan gawsom gysgu ar lawr pridd hostel Tibetaidd. Ddeuddydd yn ddiweddarach, yr oeddem wedi cyrraedd pleserau Kathmandu. A diwedd taith fythgofiadwy.

Pennod 16

PEGWN Y GOGLEDD, YR ANGEL A'R GWENOLIAID

Un diwrnod ym 1996, cefais alwad ffôn gan Leo Dickinson yn holi a fyddwn yn hoffi teithio o gwmpas y byd mewn pum eiliad. Meddyliais ei fod yn tynnu fy nghoes yn ôl ei arfer ond na, taith awyrblymio Rwsiaidd i Begwn y Gogledd oedd ganddo mewn golwg.

Fel y gwyddom, Pegwn y Gogledd yw'r pwynt mwyaf gogleddol ar y ddaear. Môr ydyw, wedi ei orchuddio gan haen o rew symudol sydd rhwng pump a naw troedfedd o drwch. Mae gan y Groes Goch Rwsiaidd ganolfan para-achub sy'n cynnwys nifer o awyrblymwyr profiadol. Byddant yn neidio gyda gweithwyr meddygol mewn amodau eithafol mewn rhannau anghysbell o Rwsia er mwyn rhoi cymorth mewn argyfwng. Ym 1990, fel rhan o'r ymarfer, buont yn neidio ar Begwn y Gogledd ac ar ôl sylw byd-eang, daeth yn ddigwyddiad blynyddol gydag awyrblymwyr tramor yn cael gwahoddiad i ymuno â nhw – am bris!

Llwyddodd Leo i gael BBC a HTV Cymru i dalu am y daith er mwyn cael ffilm ar gyfer y newyddion, felly ymhen ychydig wythnosau, i ffwrdd â ni am Foscow. Yno y daethom i adnabod gweddill y grŵp – awyrblymwyr o

Ganada, Unol Daleithiau'r America, Awstralia, Yr Iseldiroedd a nifer o filwyr uned arbennig byddin Rwsia. Yn dilyn cwymp comiwnyddiaeth, ymddengys y gellid cael unrhyw beth am bris.

Treuliwyd y dyddiau nesaf ym Moscow yn trefnu a chael ein cyfarwyddo ar gyfer y naid. Yna, un bore, dyma fynd ar fwrdd *Ilyushin-76*, awyren cario nwyddau anferth, sy'n fwy na'r *Hercules*, a fyddai'n ein cludo ar y daith pum awr ar draws Siberia i Khatanga, ein cam nesaf ar gyfer Pegwn y Gogledd. Yr oedd y tu mewn i'r awyren hon yn anferth, gydag offer wedi ei gadw ym mhob man. Ar y cychwyn, ofnwn y byddai'r daith yn anghyfforddus ond gallem gerdded o gwmpas heb drafferth a threfnu mannau gorwedd er mwyn cysgu ychydig. Yr oedd y caban ar ddwy lefel, gyda'r ddau beilot ar y lefel uchaf a'r llywiwr oddi tanynt. Cysgai un peilot tra dangosodd y llall y caban a'i offer inni, gan yfed can o gwrw ar yr un pryd. Euthum at y llywiwr ac yr oedd yntau hefyd yn yfed. Cynigiodd gwrw i mi a dweud wrthyf am orwedd yn nhrwyn yr awyren. Edrychais allan drwy'r ffenest ar Siberia, 35,000 troedfedd oddi tanom – hyn wnaeth gyfleu anferthedd y wlad i mi.

Glaniwyd yn Khatanga, porthladd glo ac ardal lofaol yng ngogledd Siberia a thref ddi-nod, ddi-liw lle'r oedd pob dim wedi rhewi a'r adeiladau a'r tai i gyd yn lliw llwyd, diflas, budr. Y tu allan i'r tai yn hongian o'r ffenestri gwelwn fagiau o gig – nid oedd angen rhewgelloedd yma. Yn yr harbwr, gwelwn fod pob cwch wedi rhewi; ni fyddant yn dadmer o'r rhew ond am bedwar mis y flwyddyn.

Oddi yno, byddem yn hedfan i Begwn y Gogledd yn yr *Ilyushin-76* gan neidio allan ar 10,000 troedfedd. Dywedodd Americanwr a neidiodd o'r blaen fod hyn yn gyffrous iawn ac yn wahanol i bob naid arall. Fel arfer, wrth neidio allan o awyren gyffredin, bydd yr awyren yn arafu i tua 80-100 milltir yr awr ond o'r awyren anferth hon byddem yn neidio allan o'r cefn ar 300 milltir yr awr! Hefyd, fel arfer, bydd eich breichiau ar led er mwyn rheoli'r corff ond ar 300 milltir yr awr byddai hynny'n datgymalu eich breichiau, felly byddai'n rhaid eu plethu nes bod y corff wedi arafu i gyflymder arferol awyrblymio. Dywedodd hefyd, ar ôl neidio allan ei fod wedi aros ar yr un lefel â'r awyren am ychydig eiliadau oherwydd y cynnwrf aer cyn syrthio i lawr. Unwaith y byddem yn cyrraedd y Pegwn, deuai hofrennydd i'n cludo am gan milltir i faes awyr dros dro a dorrwyd o'r rhew gan y Rwsiaid. Oddi yno, caem ein cludo mewn awyren lai, *Anatov 24*, yn ôl i Khatanga.

Y diwrnod ar ôl inni gyrraedd, dyma'r trefnwyr yn gofyn am $500 ychwanegol gan bob un oedd am gymryd rhan. Wrth gwrs, gwrthododd pawb gan ein bod eisoes wedi ei dalu $3,000 yr un cyn cychwyn o Foscow, a hynny'n cynnwys y costau i gyd. Yn rhyfedd iawn, daethant atom yn hwyrach gan ddweud bod problem gydag un o ddrysau'r awyren fawr ac y byddem yn cael ein cludo i'r Pegwn yn un o'r awyrennau llai. Er ein bod wedi protestio, nid oedd newid i fod a minnau'n siomedig iawn na chawn neidio o'r awyren fawr. Ys gwn i faint o arian a arbedwyd drwy beidio defnyddio'r awyren fawr i'n hedfan i'r Pegwn? Ond yn anialdir Siberia, nid oedd gennym fawr o ddewis.

Y diwrnod wedyn, dyma adael Khatanga yn yr *Anatov 24*, gan hedfan am dair awr a hanner cyn glanio ar y lanfa rew. Yr oedd hynny'n brofiad digon brawychus o gofio nad oedd y rhew ond rhyw bedair i chwe throedfedd o drwch ac oddi tano 14,000 troedfedd o fôr! Ar ôl cyrraedd, rhoddodd y Rwsiaid gawl a choffi poeth i bawb wrth archwilio'r parasiwtiau am y tro diwethaf cyn gwisgo ar gyfer y naid.

Gwisgwn i ddillad isaf thermal, siwt llawn plu ac ar ben hynny, siwt arbed gwynt. Gwaith digon anodd oedd rhoi'r parasiwt dros y ffasiwn drwch ac ymhen ychydig, caem hi'n anodd adnabod ein gilydd oherwydd y dillad pegynol. Er bod pob un ohonom yn awyrblymwyr profiadol a'r naid yn ddigon syml yn dechnegol, yr oedd cryn densiwn i'w deimlo rhyngom.

Dringwyd ar yr hofrennydd M18 ar gyfer awr o daith i'r Pegwn ac yn ystod yr awr honno, dechreuais bryderu gan fod y dillad tew yn gwneud i bopeth deimlo'n wahanol a phoenwn na fyddwn yn gallu agor y parasiwt yn iawn. Wrth gyrraedd y Pegwn, safodd pawb ar ei draed ac ar 10,000 troedfedd, agorwyd y drws. Fesul un, neidiodd pawb allan o'r hofrennydd.

Y teimlad cyntaf oedd chwythiad rhewllyd y gwynt - 56°C ac wrth sefydlogi fy nghorff, gwelwn wastadedd gwyn eang islaw; dillad lliwgar fy nghyd-neidwyr a aeth o'm blaen oedd yr unig amrywiaeth. Troais 360 gradd nifer o weithiau er mwyn cael gweld yr olygfa ond yr oedd hi yr un mor wyn i bob cyfeiriad. Daliwn i gadw golwg ar fy altimedr ac ar 2,000 troedfedd, agorais y parasiwt. Llanwyd ef gydag andros o glec gan y gwynt 120 milltir yr awr a chefais fy arafu'n eithafol o sydyn cyn fy nhroi â'm pen i fyny. Yn sydyn, wedi rhuad y gwynt, aeth pob dim yn ddistaw. Wrth hedfan, teimlwn yn wych am fod y naid wedi mynd yn iawn. Gwaeddais gyfarchion i gyfeiriad fy nghyd-neidwyr wrth syrthio ar y parasiwt.

Taniwyd mwg oren gan y criw Rwsiaidd ar y llawr er mwyn ein harwain at y man glanio. Wrth syrthio i'r anialdir rhew hwn, cawn drafferth barnu'r uchder. Ar naid arferol, mae coed, ceir ac adeiladau yn rhoi syniad o uchder i chi. Ond yma does dim ond rhew i bob cyfeiriad. Beth bynnag aeth popeth yn iawn gan lanio'n ddiogel ar y rhew. Yr oeddwn wedi cyrraedd Pegwn y Gogledd! Yn ystod y naid, wnes i ddim sylwi ar yr oerfel oherwydd yr adrenalin ond unwaith yr oeddwn wedi glanio, fe âi'r oerfel eithafol drwy'r corff fel cyllell, er ei bod hi'n gynhesach ar -35°C!

Yr oedd y criw ar y llawr wedi trefnu pob dim. Aethant â ni i babell lle'r oedd pawb wrth eu boddau, yn llongyfarch ei gilydd ac yn yfed coffi a siampên. Y tu allan, codwyd 'Pegwn' swyddogol gyda'r pellteroedd i wahanol leoedd ar y ddaear wedi eu nodi arno a chysylltais innau fy un personol i ar y polyn, sef 'Tremadog 3774 milltir'! Ar ôl gorffen tynnu lluniau a ffilmio, i mewn â ni i'r hofrennydd er mwyn dychwelyd ar gyfer y dathlu go iawn yn Khatanga. Wrth i'r hofrennydd deithio'n ôl, cytunodd pawb fod y profiad wedi bod yn gyffrous, yn anhygoel ac yn gwbl fythgofiadwy.

* * *

Ym mis Hydref 1997, cefais wahoddiad gan y BBC i fynd ar eu rhaglen Pencampwr Chwaraeon y Flwyddyn. Cefais fy nghyfweld gan y cynhyrchydd Steve Robinson i drafod fy ngyrfa ac, yn ôl yr arfer, y cwestiwn olaf oedd 'Oes gennych chi unrhyw gynlluniau neu deithiau ar y gweill?' Dywedais fy mod wedi gweld lluniau o rai yn neidio oddi ar raeadr Angel Falls yn Venezuela a chan fod hynny'n ymddangos yn dipyn o brofiad, yr hoffwn innau ei wneud ond byddai'r fenter yn costio llawer gormod. Ychydig fisoedd yn ddiweddarach, ffoniodd Steve gan holi a oeddwn i o ddifrif ynghylch Angel Falls. Wel, dyna gwestiwn gwirion! Dywedodd fod y BBC wedi canfod arian wrth gefn ond byddai'n rhaid ei ddefnyddio cyn diwedd y flwyddyn ariannol. Yr oeddent wedi gyrru llythyr i bob cynhyrchydd yn holi a oedd ganddynt unrhyw gynlluniau cyffrous. Yr oedd Steve wedi cynnig fy nghynllun i ac fe gafodd hwnnw ei dderbyn.

Bu bron i'w criw iechyd a diogelwch gael ffit pan ddywedodd Steve wrthynt fod dyn trigain ac un oed am neidio oddi ar y rhaeadr uchaf yn y byd. Yn dilyn trafodaethau maith, cytunwyd y cawn neidio unwaith yn unig; yr oedd yr yswiriant ar gyfer hynny yn costio £3,000!

Felly, ym mis Chwefror 1998, aeth Steve Robinson a minnau, yng nghwmni Leo Dickinson fel gŵr camera, draw i Venezuela, gan alw yn gyntaf yn Florida. Byddem yn ymarfer ar gyfer y naid yn Sebastian, Florida. Er bod awyrblymio yn un o'm hoff bleserau ers pan oeddwn yn ifanc, ni lwyddais i neidio rhyw lawer dros y blynyddoedd am resymau daearyddol ac ariannol. Hefyd, dringo oedd fy mywyd yn ystod y 1960au a'r 1970au ac felly, fûm i erioed yn arbenigwr awyrblymio er imi fwynhau'r gamp yn arw.

Prif ddiben ymweld â Sebastian oedd er mwyn gwella fy nhechneg hedfan allan yn syth drwy'r awyr. Mae hyn yn holl bwysig yn Angel Falls er mwyn hedfan i ffwrdd cyn belled â phosib oddi wrth y rhaeadr cyn agor y parasiwt. Treuliwyd wythnos yn neidio tua ugain o weithiau, gyda Leo yn fy helpu. Ar ddiwedd yr wythnos, dyma yrru i faes awyr Miami i gwrdd ag arweinydd y daith, Tom Saunders. Mae Tom yn ŵr camera stỳnt enwog o Hollywood sydd wedi gweithio ar nifer o ffilmiau adnabyddus. Cyflwynodd ni i weddill y criw a'r diwrnod canlynol, dyma hedfan i Caracas, prifddinas Venezuela i gwrdd â'n 'Mr Fix-it' yno, sef Pedro Luis Gonzales. Ymddengys fod perthynas i Pedro yn dal swydd weddol uchel yng ngweinyddiaeth y llywodraeth ac oherwydd hynny, llwyddwyd i osgoi'r ciwiau hir a oedd yn aros i fynd i mewn i'r wlad. Yr oeddem i gyd yn teimlo'n bwysig iawn!

Ar ôl noson yn Caracas, dyma hedfan i Barc Cenedlaethol Ucaima. Yno, cafwyd un neu ddwy naid ymarfer o hofrennydd cyn teithio ymlaen i'n prif wersyll wrth droed y rhaeadr, a enwyd er cof am Johnny Angel a oedd wedi hedfan dros yr ardal ym 1932 wrth chwilio am aur. Dychwelodd yn 1935 ond cwympodd ei awyren ger y rhaeadr ac fe gymerodd un diwrnod ar ddeg i'w griw ddychwelyd i wareiddiad. Ymhen blynyddoedd, aed â gweddillion yr awyren i'w thrwsio ac fe gaiff ei harddangos heddiw mewn amgueddfa yr aethom iddi ar ein ffordd o ddinas Caracas.

Gan wybod fy mod am neidio oddi arni ymhen ychydig ddyddiau, yr oedd gweld y rhaeadr yn brofiad digon brawychus. Digon sylfaenol oedd y gwersyll, ychydig o gytiau blêr a chysgod tarpolin, ond cawsom ein bwydo'n dda gan y cogyddion. Y diwrnod wedyn, daeth yr hofrennydd i'n cludo er mwyn inni gael archwilio'r man glanio wrth droed y rhaeadr. Nid hwn fyddai fy newis i o fan glanio, er nad oedd dewis arall, gyda cherrig mawr a'r mwyafrif ohonynt wedi eu cuddio gan dyfiant a choed – ardal torri coes go iawn! Felly, euthum ati i chwilio am y man glanio gorau, a rhag ofn imi fethu cyrraedd hwnnw, ail neu drydydd dewis. Treuliwyd gweddill y diwrnod yn trafod ac yn archwilio'r offer.

Fel bob tro arall, bu'r noson cyn neidio yn drawmatig iawn. Troi a throsi a'r meddwl ar ras, yn llawn amheuon wrth imi ystyried fy nghyfrifoldebau tuag at fy nheulu. O leiaf wrth ddringo, gwyddwn o brofiad beth oedd yn fy wynebu ond yma ofnwn fy mod allan o'm dyfnder. Deuthum i'r casgliad na fyddwn yn troi'n ôl ac yn hytrach na hynny, byddwn yn meddwl yn bositif ac yn mynd amdani.

Dringais i'r hofrennydd mawr Rwsiaidd M18 a chwarter awr yn ddiweddarach, ar ôl codi 5,000 troedfedd, dechreuodd gylchdroi uwchben y rhaeadr. Ymddangosai'r cyfan mor frawychus. Ar fy neidiau *BASE* cynt yr oeddwn wedi neidio ar fy mhen fy hun ond y tro hwn, byddai gŵr camera yn cadw cwmni i mi. Ei enw oedd Dave Majors ond câi ei alw'n Clem – dyn stỳnt o Hollywood a oedd wedi gwneud llawer o weithgareddau antur, neidio parasiwt, sgïo, rasio ceir a moto-beics – ac yr oedd yn arbenigwr ar y cwbl! Er mwyn cynefino cyn neidio gyda Clem, yr oeddem wedi neidio o'r hofrennydd yn y Parc ddeuddydd ynghynt. Ar y naid o'r rhaeadr, byddai'n holl bwysig na fyddwn yn agor fy mharasiwt cyn i Clem agor ei un o gan y byddai perygl o wrthdaro; yr oedd o i fod i agor ar ddeng eiliad a minnau ar ddeuddeg.

Neidiodd saith o'n blaenau ni. Drwy gyswllt radio cawsom wybod fod y neidiwr o'n blaenau wedi glanio'n ddiogel ac ar ôl galwad deng eiliad a chip sydyn ar Clem, i ffwrdd â mi. Am ran o'r eiliad gyntaf, teimlwn fel petawn mewn gwagle, heb bwysau, cyn dod yn ymwybodol o'r cyflymdra. Deuthum yn ymwybodol fod y graig yn hedfan heibio i mi ar gyflymder aruthrol a sŵn y gwynt yn cyflymu hyd at sgrech. Ambell dro, cawn gip ar Clem wrth iddo hedfan a ffilmio ar yr un pryd. Unwaith, bu bron iddo fy nharo wrth iddo weu yn ôl ac ymlaen. Mewn wyth eiliad, teithiwyd ar gyflymder o 120 milltir yr awr. Yr oeddem wedi trefnu ymlaen llaw mai Clem fyddai'n agor ei barasiwt yn gyntaf er mwyn osgoi gwrthdrawiad yn yr awyr. Dywedodd Clem fod piler ar ochr y rhaeadr y gallwn ei ddefnyddio fel ryw fath o arwydd ac wrth ddod at y piler, agorodd Clem ei barasiwt a minnau ddwy eiliad yn ddiweddarach. Dyma andros o glec ac ysgytiad sydyn wrth i'r parasiwt agor, roedd hi'n iawn ac yn hedfan i ffwrdd o'r rhaeadr, gwyddwn fy mod wedi llwyddo; byddai camgymeriad wedi achosi gwrthdrawiad yn erbyn Clem. Yn fy llawenydd, gwaeddais dros y lle ond yna cofiais fod angen meddwl am lanio. Croesais y man glanio 200 troedfedd uwch ei ben, troi i wynebu'r gwynt a dod i mewn amdano. Sylweddolais y byddwn yn methu ei gyrraedd, felly dyma anelu am yr ail ddewis. Glaniais ar lwyni, heb fod yn daclus iawn ond yr oeddwn yn ddiogel. Bobol bach, yr oeddwn yn hapus – yr unigolyn hynaf a'r lleiaf profiadol i neidio oddi ar Angel Falls erioed! Ar y daith yn ôl i Caracas, gwelsom eclips llawn ar yr haul – profiad gwefreiddiol ac uchafbwynt teilwng i'r antur fawr.

* * *

A minnau'n drigain ac un mlwydd oed, meddyliais mai Angel Falls fyddai fy naid *BASE* olaf ond gan fy mod yn un gwan fy ewyllys a chyda chof byr iawn, pan holodd Leo a hoffwn roi cymorth iddo ar raglen ddogfen am neidio oddi ar glogwyn yn yr Eidal, cytunais yn syth! Yr oedd Leo ac Andy Montriou, awyrblymiwr a neidiwr *BASE* profiadol, am wneud ffilm am hedfan gyda hebogiaid tramor (*peregrine falcons*). Er eu bod nhw wedi ffilmio digon am yr hebogiaid yn Lloegr, dymunent gael uchafbwynt i'r ffilm oddi ar glogwyn trawiadol. Y lle delfrydol ar gyfer hynny oedd Monte Brento ger Llyn Garda yng ngogledd yr Eidal. Gellid teithio mewn car hyd at ryw hanner awr o daith gerdded i gopa'r mynydd 5,000 troedfedd. O ymyl y copa, ceir clogwyn 2,500 troedfedd a'r man glanio wrth ochr y brif ffordd gyda chaffi/bar dim ond rhyw ugain llath i ffwrdd. Profiad anhygoel oedd gwylio Leo ac Andy yn neidio gyda'r hebog. Neidient oddi ar y clogwyn gyda thamaid bach o gig wedi ei glymu ar eu harddyrnau. Eiliad yn ddiweddarach, byddai'r hebog yn cael eu gollwng. Plymiai'r aderyn er mwyn ceisio cael gafael ar y cig tra syrthiai Leo ac Andy yn rhydd. Ddwywaith, glaniodd yr adar ar eu harddyrnau gan danseilio'u sadrwydd oherwydd grym eu glaniad – gan roi dipy o fraw i'r ddau!

Cafwyd un digwyddiad doniol a allai fod wedi bod yn ddigon annifyr wrth ffilmio'r hebog. Un noson, euthum gyda Lloyd Buck yr hebogwr a'i gynorthwywr i'w gwylio yn ymarfer gyda'r deryn. Er mwyn ei ddysgu i ddilyn y neidwyr, clymid darn o gig llygoden fawr wrth ddenwr melyn ar ddarn hir o gortyn. Gollyngai Lloyd yr hebog tra safai ei gynorthwywr yn y pellter yn troi'r denwr melyn yn yr awyr. Gan wybod fod cig ar y denwr melyn, plymiai'r hebog amdano. Ar ôl ymarfer sawl tro, clywsant y cynorthwywr yn rhegi dros y lle. Aethom ato a gofyn beth oedd yn bod. Yn y pellter, yr oedd merch benfelen yn reidio beic mynydd ac ymddengys i'r hebog gamgymryd ei gwallt am y denwr ac aeth amdani ddwywaith o'r cefn, gan fethu ei phen o drwch blewyn. Aeth y ferch yn ei blaen heb ddeall pa mor agos y bu iddi gael ei brifo.

Pan nad oeddwn yn helpu roedd cyfle i mi neidio, ac yn y cyfnod yma mi wnes bedair naid. Gyda'r man neidio ar ymyl gordo, byddwn yn disgyn am ryw bum i saith eiliad cyn agor y parasiwt. Unwaith y byddwn wedi agor y parasiwt, byddai'n daith ddidrafferth wedyn cyn glanio'n daclus gyferbyn â'r caffi. Gan fod y daith i lawr dros goed a llwybrau cul, petawn yn cael problem wrth agor y parasiwt ac yn gorfod agor un mewn argyfwng yna'r unig ddewis fyddai glanio ar un o'r llwybrau. Poenwn am hyn bob tro cyn neidio. Ond efallai mai'r amser mwyaf brawychus yn ystod y daith i bob un ohonom oedd cael ein gyrru o gwmpas yr ardal gan ein 'Mr Fix-it' lleol, Massimo Faletto. Tywysydd mynydd yn Trento oedd Massimo ac er ei fod yn fach o gorffolaeth, yr oedd yn ddringwr hynod o gryf. Y fo a'i gyfaill oedd y rhai cyntaf i ddringo allan o Ogof y Gwenoliaid ym Mecsico. Yr oedd yn ŵr brwdfrydig a siaradai'n ddi-baid mewn Saesneg clapiog a fo oedd y gyrrwr gwirionaf a welais erioed. Pan fyddai yn mynd a ni i'r man neidio yn ei *Fiat* bach byddai y byddai yn ei lywio gyda'i bengliniau, siarad ar y ffôn – a honno rhwng ei ên a'i ysgwydd – a rowlio sigarét ar yr un pryd! Ar ôl y daith honno, yr oedd y naid yn ddigon diniwed!

* * *

Ym mis Hydref 2001 a minnau'n awyrblymio yn Perris, Califfornia gyda Moe, dywedodd cyfaill iddo ei fod yn mynd i Fecsico er mwyn neidio i mewn i Ogof y Gwenoliaid (*Cave of Swallows* neu *Sotano de las Golodrinas*) sydd ym mynyddoedd y Sierra Madre yn rhan ddwyreiniol canol Mecsico. Cafodd yr enw gan y brodorion lleol – yr indiaid Huastecan – am fod miloedd o wenoliaid yn byw yn yr ogof hon, sy'n mynd yn syth i lawr hyd at 1,400 troedfedd. Mae'r ogof ar siâp cloch, gyda'r agoriad 160 troedfedd yn lledu hyd at 1,000 troedfedd wrth 400 troedfedd ar y gwaelod. Er bod y gwaelod yn weddol o ran maint, fe'i gorchuddir â cherrig mawr gydag un man glanio diogel tua maint cwrt tennis.

Ymddangosai'n gryn antur ond teimlwn ei fod y tu hwnt i'm gallu. Er bod Moe yn awyddus, ei brif broblem oedd nawdd ariannol. Yn ystod y noson honno a gweddill fy arhosiad yn Perris, testun ein sgwrs oedd 'Twll Du Mecsico'. Trafodwyd y sgiliau angenrheidiol ar gyfer gwneud y naid hon mor ddiogel â phosibl. Yn gyntaf, y lansiad; yn ail, syrthio'n rhydd; yn drydydd, hedfan y parasiwt oddi mewn i gulni'r ogof; a'r pedwerydd, glanio'n ddiogel ar le bach heb ddim gwynt yn chwythu. Teimlwn y gallwn wneud y ddau beth cyntaf ond yr oedd hedfan fy mharasiwt gyda chraig o'm cwmpas a glanio mewn lle bach rhwng cerrig mawr, peryglus yn achosi dipyn o bryder. Ond dywedodd Moe y gallai ddysgu'r sgiliau angenrheidiol i mi. Unwaith y perswadiais fy hun y gallwn wneud y naid, y cam nesaf fyddai cael nawdd i'r fenter.

Gadewais Galiffornia yn benderfynol o geisio ennyn diddordeb cwmni teledu yn y fenter am na allai Moe na minnau fforddio'r cyfan ein hunain. Ar ôl cyrraedd i Gymru, cysylltais â nifer o gwmnïau annibynnol a gynhyrchai raglenni i S4C ond heb lwc. Y gobaith nesaf oedd BBC Wales Sport am mai nhw oedd wedi ffilmio fy naid oddi ar Angel Falls. Cysylltais â'r BBC a chefais air gyda Llion Iwan, cynhyrchydd yr oeddwn yn ei adnabod cyn hynny, a ddywedodd fod ganddo ddiddordeb cefnogi'r fenter ym Mecsico. Ar ôl cryn drafferth, llwyddodd i berswadio ei feistri i roi arian ar gyfer y fenter ac ym mis Chwefror 2003, hedfanais i Galiffornia i gyfarfod Moe yn Perris lle byddai'n datgelu ei gynllun cyfrwys ar gyfer hyfforddi i baratoi ar gyfer yr ogof ym Mecsico.

Ddeuddydd ar ôl i mi gyrraedd, cyrhaeddodd Llion a'i ddyn camera, Dylan Gruffydd. Ar y man glanio yn Perris, marciodd Moe faint yr ogof, a'r tu mewn i hwnnw marciodd y man glanio yn yr ogof. Gwnaeth hyn gyda blawd gwyn. Byddwn yn awyrblymio yn ôl yr arfer, yn agor y parasiwt ar 2,000 troedfedd ac ar ôl disgyn i 1,000 troedfedd, oddi yno i lawr byddwn yn aros y tu mewn i linellau blawd Moe. Neidiwn yn gynnar yn y bore pan nad oedd gwynt, er mwyn cael amodau tebyg i du mewn yr ogof. Yn anffodus, dim ond rhyw un neu ddwy naid fyddwn i'n gallu eu gwneud bob bore gan fod yr haul yn cynhesu'r ddaear ac yn codi'r gwynt.

Gyda'i holl brofiad awyrblymio a neidio *BASE*, yr oedd Moe yn mentro ei enw da er fy mwyn i. Os na fyddwn i'n perffeithio fy naid yn Perris, dywedodd na fyddem yn mynd i Fecsico. Neidiais ugain o weithiau yn Perris ond dim ond pedair naid fu heb wynt. Nid oedd y paratoadau hyn yn ddelfrydol ond byddai'n rhaid iddynt wneud y tro. Yn y diwedd, dywedodd Moe y byddem yn mynd i Fecsico – yn rhannol, mi gredaf, am ei fod yn ddyn a oedd yn fodlon mentro a hefyd am ei fod yn ymwybodol pa mor awyddus oeddwn i i wneud y naid ym Mecsico.

Ar ddiwedd yr wythnos yn Perris, dyma ni'n hedfan o Los Angeles i Tampico, porthladd yng Ngwlff Mecsico. Yn ein gwesty cawsom gyfarfod trefnwyr y daith, Mark Lichtie a Randy Pacheco o gwmni *Aerial Extreme* a'r noson honno, cyrhaeddodd gweddill y criw. Americanwyr oeddent i gyd a phob un yn neidiwr *BASE* profiadol, gyda hanner y criw wedi neidio i'r ogof o'r blaen. Croesewais un wyneb cyfarwydd, sef Dave Majors (Clem), fy nghyd-neidiwr/dyn camera yn Angel Falls. Y bore wedyn, dyma gychwyn yn ein cerbydau 4x4 ar daith deirawr i dref fynyddig Aquismon, cartref y fenter. Ar ôl cynefino â'r ardal o'n cwmpas, fe'n cyfarwyddwyd gan Mark a Randy a'r diwrnod canlynol, cawsom ein cludo i fyny ffordd drol serth am ryw awr go dda. O'r lle parcio yr oedd hi'n daith o tua deng munud at yr ogof. Tra gosodai gweithwyr *Aerial Extreme* yr offer codi (i'n codi allan o'r ogof), dyma ni'n cropian at ymyl yr ogof i gael ein golwg gyntaf arni. Yr oedd hi'n olygfa anhygoel – twll du go iawn, nid oedd modd gweld ei waelod, bron. Yn sydyn iawn, teimlwn yn hen ac yn ymwybodol o'm diffyg profiad a dychrynais wrth feddwl y gallai rhywun neidio a glanio yn y ffasiwn le.

Y noson cynt, yr oeddwn wedi gofyn i Mark pwy oedd

â'r nifer lleiaf o neidiadau a oedd wedi cyrraedd yr ogof? Atebodd mai gŵr o Ddenmarc oedd hwnnw, gyda phedair naid ar bymtheg i'w enw ond fe wnaed eithriad yn ei achos ef am ei fod yn bencampwr byd ar neidio cywir. Yn sydyn, yr oedd fy niffyg profiad yn destun pryder i mi. Ar y llaw arall, yr oedd Moe wedi cynhyrfu'n lân ac yn amlwg wrth ei fodd gan fod ei chwe chant (a mwy) naid *BASE* yn rhoi llawer o hyder iddo. Nid oedd siarad â gweddill y criw yn gwneud imi deimlo'n well chwaith, gan fod y mwyaf profiadol ohonynt wedi awyrblymio 4,500 o weithiau a neidio *BASE* 780 o weithiau! Cyfartaledd neidiadau'r grŵp oedd 3,700 awyrblymiad a 310 *BASE*. Teimlwn yn ddiwerth ac yn ddibrofiad. Yr oeddwn i hefyd yn ddwbl oedran y rhan fwyaf o'r lleill! Ond dyna fo, yr oeddwn i wedi penderfynu neidio a'r unig ffordd ymlaen fyddai i lawr yr ogof!

Cyn neidio, yr oedd yn rhaid i bob neidiwr nad oedd wedi bod yn yr ogof o'r blaen gael eu gollwng i mewn iddi. Y bore canlynol, daeth fy nhro i ac edrychwn ymlaen at gael abseilio 1,200 troedfedd i mewn i'r ogof. Gosododd Mark gamera fideo bum troedfedd uwch fy mhen ar y rhaff gyda dyfais y gallwn i ei rheoli er mwyn i'r camera fy nilyn i lawr ar y rhaff. Y bwriad oedd i mi ddisgrifio'r profiad yn Gymraeg a Saesneg ar gyfer y ddwy raglen ddogfen a ffilmiai Dylan a Llion. Euthum i lawr i'r gwyll ac ar ôl disgyn 300 troedfedd, gallwn weld llawr yr ogof a'r man glanio wedi ei farcio â thap melyn. Dychrynais yn arw am ei fod yn edrych mor fychan â stamp ac ofnwn na fyddai unrhyw fodd imi allu glanio ar arwynebedd cyn lleied â hwnnw, ond wrth fynd yn is ac yn is, lledodd waliau'r ogof a gwelwn ei bod yn anferth. Wrth agosáu at y llawr, ymddangosai'r man glanio yn fwy ymarferol, gan ei fod yr un maint â chwrt tennis gyda cherrig annifyr ar lechwedd 200 troedfedd arall i lawr hyd at waelod yr ogof. Yr oedd sefyll yn y gwaelod fel bod ar blaned arall, gyda haen denau o fwsogl dros bob dim yn rhoi rhyw wyrddni iasol i'r lle.

Er ein bod ni mewn twll 1,400 troedfedd o ddyfnder, gallwn weld yn berffaith gan fod pelydrau'r haul yn dod i mewn drwy agoriad yr ogof. Wrth i Moe a minnau archwilio'r ogof, deuthum yn ymwybodol o ddifrifoldeb damwain yn y lle hwn. Heblaw am y drafferth o orfod codi'r sawl a anafwyd allan o'r ogof, byddai'n rhaid teithio am deirawr cyn cyrraedd yr ysbyty agosaf ac awr gyntaf y daith dros dir garw – ni fyddai'n brofiad braf o gwbl. Ar ôl i'r neidwyr dibrofiad (yn y twll hwnnw) abseilio i'r gwaelod, dywedwyd fod Clem yn mynd i neidio er mwyn dangos sut y dylid gwneud y naid. Rhoddodd Clem rybudd deng eiliad i ni ar y radio ac yna gwelsom ef yn fach iawn wrth iddo ddisgyn dros yr ymyl a phlymio tuag atom. Chwe eiliad yn ddiweddarach, dyma andros o glec yn atseinio drwy'r ogof a gwelais Clem yn dod i lawr o dan ei barasiwt. Edrychai'n fach rhwng y waliau creigiog ac fe ddaliai i droi drwy'r amser rhag taro'r ochrau. Ddeugain eiliad yn ddiweddarach yr oedd yn anelu i gyfeiriad y tâp melyn, cyn glanio'n berffaith yn y canol i gyfeiliant sgrechiadau a bloeddiadau pawb. Defnyddiwyd winsh fechan i godi dau ar y tro allan o'r ogof. Cymerai hyn ddeng munud yr un, gan arbed dwy neu dair awr o waith dringo caled i fyny ar raff.

Wrth i Moe a minnau gael ein codi, archwiliais yr ogof yn fanwl a gallwn weld lle'r oedd yr adar yn nythu oherwydd y tyrrau anferth o giwana. Yr oedd ymweld â'r ogof ben bore i weld miloedd o'r adar yn codi ohoni ac yn hedfan i'r goedwig yn brofiad gwerth chweil ond y fraint fwyaf oedd eu gweld yn dychwelyd ar fachlud haul. Byddem yn gorwedd ar ein cefnau ar ymyl ceg yr ogof er mwyn gweld yr adar yn dod yn eu holau – heidiau o ryw ddau neu dri chant ar y tro yn troelli'n swnllyd iawn uwchben eu cartref ac yna'n sydyn, megis ar alwad, byddent yn plymio i'r twll du. Golygfa ddramatig a bythgofiadwy.

Y bore canlynol, daeth hi'n bryd inni neidio. Aeth pump o'n blaenau ni, yna daeth tro Moe a minnau. Bu ugain munud o oediad gan fod ambell aderyn diog wedi cysgu'n hwyr ac yn hedfan allan o'r ogof. Yn y diwedd, cawsom ganiatâd i neidio a Moe, yn ôl ei arfer, wedi ymlacio'n llwyr. Neidiodd wysg ei gefn at geg yr ogof a gwên lydan ar ei wyneb, cyn oedi am chwe eiliad, agor y parasiwt a glanio'n ddiogel ar waelod yr ogof. Ar y radio, rhoddodd gyfarwyddiadau i mi a geiriau llawn pryder: 'Paid â glanio'n fyr neu mi ei di ar dy ben i'r cerrig sy'n arwain at waelod yr ogof!' Pwysleisiwyd hyn mewn cyfarfod yn gynharach ac fe ddaeth yn amlwg iawn yn fy meddwl.

Cefais ddeng eiliad o rybudd a dyma baratoi i fynd. Ar yr union eiliad honno, nid oes dim arall yn y byd yn cyfrif gan eich bod yn canolbwyntio'n llwyr ar yr ychydig eiliadau nesaf. Yr oeddwn yn nerfus, yn bennaf gan fod hon yn naid mor unigryw. Fel arfer wrth neidio, ar ôl i'r parasiwt agor yn iawn bydd y rhan fwyaf o'ch problemau y tu cefn i chi, ond yn yr ogof arbennig hon, dyma ddechrau gofidiau. O dan y parasiwt yr ydych yn hedfan tuag at y creigiau beth bynnag, felly mae'n rhaid dal ati i droelli gan geisio anelu'r parasiwt at fan glanio bychan iawn. A dyma fy nhro innau wedi cyrraedd. Tri, dau, un – ac i ffwrdd â mi i'r dyfnderoedd. Am ran o eiliad ni theimwn ddim byd – profiad amhosibl i'w ddisgrifio. Yna gwelwn y creigiau o'm cwmpas a minnau'n cyflymu a'r holl beth yn fyw iawn. Ar ôl tair eiliad, plymiwn i'r dyfnderoedd ar 60 milltir yr awr, yna pum eiliad ar 90 milltir yr awr gan barhau i gyflymu. Gwibiai popeth heibio ar gyflymdra anhygoel a daeth hi'n bryd imi arbed fy mywyd drwy agor y parasiwt. Clywais glec fawr a theimlo plwc milain, yna yr oeddwn yn hongian o dan y parasiwt. Ar unrhyw naid arall, byddai hyn yn ryddhad ac yn ddechrau cyfnod o fwynhad ond yn y twll, dyma ddechrau'r problemau. Nid oedd wahaniaeth pa ffordd y byddwn yn troi, rhuthrai'r waliau tuag ataf. Ceisiais arafu'r parasiwt gymaint â phosibl gan ganolbwyntio ar y man glanio. Byddai cael llygaid yng nghefn fy mhen wedi bod yn gryn gymorth! Teimlai fel reid wallgo' *wall of death* mewn ffair ond heb fedru cyffwrdd yr ochrau! Gan droi y parasiwt ar siâp 'S' wrth ddod i lawr, clywais lais yn fy mhen yn gweiddi arnaf i beidio glanio'n fyr. Wrth ddod yn is, gwelwn pam, gyda'r man glanio yn rhuthro i fyny tuag ataf. Yr oeddwn wedi mynd yn rhy bell wrth droi a mynd oddi ar y llwybr cywir ar gyfer glanio. Gwyddwn na fyddwn yn cyrraedd y tâp melyn.

Euthum heibio i'r man glanio tua ugain troedfedd uwchben y llawr. Yr oedd carreg anferth ar fy llwybr. Ar yr eiliad olaf, codais fy nghoesau a hedfan heibio i'r garreg o drwch asgell gwybedyn! Yna, cyrhaeddais y llawr. Glaniais ar domen o giwana – y domen dail hyfrytaf a welais erioed. Rhedodd Moe tuag ataf gan weiddi a sgrechian a dyma gofleidio'n gilydd, mor fawr ein llawenydd. Daeth y neidwyr eraill atom i ysgwyd llaw a thynnu lluniau. Gwyliais rai eraill yn neidio wedyn ac ymlacio ychydig ar ôl profi un o'r munudau mwyaf gwefreiddiol yn fy mywyd. Nid oes iaith yn y byd sy'n gallu disgrifio'r naid hon yn berffaith. Fel y dywedodd un o'r Americanwyr, 'Os nad ydych wedi bod yno, ddewch chi fyth i wybod.'

Yn rhy fuan, daeth hi'n bryd ffarwelio ag Ogof y Gwenoliaid. Cefais fy nghodi allan ohoni ar y rhaff a theimlwn yn falch o fod yn fyw ond hefyd yn drist am fod yr antur wedi dod i ben. Yn ystod y dyddiau nesaf, aeth Moe a'r criw i neidio i'r ogof nifer o weithiau, gan ennill mwy o hyder a chael andros o hwyl wrth neidio o wahanol fannau o gwmpas yr ymyl. Yn llawn eiddigedd, gwyliais eu doniau neidio, gan edifarhau na allwn ymuno â nhw. Oherwydd fy niffyg profiad, ni theimlwn yn gwbl hyderus ar y parasiwt y tu mewn i'r ogof a challach fyddai i mi beidio â themtio ffawd wrth neidio eto.

Ar y noson olaf, cawsom farbeciw yng nghwmni'r trigolion lleol gyda band Mecsicanaidd yn chwarae. Rhoddwyd anrhegion i'r plant ac aethom ati i yfed dipyn o gwrw wrth i'r haul fachlud a'r adar yn dychwelyd i hawlio'r ogof – teimlad emosiynol a diweddglo addas i'r antur fawr.

Yn awr, yr oedd yn rhaid imi ddychwelyd adref i nôl fy mhensiwn!

Pennod 17

OED YR ADDEWID A THROSODD

Ers imi gael y ddamwain moto-beic yn nyddiau fy ieuenctid, cefais drafferth gyda fy mhen-glin chwith. Cawn boen wrth ei sythu ac fe ddigwyddai hynny weithiau wrth ddringo, gan roi braw i mi yn ogystal â rhoi ysgytiad i'm hyder. Wrth imi fynd yn hŷn, gwaethygodd y broblem. Cefais driniaeth arni ddwywaith ond pan oeddwn yn 72, aeth y boen mor ddrwg nes imi orfod cael pen-glin newydd a digwyddodd hynny yn Ysbyty Gwynedd, Bangor. Bu'r driniaeth yn llwyddiant ond rhyw ddeuddydd wedyn, dechreuodd fy nghlun chwyddo wrth imi wneud ymarferion plygu'r ben-glin. Galwais ar y ffisiotherapydd oedd yn trin claf mewn gwely cyfagos ond anwybyddodd fi gan feddwl mai hen gwynwr oeddwn. Gwaethygodd y chwydd yn ogystal â'r boen ac ar ôl imi ddal ati i alw ar y ffisiotherapydd, o'r diwedd daeth ataf. Pan welodd fy nghoes chwyddedig, galwodd ar yr arbenigwr yn syth. Ymhen deg munud, yr oeddwn yn y theatr gan fy mod wedi dioddef haemotoma anferth ac angen triniaeth ar frys. Daeth pedwar arbenigwr ataf i geisio canfod beth oedd o'i le, ond i mi, y broblem oedd y boen. Rhoddodd meddyg arall forffin i mi. Yr oed hithau'n hoffi dringo a dechreuodd sôn am ddringfa ym Mwlch Llanberis yr oedd hi wedi methu ei dringo'r noson cynt ac yn gofyn fy nghyngor. Teimlwn fel dweud wrthi lle i fynd (ond mewn iaith ychydig yn fwy lliwgar!) ac iddi ddal ati i roi mwy o morffin i mi. Yna, diolch i'r drefn, daeth yr arbenigwr fu'n fy nhrin yno a phenderfynwyd agor y ben-glin er mwyn ceisio stopio'r gwaedu mewnol a rhoi pedwar peint a hanner o waed i mi. Oherwydd hyn, byddwn yn arafach yn gwella. Fel arfer, anogir y claf i blygu ei ben-glin y diwrnod wedyn, er gwaethaf y boen, ond i mi, nid oedd hynny'n bosibl oherwydd fy nghyflwr ac felly methais ei phlygu i'w heithaf wedyn.

Ffermwr o Garndolbenmaen yw Jeremy Trumper ac er ei fod wedi cael ei eni'n Sais, bu'n Gymro drwy ei oes. Bu'n ddringwr brwdfrydig a charwr mynyddoedd ers pan oedd yn bymtheg oed ac mae'n meddu ar gorff a chymeriad addas ar gyfer dringo, yn bwyllog a chyda dwylo cryfion maint rhawiau. Deuthum i'w adnabod pan symudais i Dremadog ond ni chawsom gyfle i ddringo gyda'n gilydd hyd nes inni fynd gyda dringwr lleol arall, Brian Grimstone, i fynyddoedd Bregalia yn y Swistir a mwynhau cwmni ein gilydd. Yr oedd Brian yn hynod gystadleuol ar y mynyddoedd ac oddi arnynt. Un diwrnod, wrth yrru drwy Fwlch Majola, bwlch serth a throellog iawn, pasiwyd ni ar un o'r troadau gan gar yn llawn llanciau ifanc afreolus a waeddodd arnom ar ôl gweld y plât Prydeinig ar y car. Aeth Brian ar eu holau'n syth ac er eu bod yn gyrru'n wyllt, daliodd Brian nhw a'u pasio mewn lle gwirion. Mae'n siŵr eu bod nhw wedi dychryn. Yn siŵr i chi, yr oedd Jeremy a minnau wedi cael braw. Ar waelod y bwlch, dyma Brian yn arafu ac wrth iddynt basio ein car, dyma nhw'n gweiddi 'Cretino!' ar Brian. Dechreuodd Jeremy a minnau'n chwerthin yn wirion gan ddychmygu bod y llanciau wedi bwriadu cael hwyl ar ben Brian ond yn lle hynny, cawsant gymaint o fraw o weld hen ddyn yn chwarae'r un gêm â nhw eu hunain.

Ar wahanol adegau yn ystod y blynyddoedd, bûm yn dringo yn yr Alpau a'r Dolomiti gyda Jeremy. Buont yn deithiau pleserus iawn a'r orau ohonynt oedd y 'Scarf Arete' yn y Pala Dolomiti. Ar ymweliad cynharach â'r Alpau, bu Jeremy yn dringo gyda gŵr o'r enw Mike Adams. Cyfaill i Mike oedd Paul von Kanel, heliwr crisialau a werthai'r crisialau yn ei siop yn Reichenbach yn y Swistir. Estynnodd Paul wahoddiad i Mike a Jeremy ymweld ag ogof grisialau yr oedd wedi ei darganfod yn ardal Goshenertal yn y Swistir ac ers hynny, gwirionodd Jeremy ar safle'r ogof honno.

Rai blynyddoedd yn ddiweddarach, pan oeddem yn y Bernese Oberland, aethom i siop Paul yn Reichenbach gan fy mod i'n awyddus i ymweld â'r ogof grisialau. Dywedodd ei wraig fod Paul yn gweithio yn yr ogof, felly i ffwrdd â ni i Goshenertal. Parciwyd y car a cherdded i fyny'r dyffryn. Wrth gerdded yn uwch, methai Jeremy â chofio union leoliad yr ogof, felly dyma dreulio rhyw awr go lew yn chwilio hyd nes i Jeremy weiddi i ddweud ei fod wedi canfod y rhaff sefydlog a arweiniai at yr ogof. Dilynwyd y rhaff ar hyd ochr clogwyn serth hyd nes cyrraedd caban bychan oedd yn llythrennol wedi ei folltio ar ochr y clogwyn serth. Deallais resymau Jeremy dros wirioni ar y lle.

Dyma weiddi cyfarchiad a chael ein gwahodd i'r caban. Yr unig ffordd i mewn oedd drwy ddringo ysgol a mynd drwy dwll yng ngwaelod y caban. Fel arwydd o ewyllys da, yr oeddem wedi mynd â photel o win gyda ni gan feddwl y byddai bywyd yn galed yno. Wel, am sioc a gawsom – y caban bach yn gynnes, gyda gwres a golau'n cael eu cynhyrchu gan generadur. Ar y wal bellaf yr oedd rac gwin a dewis o tua ugain potel o win. Cyflwynodd Jeremy fi i Paul a'i gyfaill ac yn wylaidd, rhoddais y botel win iddo ac estynnodd Paul wahoddiad inni gael cinio gyda nhw. Dyna agoriad llygad! Cig, pasta a salad – a digon o win. Cystal pryd o fwyd ag y gellid ei brynu yn unman yn y dyffryn. Wrth sgwrsio, deallais fod Paul yn adnabod cyfaill i mi, Hans Peter Trachsel a fu gyda mi ym Mhatagonia. Wrth ddringo ar Cerro Torre tuag at ein hogof rew, yr oedd Hans wedi canfod ogof fach mewn craig a llwyth o grisialau hyfryd ynddi. Am mai ef oedd wedi eu canfod, Hans gafodd y dewis cyntaf o'r crisialau ac fe rannwyd y lleill rhwng y gweddill ohonom. Llanwyd ein sachau cefn gyda'r crisialau hardd hyn ac yn ystod gweddill y daith honno, daeth pob un ohonom yn helwyr crisialau brwd.

Ar lawr yr ogof honno, yr oedd darn anferth o graig basalt a thua phymtheg o grisialau hardd ynddi ond yr oedd yn rhy drwm i ni ei symud. Dywedodd Hans y byddai'n dychwelyd yn y dyfodol i geisio cario'r darn craig i lawr i'r dyffryn ond pan welais ef yn ddiweddarach yn y Swistir, dywedodd nad oedd yn bwriadu dychwelyd yno. Wrth gynllunio ein taith dros Gap Rhew Patagonia, bu Leo a minnau'n trafod y posibilrwydd o ddychwelyd i'r ogof yn ystod y daith. Yr oeddem yn tybio bod y darn craig gyda'r crisialau yn pwyso tua 250 pwys felly aethom â jac car bach gyda ni i godi'r graig o'r ogof, ei gosod ar sled a'i chludo i lawr dros y rhewlif. Ar ôl cyrraedd yr ogof, dyma osod bollt yn y to a thynnu rhaff drosti. Yna, yn araf, codwyd y graig grisialog at geg yr ogof a dechrau ei gollwng yn raddol tuag at y sled ar y rhewlif. Gan ei bod yn drymach nag yr oeddem wedi ei dybio'n wreiddiol, hanner y ffordd i lawr y can troedfedd at y rhewlif, dyma glec ac fe lithrodd y graig grisialog i lawr y llethr gan ddiflannu i'r *bergschrund*. Er bod y rhaff yn ddigon cryf i ddal y pwysau, yr oedd hi wedi rhwbio yn erbyn darn miniog o graig a thorri. Diflannodd ein breuddwyd i lawr i ddyfnderoedd rhewlif Torre, yn ôl pob tebyg i ymddangos yng ngheg y rhewlif ymhen rhai cannoedd o flynyddoedd. Yr unig gysur oedd meddwl am y drafferth wrth geisio cario'r ffasiwn bwysau i lawr y rhewlif – efallai y byddai hynny wedi bod yn amhosibl!

Bu casglu crisialau yn weithgaredd boblogaidd yn yr Alpau ers tua chanol y ddeunawfed ganrif a thros y blynyddoedd, aethant yn anos eu canfod. Yng nghyfnod Paul a Hans, dechreuwyd defnyddio dulliau modern o ddringo creigiau i ganfod ogofâu crisialau newydd mewn mannau oedd yn rhy anodd i'r arloeswyr eu cyrraedd. A bu rhai o'r darganfyddiadau yn hynod gyffrous. Yn siop Paul yn Reichenbach, gwelwyd rhai enghreifftiau hardd a oedd yn ddrud iawn. Yn y sioe grisialau fwyaf yn y byd a gynhaliwyd yn Phoenix, Arizona, gwerthodd Paul grisial bach a phrin am $26,000. Un o'r crisialau mwyaf gwerthfawr yw'r *Laurent* a ddarganfuwyd ar yr Aig Verte ger Mont Blanc; fe'i gwerthwyd i amgueddfa yn Ffrainc am £220,000.

Dros ginio, eglurodd Paul y drefn. Byddai hofrennydd yn dod â'r generadur a chyflenwadau bwyd i'r caban ar gyfer yr haf ac fe dreuliai ef a'i gyfaill dri neu bedwar diwrnod yno bob rhyw dair wythnos. Ymddangosai'n ddihangfa ddelfrydol i'r hogiau – gweithio'n galed yn tyllu crisialau drwy'r dydd a meddwi gyda'r nos! Ar ddiwedd yr haf, dychwelai'r hofrennydd gydag asesydd treth o'r Swistir gan fod y wlad yn codi treth ar werth y crisialau a ganfuwyd. Cefais argraff gref fod llawer o grisialau da yn canfod eu ffordd i'r dyffryn cyn i'r hofrennydd gyrraedd!

Ar ôl inni orffen bwyta, gofynnodd Paul am ein cymorth felly dyma adael y caban. Gan fod yr ogof grisialau wreiddiol wedi darfod ei hoes, yr oedd un newydd wedi cael ei thyllu ychydig lathenni i ffwrdd, gyda mynedfa gul iawn, tua llathen o uchder, a rheilffordd fechan yn arwain i'r ogof. Er mwyn mynd i mewn, rhaid oedd gorwedd ar wagen fechan a chael ein tynnu ar system bwli – trefn effeithiol iawn sy'n nodweddiadol o'r Swistir. Cyn i ni gyrraedd, yr oedd Paul a'i gyfaill wedi bod wrthi'n saethu'r graig, felly gwaith Jeremy a minnau oedd llwytho'r cerrig rhydd ar y wagen, ei gyrru allan a thywallt y llwyth dros glogwyn mil o droedfeddi. Ddaru ni ddim canfod crisialau a chredai Paul a'i gyfaill fod yr ogof wedi darfod ei hoes. Deirawr yn ddiweddarach, dyma orffen clirio'r rwbel, diolch i'r ddau am eu lletygarwch a chychwyn i lawr am y dyffryn ar ôl diwrnod diddorol yng nghwmni dau gymeriad rhyfeddol.

Chwe mis yn ddiweddarach, cawsom wybod bod y ddau ohonynt – ddeuddydd ar ôl ein hymweliad ni – wedi saethu drwy'r graig a chanfod y crisialau mwyaf anhygoel a ganfuwyd ers blynyddoedd.

Yn 2006, a minnau erbyn hynny yn nesau at fy saithdegau, fy esgyrn yn gwegian, fy nghryfder yn dirywio a'r dyddiau caled wedi hen fynd heibio, daliwn i geisio gwneud pethau arwyddocaol a phleserus oedd o fewn fy ngallu ar y pryd. Profais bron cymaint o bleser yn dringo gyda Jeremy yn ystod y blynyddoedd diwethaf ag a gefais yn dringo yn y blynyddoedd cynnar. Yn yr 'hen ddyddiau' byddai llawer o dyndra gan fod rhai o'r dringfeydd yn beryglus iawn. Wrth lwyddo, cawn deimlad o orfoledd a boddhad ond rhwystredigaeth a dicter wrth fethu neu orfod troi'n ôl mewn tywydd garw. Gyda Jeremy, yr oeddwn yn dewis dringfa addas ar gyfer gallu y ddau ohonom, yn ymlacio, a phe na byddem yn llwyddo, byddai'r ddau ohonom yn chwerthin ac yn dychwelyd i'r dyffryn i yfed cwrw a chael hwyl.

Yn yr un flwyddyn aeth Jeremy a minnau i'r Swistir gan fwriadu dringo'r Eiger, mynydd a chwaraeodd ran bwysig yn fy mywyd. Yr oedd Jeremy yn awyddus i ddringo crib Mitteleggi, sef crib ogledd-ddwyreiniol y mynydd. Fel arfer, cychwynnir dringo'r grib o'r cwt ar ei hymyl. Daliwyd y trên o Grindelwald i Kleine Scheiddeg, yna dal y trên sy'n mynd drwy'r Eiger a gorffen y daith yn y Jungfraujoch. Gadawyd y trên yng ngorsaf Eismeer ar ochr ddeheuol y mynydd, mynd drwy dwneli bychan ac abseilio i lawr i'r rhewlif. Oddi yno, mae rhyw awr a hanner o waith dringo i gwt Mitteleggi. Bûm yno sawl gwaith o'r blaen unwaith pan ddringais y grib ar fy mhen fy hun. Cwt bychan ydyw a'r cof sydd gen i amdano yw'r un am y 'tŷ bach' gyda'i sedd yn edrych i lawr dibyn 3,000 troedfedd! Erbyn hyn, yr oedd adnoddau newydd yn y 'tŷ bach' ond yr oedd y golygfeydd yr un mor drawiadol. Gan fod cynifer o ddringwyr yn y cwt, yr oedd y gwlâu yn glawstroffobig a phoeth. Aros mewn cwt llawn fyddai'r peth gwaethaf am unrhyw daith ddringo i mi erioed ac ambell waith, sefydlwn *bivouac* y tu allan i gwt gan ddewis yr oerfel yn hytrach na'r gwres annioddefol a'r chwyrnu y tu mewn.

Cododd Jeremy a minnau'n gynnar ac wrth iddi ddyddio i ffwrdd â ni ar ddringfa weddol hawdd ond gyda golygfa drawiadol. Gan fod y ddringfa hon mor boblogaidd ceir rhaffau tewion sefydlog ar y rhannau anodd. Er bod y ddau ohonom wedi ein rhaffu yn ein gilydd, symudem yn rhwydd a chyrhaeddwyd y copa ar ôl pedair awr o ddringo, y rhan olaf dros yr wyneb gogleddol, yn agored iawn i'r tywydd. Cawsom foddhad o fod ar y copa – lle cyfarwydd iawn i mi ond dyna'r tro cyntaf i Jeremy fod yno. Bob tro arall, yr oeddwn wedi dod i lawr yr ochr orllewinol ond y tro hwn, daethom i lawr y grib ddeheuol, mynd ar draws ochr ddeheuol y Monch i'r Jungfraujoch a dychwelyd i'r dyffryn ar y trên.

* * *

Yn ystod y cyfnod cyn ailsefydlu tîm achub mynydd Glaslyn, byddwn yn rhoi cymorth i ddringwyr oedd wedi syrthio yn ardal Tremadog. Un o'r rhai y bûm yn eu helpu oedd Adrian Garlick, dringwr blaenllaw a gafodd godwm oddi ar y ddringfa a elwir 'Extraction'. Pan gyrhaeddais ato, ac yntau mewn cryn boen ar ôl torri ei fraich dde gyda'r asgwrn allan drwy'r cnawd, strapiais y fraich ac yna ei ollwng ar stretsier i'r ambiwlans gerllaw. Ymhen rhai blynyddoedd, derbyniais lythyr ganddo yn diolch i mi am fy nghymorth wrth ei achub ac yn fy ngwahodd i ymweld ag o yn ei gartref yn y Picos Du Europa. Un ddringfa ar fy rhestr yn yr ardal oedd y 'Naranja du Bulness' clogwyn ysblennydd ac unionsyth ac felly, yn 2010, dyma hedfan i ogledd-orllewin Sbaen. Yno, mewn pentref hyfryd yn Asturias y trigai Adrian a'i wraig Gill, y ddau wedi ymddeol ac yn byw yn nhŷ eu breuddwydion yn y mynyddoedd. Y noson cyn mynd i ddringo'r 'Naranja', euthum gydag Adrian i ymweld â chyfaill o hipi a drigai mewn caban anghysbell rai milltiroedd i ffwrdd. Wrth adael y caban yn y tywyllwch, llithrais ar dir mwdlyd. Ceisiais arbed fy hun ond syrthiais yn drwm ar fy llaw dde. A minnau'n fwd i gyd, dechreuodd Adrian chwerthin, heb feddwl bod niwed difrifol wedi ei wneud ond erbyn y bore wedyn, yr oedd fy ysgwydd yn fy mhoeni'n arw a bu'n rhaid imi ganslo'r daith ddringo. Ar ôl cyrraedd adref, euthum i weld y meddyg lleol a chanfod fy mod wedi rhwygo gewynnau yn fy ysgwydd. Aeth tua deuddeng mis heibio cyn i mi allu dringo wedyn ac mae'r ysgwydd yn dal i roi poen i mi heddiw. Yn eironig iawn, anaf i'w fraich dde a arweiniodd at y gwahoddiad gan Adrian, a hynny wedyn yn achosi i minnau anafu fy mraich dde innau!

* * *

Yn 2007, er mwyn dathlu fy mhen-blwydd yn 70, y bwriad oedd dringo'r 'Old Man of Hoy', sef colofn fôr drawiadol 450 troedfedd ar Ynys Hoy, un o ynysoedd Orkney, a ddringwyd am y tro cyntaf ym 1966. Daeth hen gyfaill, Steve Peake gyda Jeremy a minnau i dynnu lluniau. Gan fod hen gyfaill arall, Hannes Stahli o'r Swistir yn ymweld â'r Alban gyda chariad ei ferch, cynlluniwyd i gyfarfod ym mhorthladd Thurso a mynd i ddringo gyda'n gilydd. Dringfa arall ar fy rhestr oedd yr 'Old Man of Stoer', colofn fôr 200 troedfedd yn Sutherland ar arfordir gogleddol yr Alban a chan eu bod yn gymharol agos at ei gilydd, penderfynwyd ceisio dringo'r ddwy golofn yn ystod yr un daith.

Gyrrwyd i'r Alban a'r tywydd yn wlyb. Y bore wedyn yr oedd y glaw wedi peidio a cherddodd y tri ohonom tua milltir a hanner dros dir corsog tuag at y golofn. Er mwyn ei chyrraedd, mae'n rhaid croesi llif cul o ddŵr. Yr oeddem wedi trafod y broblem hon cyn gadael cartref a'r syniad oedd croesi ar wely gwynt ond ar ôl cyrraedd, penderfynodd Steve nofio ar draws y dŵr yn ei drôns a chlymu rhaff ar y golofn. Yna, clymwyd y rhaff ar ein hochr ni ac fe dynnodd Jeremy a minnau ein hunain drosodd ar y rhaff a chychwyn dringo tra sychai Steve ei hun cyn gwisgo ei ddillad.

Cefais drafferth gyda'r gafaelion gwlyb, yna aeth Steve ati, cyn llithro i ffwrdd. Jeremy, yr arwr aeth wedyn gan arwain ar y blaen cyn mynd ychydig oddi ar y llwybr dringo a gorfod gwneud rhai symudiadau anodd. Erbyn i'r tri ohonom gyrraedd copa'r golofn, yr oedd hi wedi mynd yn hwyr ac felly bu'n rhaid abseilio ar frys cyn iddi nosi. Ar gyrraedd gwaelod y tŵr, yr oedd hi'n llanw uchel a'r rhaff yn isel dros y dŵr. Cychwynnais groesi ar y rhaff ac yn syth, bron, euthum dros fy hanner i'r dŵr. Tynnais fy hun ar hyd y rhaff cyn gynted ag y gallwn, gyda'r llathenni olaf yn galed iawn wrth i'm dwylo lithro ar y rhaff wlyb. Ar ôl cyrraedd, tynnais sach oedd yn cynnwys yr offer dringo a dillad Jeremy a Steve. Yna, dyma nhw'n datod y rhaff, clymu eu hunain arni a nofio ar draws tra tynnwn innau'r rhaff tuag ataf. Erbyn hyn, yr oedd hi wedi nosi ond drwy lwc, yr oeddem wedi gadael rhaff yn sownd ar y llwybr serth i'r gweundir. Fel mynyddwyr profiadol, dyma ganfod fod Steve a minnau wedi gadael ein lampau yn y car! Yna, cawsom daith hollol wirion drwy'r gors, yn aml iawn at ein pengliniau ac ambell dro hyd at ein ceseiliau mewn mwd. Aeth hi'n hanner nos arnom yn cyrraedd y car, yn fudur, yn ddrewllyd ac wedi blino'n lân. Dyma fynd ati i yfed ychydig o gwrw, tipyn o dynnu coes a chytuno inni gael cryn antur.

Y bore wedyn, dyma yrru ar hyd arfordir y gogledd i gyfarfod Hannes ac Euan yn Thurso. Aethom ar y fferi er mwyn croesi i Stromness ac oddi yno wedyn ar fferi lai ar gyfer y daith fer i Hoy. Ar Hoy, fe'n codwyd gan ofalwr y caban aros yr oeddem wedi ei logi ymlaen llaw. Dyma'r ail dro i mi fod yno; bûm am y tro cyntaf ym 1969 i'w ddringo ar fy mhen fy hun ond yn anffodus, trodd y tywydd a bu bron imi gael fy chwythu oddi ar fy nhraed gan y corwynt. Dioddefais y tywydd am dridiau cyn troi am adref. Wrth edrych yn ôl, mae'n siŵr fod y tywydd gwael wedi arbed fy mywyd!

Unwaith eto, trodd y tywydd yn arw. Un bore, cerddasom am awr at y golofn cyn sylweddoli na fyddai'n bosibl dringo. Yn ôl yn y caban, yr oedd pawb braidd yn isel eu hysbryd, gyda Hannes yn mynd i orfod gadael oherwydd amserlen dynn ei daith. Ond gan fy mod wedi teithio mor bell ddwywaith, penderfynais aros am ychydig ddyddiau. Y bore wedyn, newidiodd ein lwc a chan fod y tywydd yn dda, dyma frysio dros y gweundir at y golofn. Mae'r olygfa o'r golofn a geir o ben y clogwyn yn anhygoel ac mae bron yn anghredadwy nad yw hi'n syrthio. Yr hyn sy'n ei chadw ar ei thraed yn fwy na thebyg yw'r bôn o fasalt caled. Petai'n dywodfaen coch i gyd, yna byddai wedi hen syrthio a'i chludo ymaith gan y môr. Er ei bod ar wahân i'r tir mawr, yn wahanol i'r 'Old Man of Stoer' nid oes dŵr rhwng y tir mawr a'r 'Old Man of Hoy', felly gellir croesi at y golofn ar dir sych.

Hannes ac Euan aeth yn gyntaf, gyda Jeremy a minnau'n dilyn rhyw chwarter awr wedyn. Mae rhan gyntaf y ddringfa yn weddol hawdd ond tua'r canol, aiff hi'n anoddach gyda hollt serth a dau ordo. Llwyddais i'w dringo'n daclus a dilynodd Jeremy i fyny. Wedyn, rhan weddol hawdd ond gyda llawer o greigiau rhydd a budr yn arwain at gornel hyfryd yn arwain at y copa. Yr oedd y dringo'n wych, heb fod yn rhy dechnegol anodd. Cyrhaeddais y copa, yna daeth Jeremy i fyny ac ysgwyd llaw Hannes ac Euan cyn gweiddi ar Steve ar glogwyn y tir mawr a fu wrthi'n tynnu lluniau gyda chamera lens hir. I Hannes ac Euan, dyma'u profiad cyntaf o ddringo clogwyn môr ac ar ôl dod mor bell o'r Swistir, cytunwyd y bu'n brofiad gwerth chweil, cyn abseilio i lawr i'r gwaelod. Bu'r profiad yn glo teilwng i ddathlu saith deg mlynedd ar y blaned!

* * *

Yn ystod fy nghyfnod yn gweithio yn yr ysgol antur Americanaidd yn y Swistir ac wrth awyrblymio, dros gyfnod o rai blynyddoedd cefais y cyfle i ymweld â sawl rhan o'r Unol Daleithiau, ond daliai un dalaith, sef Utah, i fod ar fy rhestr ymweld. Ers fy nghyfnod yn y Fyddin, yr oedd gen i ddiddordeb mewn bocsio. Gan fod Joe Calzaghe o dde Cymru yn mynd i ymladd yn erbyn Bernard Hopkins yn Las

Vegas am bencampwriaeth y byd, penderfynais gyfuno'r ddau ddigwyddiad a hedfan i Las Vegas, cyn llogi car a gyrru i Utah. Cyrhaeddais Barc Cenedlaethol Zion a threulio deuddydd yn cerdded yn yr ardal gan ryfeddu at y ffurfiau tywodfaen coch anhygoel. Oddi yno, gyrrais i Moab – rhyw fersiwn Americanaidd o Chamonix yn Utah, gyda mwyafrif y trigolion yn gysylltiedig â gweithgareddau awyr agored. Cyn hynny credwn mai lle di-liw a di-ddim oedd anialwch ond fe ganfûm fod y rhai yng Nghaliffornia a Nevada yn rhyfeddol, nes bod eu golau, eu lliwiau a'u hanferthedd yn newid fy marn am byth. Yr oedd anialwch Utah yn debyg ond gyda rhagor o hyfrydwch ar ffurff tyrau tywodfaen yn ardal Moab – paradwys i ddringwyr ac yn ystod y blynyddoedd diweddar, i neidwyr *BASE*. Gwyddwn fod gwraig o'r enw Marta yn rhedeg ysgol neidio *BASE* a'm bwriad oedd llogi offer ganddi er mwyn neidio oddi ar un o'r tyrau. Yn anffodus, wrth gyrraedd ei chartref, dywedodd cymydog ei bod newydd adael gyda'i chymar am wyliau. Tŵr Castleton yw un o'r rhai enwocaf yn yr ardal ac os na chawn neidio *BASE* oddi arno, o leiaf gallwn ei ddringo. Ers talwm, byddwn wedi ceisio ei ddringo ar fy mhen fy hun, ond nid mwyach. Cysylltais ag ysgol ddringo leol a chytunodd un o'r hyfforddwyr i ddod gyda mi yn ystod ei amser rhydd y diwrnod wedyn.

Mae Tŵr Castleton tua'r un uchder â'r 'Old Man of Hoy', tua 450 troedfedd. Er nad yw mor gul, mae yr un mor drawiadol gan ei fod yn uchel ar ben bryn. Penderfynwyd dringo'r wyneb gogleddol i fyny hollt serth. Roedd yn waith caled gyda'r dwylo yng ngwres llethol haul yr anialwch – diwrnod caled i hen ddyn! Hanner y ffordd i fyny, clywais glec a gwelais barasiwt yn disgyn yn hamddenol i'r dyffryn. Yr oedd hi'n amlwg fod y twr yn lle poblogaidd i neidwyr

BASE. Ar y copa, teimlwn yn bur flinedig ond y syndod mwyaf oedd sychder aer yr anialwch. Yr oeddwn wedi cael cyngor gan fy nghydymaith i gario mwy o ddŵr nag yr arferwn ei gario wrth ddringo a diolchais iddo am hynny gan imi fynd yn bur sychedig. Ar fy nheithiau, yr wyf bob amser wedi derbyn cyngor yr arbenigwyr lleol.

Y diwrnod canlynol, ffarweliais â'm cyfeillion newydd a gyrru am Las Vegas. Ar ôl cyrraedd, dyma ddeall bod canolfan drefnu'r ornest focsio yn y *Planet Hollywood Casino*. Gyda'r lle'n ferw gwyllt wrth i bawb edrych ymlaen at y digwyddiad, euthum i'r swyddfa docynnau a chael gwybod bod yr ornest i'w chynnal yn arena Thomas Mack ar gyrion y ddinas a oedd yn dal 17,000 o bobl. Yna cefais y newyddion drwg fod y tocynnau rhataf am sedd yng nghefn y neuadd yn costio $350 yr un. Credwn fod hyn yn ormod o bris i'w dalu i weld yr ornest, a hynny o gryn bellter yng nghefn y neuadd. Câi'r ornest ei dangos ar sgriniau anferth yn y casino hefyd ac felly penderfynais ei gwylio yno, gan fod hynny'n well bargen na mynd i'r stadiwm.

Cefais sedd wrth y bar o flaen y sgrin fwyaf a setlais yno i yfed peint neu ddau. Wrth fy ymyl, eisteddai dynes groenddu swnllyd a dyn yn gydymaith iddi. Siaradai'n ddiddiwedd gyda dyn y bar. Ymhen ychydig, gadawodd ei chydymaith a throdd hithau ei sylw ataf fi. Ar y dechrau credwn mai 'un o ferched y nos' oedd hi yn chwilio am fusnes ond yna cyflwynodd ei hun fel Sharon Hill-Woods, perchennog gorsaf radio o Los Angeles a oedd wedi dod yno i sylwebu yn ystod yr ornest. Eglurodd fod ei chydymaith wedi mynd i'r swyddfa docynnau i nôl tocynnau'r wasg ar gyfer yr ornest. Ar ôl sgwrs fer, gadawodd hithau i ymuno â'i chydymaith a setlais innau i wylio'r gornestau rhagbaratoawl ar y sgrin, gyda'r brif ornest ymhen dwyawr. Yn sydyn, ailymddangosodd

Sharon gan ddweud, 'Ti'n dod i'r ornest!' Rhyfeddais ati gan ddweud fy mod yn ddigon bodlon aros yno o flaen y sgrin. Yna, eglurodd ei bod wedi cael pedwar tocyn a bod dau ohonynt yn sbâr. Er hynny, yr oeddwn yn gyndyn iawn o adael fy sedd gyfforddus ac yn amau fod rhywbeth amheus ynghylch y stori, ond llusgodd fi o'm sedd gan ddweud wrthyf am frysio neu fe fyddem yn hwyr i'r brif ornest.

Dyma ruthro allan i'r maes parcio a dringo i *Hummer* gwyn anferth. Gyrrai Sharon fel rhywun ddim yn gall drwy'r traffig gan regi'r modurwyr eraill wrth anelu am y stadiwm. I mewn â ni i'r stadiwm orlawn a chanfod bod ein tocynnau bron wrth ochr y sgwâr bocsio ac wedi costio $1,500 yr un! Mewn syndod llwyr, profais y gwahaniaeth anhygoel rhwng fy sedd wrth y bar yn y casino a'r lle hwn ynghanol enwogion y byd bocsio a sêr Hollywood. Aeth yr ornest ymlaen yn dda, gyda Calzaghi'n ennill. O'r stadiwm, dyma fynd i neuadd gyfagos ar gyfer y cyfweliadau wedi'r ornest. Ni chawn i fynediad heb docyn y wasg ond dyma fy nghyfaill newydd yn dweud wrthyf am aros ac y byddai hi'n ei hôl cyn pen dim. Ymhen deng munud, yn ôl â hi gyda thocyn benthyg. Yr oedd y gynhadledd yn ddiddorol iawn, gyda'r ddau focsiwr yn lladd ar ei gilydd nes i mi gredu ar un adeg y byddai ail ornest yn digwydd yn y fan a'r lle!

Cyn pen dim, yn ôl â ni i'r *Hummer* a'r ddynes wallgo' hon yn peryglu ein bywydau unwaith eto yn nhraffig Las Vegas. Arhosai yn yr *MGM Casino*, nid nepell o'r *Planet Hollywood*. Dywedodd wrthyf am gerdded yn ôl i'r *Planet Hollywood* a'i chyfarfod yn y bar er mwyn iddi fynd â mi i'r parti wedi'r ornest yn y fan honno. Ddwyawr yn ddiweddarach, cyrhaeddodd Sharon wedi ei gwisgo ar gyfer y parti ond cawsom yr un ymateb eto – dim tocyn, dim mynediad. Yr un oedd ymateb Sharon – fy ngorchymyn i aros yno. Hanner awr yn ddiweddarach a minnau'n dal i aros amdani, dychwelais i'r bar ac ni welais mohoni byth wedyn.

* * *

Gyda phen-blwydd y ddau ohonom yn agosáu at y tri chwarter canrif, trafodai Jeremy a minnau rai syniadau er mwyn dathlu'r achlysur. Ers tro byd, bu Jeremy'n meddwl dringo Tŵr y Diafol enwog Wyoming yn yr Unol Daleithiau, a minnau'n dymuno neidio *BASE* o bont y New River Gorge yn West Virginia. Gan fod y ddau ohonom yn fotobeicwyr, cynigiais gyfuno'r ddau beth yma gyda thaith moto-beic. Felly datblygodd y cynllun mawr – cychwyn y daith yn Colorado, reidio'r beiciau drwy'r Rocky Mountains, dringo Tŵr y Diafol ac wedyn y daith hir i'r de er mwyn neidio oddi ar y bont. Byddai hyn yn cyfuno dathlu tri diddordeb ein bywydau, sef dringo, motobeicio ac awyrblymio. Er bod dipyn o orliwio wrth ddweud hyn (nid oedd Jeremy wedi awyrblymio erioed), y bwriad oedd iddo wneud hynny mewn tandem, y fo ynghlwm i'r hyfforddwr a minnau ar fy mhen fy hun.

Y bwriad oedd cychwyn yng nghanol mis Medi a theithio i West Virginia erbyn y *Bridge Day* ar y trydydd dydd Sadwrn ym mis Hydref. Ar y diwrnod hwnnw bob blwyddyn, caiff y ffordd bedair lôn dros y bont ei chau i drafnidiaeth ac fe ymgasgla torf o hyd at 120,000 i wylio'r neidio *BASE* cyfreithlon. Adeiladwyd y bont ar ddechrau'r 1970au ac ar y pryd, hi oedd y bont un rhychwant fwyaf yn y byd (y drydedd erbyn hyn) ac mae'n 876 troedfedd uwchben yr afon. Bûm yno ugain mlynedd cyn hynny er mwyn neidio ond yn anffodus, yr oedd gormod o lif yn yr afon a gwaharddwyd y neidio.

Ar ôl brifo fy ysgwydd dde yn Sbaen, bu'n rhaid gohirio'r cynllun i ddringo Tŵr y Diafol ond erbyn mis Hydref, gwellodd yr ysgwydd yn ddigon da i allu gwneud y naid. Dyma Jeremy a minnau'n hedfan o Fanceinion i Charleston, West Virginia, llogi car a gyrru i Fayatville, y dref ger y bont. Y diwrnod wedyn, aethom i gyfarfod fy hen gyfaill Moe Villetto a fyddai'n benthyca parasiwt i mi. Y noson honno, aethom i'r *Holiday Lodge Hotel* i gofrestru a chael cyfarwyddiadau ar gyfer y naid. Yr oedd dros 300 o neidwyr o bob rhan o'r byd wedi ymgasglu yno ar gyfer y naid flynyddol – y casgliad blynyddol mwyaf o neidwyr *BASE* – gan lenwi pob twll a chornel o'r gwesty. Yr oedd rhai wrthi'n paratoi eu parasiwtiau ac eraill yn cwrdd â hen gyfeillion gan rannu profiadau hen a newydd. Yn ystod y cofrestru, rhaid oedd profi ein gallu i wneud y naid, archwilio ein hoffer a llofnodi ffurflenni yn derbyn cyfrifoldeb. Unwaith y cwblhawyd hyn, cawsom docynnau caniatâd a rhifau grŵp ar gyfer y naid. Dros gwrw, trafodais y naid gyda Moe ac awgrymodd yntau mai syrthio'n rhydd am 3-4 eiliad fyddai orau, hedfan fy mharasiwt tuag at y man glanio ond dod i lawr yn yr afon, gan fod y man glanio yn fach ac yn agos i greigiau a choed. Er cymaint fy mharch at Moe, fy nymuniad fyddai glanio ar dir sych. Yn gynharach yn y diwrnod roeddem wedi mynd i lawr i lan yr afon i gael golwg ar y man glanio, wrth edrych o gwmpas daeth dyn ataf a gofyn 'Excuse me sir, are you planning to jump tomorrow?' atebais wrtho fy mod. Ail-edrychodd arna i gan ddweud 'Could I ask you how old are you?' dim problem, meddwn – saith deg pump. 'Shucks', meddai 'You've just spoilt my day, I'm seventy one and for the last two years I've been the oldest jumper here'.

Y bore canlynol, dyma yrru at y bont. Am filltir ar y naill

ochr iddi safai stondinau yn gwerthu pob math o fwydydd a nwyddau i'r dorf anferth a oedd wedi ymgasglu yno. Ymunodd Moe a minnau gyda'n grŵp a sefyll mewn trefn ar gyfer y llwyfan neidio. Er bod y tywydd yn braf, heb gwmwl yn yr awyr, yn anffodus yr oedd hi'n wyntog iawn – nid yr amodau delfrydol ar gyfer neidio. Wrth sefyll yn yr ail grŵp daeth adroddiadau fod y gwynt uwchben y man glanio yn troelli a bod nifer o ddamweiniau eisoes wedi digwydd. Yr oedd hyn yn ddigon i newid fy meddwl a phenderfynais y byddwn yn glanio yn y dŵr. Archwiliwyd yr offer wrth agosáu at y llwyfan neidio, gyda llif yr adrenalin yn cyflymu. Er fy mod wedi poeni am y naid y noson cynt (a ddylwn i fod yn neidio? a oeddwn i'n rhy hen?), erbyn hyn yr oeddwn i wedi hen anghofio'r amheuon ac wrth i'r dyn o'm blaen neidio, gwyddwn fy mod yn barod.

Amneidiodd y rheolwr arnaf i ddod at ymyl y llwyfan. Dywedais wrtho fy mod yn nofiwr digon cyffredin ac fe yrrodd y neges dros y radio i'r cwch achub ar yr afon. Yna, cododd ei fawd a dweud *'have a good one'*. Anadlais yn ddwfn, edrych ar y gorwel a neidio. Cyfrais yn fy mhen – 3,000, 2,000, 1,000, sef tua phedair eiliad ac yna agor y parasiwt. Agorodd gyda chlec a gwelais fod y parasiwt yn berffaith a minnau dros ganol yr afon. A minnau wrth fy modd fod y naid wedi bod yn berffaith, yr unig beth ar ôl oedd glanio yn yr afon heb foddi. Ofnwn y byddwn yn methu nofio, gyda'r offer parasiwt yn fy nal i lawr ac y byddai'r dŵr yn oer. Dyma droi yn yr awyr unwaith neu ddwywaith er mwyn dod yn is, taro wyneb y dŵr (na theimlai'n oer) a mynd o dan yr wyneb, cyn codi gyda llond fy ngheg o ddŵr y New River a dechrau tagu a phoeri. Daeth y cwch ataf mewn dim o dro a dringais ar ei bwrdd tra codai'r criw fy mharasiwt o'r dŵr. Ymhen dau funud, cyrhaeddais y lan a dyna lle'r oedd Jeremy yn fy llongyfarch a chynnig dillad sych i mi. Gan eistedd ar y lan, gwyliais y neidwyr nesaf gyda'r mwyafrif ohonynt yn glanio yn yr afon ac ambell un yn glanio'n galed ar y lan. Yr oedd clywed Moe yn canmol fy naid yn glo perffaith i'r diwrnod.

Y diwrnod wedyn, ffarweliwyd â Moe. Aeth Jeremy a minnau at y criw neidio lleol, y West Virginia Skydivers, a threfnwyd naid tandem i Jeremy; llogais innau offer er mwyn neidio allan o'r un awyren. Agorais fy mharasiwt ar 2,000 troedfedd tra agorai'r naid tandem ar 5,000 troedfedd, felly cefais groesawu Jeremy wrth iddo lanio. Fel cymaint o bobol sy'n neidio am y tro cyntaf, mwynhaodd Jeremy'r profiad y tu hwnt i bob rheswm.

Ym mhen arall y maes awyr, gwelais hen awyren aerobatic *Stearman* dwy adain. Euthum draw a chanfod y byddai'n bosibl cael reid ynddi am $100. Teimlwn ei fod yn gyfle rhy dda i'w golli. Hedfan hofrennydd i'r gwasanaeth parafeddygon lleol oedd gwaith y peilot ond ar gyfer hedfan hon, gwisgai lifrau hedfan o'r cyfnod cyn yr Ail Ryfel Byd ac edrychai'n union fel yr hen luniau a welais o Charles Lindberg, y gŵr cyntaf i hedfan dros Fôr Iwerydd ar ei ben ei hun. Talais fy mhres ac eistedd yn y sedd ym mhen blaen yr awyren, yr un o flaen y peilot. Gan fod drych uwch fy mhen, dywedodd wrthyf roi arwydd iddo petai'r symudiadau'n codi ofn arnaf, neu fel arall dylwn ddefnyddio'r bag chwydu! Edrychwn ymlaen at y daith a gofynnais iddo fynd i'r eithaf.

I ffwrdd â ni a chodi hyd at 6,000 troedfedd a chael golygfa wych o'r bont. Yna dechreuodd y peilot wneud ei gampau gyda'r awyren. Fel arfer, os nad yw popeth o dan fy rheolaeth i, ni allaf fwynhau fy hun ond y tro hwn yr oedd y cyfan yn anhygoel, gyda'r awyren yn troi a throsi drwy'r awyr – fel bod ar reid mewn ffair. Daeth y daith i ben yn rhy fuan o lawer a phan laniais, gwelodd Jeremy wên lydan ar fy wyneb, yn union fel y wên ar ei wyneb yntau ar ôl neidio.

* * *

Yn 2011 yr oedd Llion Iwan wedi fy holi a fyddai gen i ddiddordeb mewn teithio i brif wersyll Everest. Byddai'n recordio rhaglenni Cymraeg a Saesneg ar gyfer y radio am berthynas y Cymry ag Everest, gyda'r bwriad o'u darlledu yn ystod y dathliadau trigain mlynedd ers i'r mynydd gael ei ddringo ym 1953.

Yr oeddwn i wedi dioddef problemau iechyd go ddrwg ar deithiau blaenorol i fynyddoedd yr Himalaya ond yr oedd meddwl am y fath antur ar flwyddyn fy mhen-blwydd yn 75 (yn ogystal â meddu ar gof byr!) yn ddigon i wneud i mi dderbyn ei gynnig. Felly, ym mis Mai 2012 dyma gychwyn o Fanceinion ar ein ffordd i Kathmandu. Y criw oedd Llion, y cynhyrchydd; Steve ei bartner busnes a recordiwr sain; a Dei Tomos, y sylwebydd radio. O'm profiad blaenorol, credwn fod amserlen Llion braidd yn dynn ond fe drefnwyd popeth yn effeithiol a'r bore wedyn dyma hedfan ar yr awyren saith o'r gloch i Lukla.

Mae'n bosibl fod y daith awyren i Lukla – y bûm i arni am y tro cyntaf ym 1978 – yn un o'r teithiau mwyaf dyrys a pheryglus yn y byd. Mae'r lanfa ar ochr y mynydd ac roedd gweddillion awyrennau wedi chwalu ar ochr y lanfa yn gwneud fawr i leddfu'r nerfau! Glaniodd yr awyren fechan yn sydyn a gwasgaru ieir i bob cyfeiriad. Bu'n gryn rhyddhad i'r teithwyr ar ei bwrdd a dechreuodd pawb guro dwylo er mwyn canmol medrusrwydd y peilot. Roedd y daith oddi yno yn codi mwy o ofn fyth gan mai unwaith y cychwynna'r awyren, nid oes troi'n ôl, gyda 2,000 o droedfeddi o ddibyn ar ddiwedd y lanfa.

Yr oedd cryn newid wedi bod ym maes awyr Lukla yn ystod y 34 mlynedd ers i mi fod yno ddiwethaf – y llain lanio wedi ei thario ac adeiladau newydd o gwmpas y lle, serch hynny roedd yn dal i fod yn beryglus iawn. Yn 2008, syrthiodd awyren yno gan ladd deunaw o deithwyr ac yn yr un flwyddyn, enwyd y maes awyr ar ôl Ed Hillary a Sherpa Tenzing.

Ar ôl taith hyfryd, glanio yn ddiogel a chodi ein bagiau, cawsom ein hamgylchynu gan gludyddion yn cynnig eu gwasanaeth. Ar ôl dadlau am y pris, daethom i gytundeb ac yn fuan, i ffwrdd â ni drwy'r pentref. Cefais fy syfrdanu gan y newid mawr ers y tro diwethaf y bûm yno. Yn lle cytiau ac adeiladau blêr, safai gwestai moethus, bwytai gyda chysylltiad i'r we a siopau'n gwerthu pob math o anrhegion ac offer at angen y dringwr a'r cerddwr.

Ar ôl hedfan bron i 10,000 troedfedd, yr oedd yn rhaid rhoi amser i'r corff gynefino â'r newid uchder, felly, ar y diwrnod cyntaf, cerddasom i Phakding, taith hamddenol i le sydd ychydig yn is na Lukla. Y bore wedyn, aethom ar daith serth a chaled i Namche, y pentref mwyaf yn y Khumbu. Yma eto, fe'm syfrdanwyd gan y newid. Yr oedd yno barlwr tylino'r corff a bariau Gwyddelig hyd yn oed!

Y diwrnod wedyn, aethom i fyny o Namche i Syangboche a gwesty'r *Everest View*, gwesty Siapaneaidd, drud. Yno y treuliais noson wedi fy nhaith fythgofiadwy o Everest ym 1978. Ar ôl hel atgofion, dychwelwyd i Namche. Oddi yno cawsom daith bleserus gyda golygfeydd trawiadol i lawr i'r Dudh Khosi, gan ddal i fynd i lawr ac yna dringo'r daith hir i Tengboche a'i fynachlog enwog. Treuliwyd y noson yno gan fwynhau'r golygfeydd trawiadol o Ama

Dablam Thamserku a Kantaiga. O Tenngboche aethom i Dinboche gyda glan yr afon ac i fyny ac i lawr er mwyn osgoi'r mannau amhosibl i'w tramwyo gan ymgynefino'n raddol â'r uchder. Yna o Dingboche i Lobuche gan aros am ginio wrth yr afon yn Thulka cyn dringo'r daith hir i ben y bwlch sydd â chofebau arno i goffáu'r rhai fu farw ar Everest. Wedyn, taith hir arall gan ddringo'n raddol o Lobuche i Gorak Shep, lle arall a drawsnewidiwyd, gyda gwestai crand wedi cymryd lle yr ychydig gytiau to tywyrch oedd yno cynt.

Cododd pawb yn fore er mwyn dringo Kali Patar, bryn 18,000 troedfedd gyferbyn â mynydd Pumori a lle poblogaidd i dynnu lluniau o Everest ac i edrych i lawr ar y prif wersyll. Am nad oeddwn i wedi cysgu llawer, yr oedd y dringo'n waith caled ac ar un adeg, teimlai fy nghoesau'n wan iawn ond daliais ati, gan setlo i rythm araf a llwyddo i gyrraedd yn weddol gyfforddus. Yr oedd y tywydd a'r golygfeydd yn anhygoel a minnau'n dwyn i gof ymweliadau blaenorol a'r daith falŵn dros Everest. Yna, dychwelwyd i Gorak Shep. Ar ôl brecwast, i lawr â ni i Pheriche. Ddeuddydd yn ddiweddarach, cyrhaeddwyd Lukla a'r diwrnod canlynol, Kathmandu. Do, bu'n daith bleserus gyda chwmni da.

Teimlwn yn falch fy mod wedi cael y cyfle i ymweld â Namche flynyddoedd yn ôl pan oedd awyrgylch mynydd arbennig yno. Erbyn hyn, gyda'r holl ddatblygiadau, mae'r lle fel cymysgedd o Blackpool a Benidorm ac wedi mynd yn ddigymeriad. Yng ngwersyll Everest yr oedd o leiaf 35 o grwpiau dringo, a channoedd o bobl na wyddent ryw lawer am ddringo yn talu arian mawr am gael y cyfle i sefyll ar gopa uchaf y ddaear. Nid dringo yw hynny ond syrcas fasnachol er mwyn i gwmnïau wneud elw mawr o freuddwydion pobl gyfoethog sy'n rhy aml yn gorffen yn drasig. Yn ystod ein diwrnod o dywydd perffaith ar Kali Patar, bu farw pedwar ar Everest.

Mae gen i ddiddordeb mewn moto-beics ers pan oeddwn yn blentyn ac yn ystod fy ieuenctid, byddwn wedi hoffi rasio. Wrth fynd yn hŷn, tyfodd fy nghariad at foto-beics a chefais sawl dihangfa ar y ffyrdd ger Rhuthun a Chorwen. Dros y blynyddoedd daliais i gynnal y diddordeb a thua deng mlynedd yn ôl, prynais feic a dod yn 'born again biker'! Hyd yn oed heddiw mae gen i gywilydd cyfaddef un peth – unwaith y gwisgaf yr helmed a rhuo i ffwrdd ar y beic, teimlaf yn ddeunaw oed unwaith eto! Ni fu'r hen ymadrodd 'dwywaith yn blentyn' erioed mor wir.

Yr wyf yn caru'r wefr o fod ar y ffordd agored ond yn fwy gofalus, gobeithio, yn fy henaint. Wrth edrych yn ôl, byddai wedi bod yn well petawn wedi dechrau rasio beics ar ddiogelwch trac, a hwyrach gael cyfle i rasio yn rasys enwog y T.T. yn Ynys Manaw, ond yn anffodus, arhosodd honno'n freuddwyd yn unig. Nid oedd gen i mo'r arian na'r gallu mecanyddol i wneud hynny. Bûm yn gweld y rasys T.T. yn Ynys Manaw lawer gwaith, gan wirioni ar sgiliau meistri megis Geoff Duke, Giacomo Agostini a Mike Hailwood. Pan oeddwn i'n ifanc, er mwyn rasio rhaid oedd cael digon o bres a'r gallu peirianyddol i drin beics ond ni feddwn i ar yr un o'r ddau beth. Ar hyd y blynyddoedd, er fy mod yn brysur yn dringo a pharasiwtio, llwyddais i fynd i weld rasys moto-beics ac fe fyddwn yn eiddigeddus iawn o'r rhai oedd yn rasio. Un tro, cefais awydd mynd ar gwrs yn ysgol rasio Ron Haslam ond am na allwn blygu fy mhen-glin yn iawn, fedrwn i ddim newid gêr ar ei feics rasio.

Byddai llawer o reidars a ddeuai i'r caffi yn Nhremadog yn sôn am *track days*, sef dyddiau penodedig lle gallwch fynd fel y cythraul o gwmpas cwrs rasio ar eich beic eich hun. Ar ôl siarad gyda rhai oedd wedi gwneud hyn, cefais awydd cryf i gloi fy nhri chwarter canrif ar y ddaear yn y fath fodd. Wrth glywed hyn, dyma ffrind yn cynnig benthyg ei *Honda Fireblade* i mi, sef beic mwy addas i'w reidio ar drac na'r *Suzuki Bandit*. Yn anffodus, oherwydd yr un broblem a beics Ron Haslam, ni fedrwn newid y gêrs gyda fy nhroed chwith am na fedrwn blygu fy mhen-glin blastig yn ddigon pell. Felly, yn 75 oed, penderfynais roi cynnig arni ar y *Suzuki Bandit, 1200cc* a thalu am ddiwrnod ar drac Tŷ Croes ym Môn.

Cyrhaeddais yno gan ddisgwyl gweld beiciau tebyg i'm un i ond beiciau rasio a beiciau arbenigol oedd y mwyafrif ohonynt. Gyda'r padog yn debyg iawn i ddiwrnod rasus, yr oeddwn yn teimlo'n hunanymwybodol iawn gyda'r *Bandit* am mai fi oedd yr hynaf o bell ffordd. Cawsom gyngor diogelwch a chlywed y rheolau cyn cael ein gosod mewn grwpiau yn ôl profiad ar drac ac yna bu'n rhaid reidio tair lap o flaen hyfforddwr er mwyn dod yn gyfarwydd â'r cwrs. Wedyn, yn ôl at y llinell gychwyn i ddisgwyl am y golau gwyrdd. Er nad ras go iawn mohoni, teimlwn yr adrenalin yn llifo drwy fy nghorff.

I ffwrdd â ni a'r teimlad yn wefreiddiol wrth reidio am y gornel gyntaf. Anhygoel, hefyd, oedd gallu refio'r beic i 130 milltir yr awr ar y rhannau hir, syth, er bod y beiciau cyflymach yn mynd heibio i mi. Ar y dechrau, yr oeddwn yn reit bryderus a'r hogiau eraill yn fy mhasio ar bob ochr ond fesul lap yr oedd y teiars yn poethi ac wedyn yn gafael yn well yn y tar. Ar ôl chwe lap, daeth y sesiwn i ben ac yn ôl â ni i'r *pits*. Amser am baned, ac ymhen awr, allan â ni am sesiwn arall. Y tro yma, yr oeddwn yn llwyddo i ddal i fyny a hefyd wedi medru pasio amryw o feics. Erbyn diwedd y sesiwn, yr oedd fy nghorff yn llawn adrenalin ond wedi blino'n llwyr. Felly, am unwaith, penderfynais fod yn gall a pheidio â mynd am y drydedd sesiwn gan edifarhau nad oedd gennyf feic ysgafnach gan fod fy meic mawr i yn llond llaw ar y troadau. Er hynny, cefais ddiwrnod anhygoel, heblaw am y ffaith bod un reidar wedi cael ei ladd ar ôl fy sesiwn olaf i. Yr oedd hyn yn tanlinellu pa mor beryglus yw reidio beic yn gyflym, hyd yn oed ar gwrs rasio go iawn, gyda'r holl reolau diogelwch.

Ar y ffordd adref, yn hapus a bodlon, bûm yn hel meddyliau. Beth petawn wedi cael y cyfle i wneud hyn pan oeddwn yn ifanc? Pwy a ŵyr!

* * *

Ond yn ôl at y dathlu. Yn 75 mlwydd oed, yr oedd yn rhaid dathlu gyda dau hoff weithgaredd yn fy mywyd, sef dringo a moto-beics. Gyda fy nghyfaill Jeremy Trumper, dyma reidio o Fwlch Moch am Fwlch Llanberis, Jeremy ar ei *Honda 125* a minnau ar yr hen ffrind *Suzuki Bandit 1200* i gyfarfod tîm Cread ym Mwlch Llanberis. Ar ôl cyrraedd, gadawsom y beics a cherdded i fyny at Ddinas y Gromlech a dringo'r 'Cemetery Gates' – dringfa ysblennydd ac egnïol. Deng mlynedd ar hugain yn ôl, mi ddringais y 'Cemetery Gates' ar fy mhen fy hun yn ystod rhaglen deledu fyw yn Gymraeg a Saesneg. Deng mlynedd ar hugain yn ddiweddarach, am ryw reswm yr oedd y graig yn fwy serth a'r gafaelion yn llai! Ar ôl rhoi trefn ar yr offer a sgrialu i fyny'r sgri annifyr at ddechrau'r ddringfa, daliai i edrych yn serth ac yn fygythiol ond cysurwn fy hun y byddwn, y tro hwn, ar raff gyda chydymaith. Gydag anogaeth Jeremy, dringais i fyny'r rhan gyntaf serth at yr hollt, sef prif nodwedd y ddringfa. Unwaith yr oeddwn wedi sefydlu fy hun, dringwn yn araf ac yn raddol ar i fyny, ond yr oedd y diffyg symudiad yn fy nghoes chwith o ganlyniad i'r ben-glin newydd a gefais yn achosi cryn broblem. Rhyfeddwn wrth gofio sut y llwyddwn i weld y symudiadau mor ddidrafferth ar fy mhen fy hun flynyddoedd yn ôl. O'r diwedd, dyma gyrraedd y copa gan ddod â Jeremy i fyny ar y rhaff a'r ddau ohonom yn falch o fod wedi llwyddo, gan deimlo flynyddoedd yn ieuengach!

Y diwrnod wedyn, cawsom ein ffilmio yn teithio o Dremadog i Fwlch Llanberis ar gefn y moto-beics er mwyn i'r rhaglen ddogfen greu'r argraff ein bod ni wedi teithio ar gefn y moto-beics at y ddringfa cyn ei dringo. (Rhyw ymarfer ar gyfer y 'prif ddigwyddiad' oedd hynny, fel y soniais eisoes, sef reidio moto-beic ar draws Wyoming a dringo Tŵr y Diafol, y clogwyn trawiadol sy'n codi'n serth am 1,400 troedfedd o'r gwastadedd.

Ym mis Medi, hedfanodd Jeremy a minnau i Denver, Colorado, llogi car a gyrru i Casper. Nid oedd lle o gwbl yn y gwestai gan fod cynadleddau lu yno a thanau yn y goedwig. Cysgais yn y car a Jeremy ar y llawr y tu allan, yn union fel yr hen amser yn yr Alpau! Y bore wedyn, teithiwyd ar draws gwastatir anferth Wyoming i'r Tetons a Pharc Cenedlaethol Yellowstone. Fel pob ymwelydd arall, aethom i weld y geiser poeth enwocaf un, sef 'Old Faithful'. Yn y parc hwn y mae dwy ran o dair o ffynhonnau poethion y byd a phob math o fywyd gwyllt toreithiog megis eryrod, ceirw a'r byfflo. Oddi yno, aethom ar y daith hir iawn tua'r dwyrain dros wastatiroedd eang, gydag ambell ffordd yn troi am ransh anghysbell a dim ond arwyddion 'No gas for 90 miles' ('gas' yw 'petrol' yn Saesneg America) a phympiau olew ar y ffordd. Yr hyn oedd yn peri inni chwerthin oedd pympiau (nodding donkeys) ymhob man yn dod ag olew o grombil y ddaear!

Ymhen deuddydd, dyma gyrraedd Sundance, tref fechan a enwyd ar ôl y troseddwr enwog Sundance Kid. Oddi yno, dim ond hanner awr o daith sydd i Dŵr y Diafol. Ni all dim byd eich paratoi chi ar gyfer yr olwg gyntaf o'r tŵr. Wrth yrru ar draws y gwastatir, daw'r tŵr anferth i'r golwg, 5,117 troedfedd o uchder a 1,300 troedfedd uwch afon Belle Fourche gerllaw. Mae'n olygfa anhygoel ac yr oedd gwybod ein bod am ei ddringo yn ddigon i gychwyn llif yr adrenalin.

Dringwyd Tŵr y Diafol am y tro cyntaf, hyd y gwyddom, gan ddau ffermwr yn 1893 drwy osod rhes o bolion i fyny hollt yn gymorth, ac er nad oes ffordd hawdd o gyrraedd y copa, dyma ddau hen ffermwr arall yn mentro dros ganrif yn ddiweddarach, ond heb y polion! Dros y blynyddoedd, daeth y tŵr yn atyniad i dwristiaid, yn enwedig ar ôl iddo fod yn ganolbwynt i'r ffilm enwog *Close Encounters of the Third Kind*.

Trefnodd Cread i griw ffilmio Americanaidd recordio'r ymgais ac fe drefnwyd inni eu cyfarfod yn Sundance. Ond cyn hynny aeth y ddau ohonom i gael golwg ar Dŵr y Diafol, er mwyn gwneud yn siŵr y byddem yn gallu ei ddringo'n llwyddiannus ar y diwrnod. Byddai methu, ar ôl gwneud yr holl drefniadau, wedi bod yn embaras mawr. Y bore canlynol, dyma gyfarfod y tîm ffilmio o Boulder, Colorado a chychwyn am y tŵr. Roedd Rob Frost a'i gyfaill, heblaw am fod yn dîm ffilmio, yn ddringwyr da a byddent yn dringo o'm blaen er mwyn cael lluniau diddorol o Jeremy a minnau yn tuchan ar y tŵr. Er bod y tŵr yn dechnegol haws na'r 'Cemetery Gates', bu'r ddringfa hon yn galetach i mi am bod rhaid gwthio'r coesau a'r corff i hafnau a chawn fy hun yn gyndyn o wneud hynny gyda'm pen-glin blastig a thitaniwm. Ond Jeremy a wnaeth ran galetaf y dringo a llwyddwyd i orffen y dringo a'r ffilmio mewn chwe awr. Teimlem yn falch iawn o'n camp – dau hen ddyn wedi cyflawni un arall o'u targedau!

Y diwrnod canlynol, dyma logi moto-beic *Harley Davidson* a reidio i fyny ac i lawr y ffordd gyda Jeremy ar y piliwn, er mwyn creu'r stori ar gyfer y rhaglen ein bod wedi teithio at Dŵr y Diafol ar gefn moto-beic. Ffilmiwyd ni o bob ongl, yn ogystal â'n ffilmio'n teithio ar lwybr garw – dipyn o hunllef ar gefn anghenfil o foto-beic! Erbyn diwedd y dydd doeddwn i ddim am weld moto-beic Americanaidd mawr byth eto.

Ar ôl gorffen, dyma daro un cipolwg yn ôl ar Dŵr y Diafol ac i ffwrdd â ni am ein gwesty yn Sundance, gan obeithio nad oedd heddlu o gwmpas a ninnau'n chwalu eu deddfau cyflymdra. Yn ôl yn y gwesty, dyma setlo gyda dwy botel o win i wylio'r haul yn machlud. Diwrnod gogoneddus, bythgofiadwy a breuddwyd arall wedi ei gwireddu. A chefais ail-fyw'r freuddwyd wrth edrych ar 75 – *Ddim Rhy Hen,* sef y rhaglen a wnaeth S4C am y daith.

O Wyoming, aethom i gyfeiriad yr enwog Black Hills, South Dakota. Yr oeddwn wedi clywed bod ardal ddringo dda o'r enw'r Needles yno – pigau calchfaen cul a rhai ohonynt gyda siapiau anhygoel. Treuliwyd y dyddiau nesaf yn dringo ac yn ymweld â'r ardaloedd twristaidd megis Mount Rushmore gyda'i gerfluniau o gyn-arlywyddion UDA a chofeb anhygoel Crazy Horse, y cerfiad mynydd mwyaf yn y byd gyda'r gwaith yn parhau ers dros drigain mlynedd. Cyn gadael yr ardal, cawsom y fraint o weld un digwyddiad blynyddol, sef hel y byfflo. Caiff yr anifeiliaid eu casglu o filltiroedd i ffwrdd yn y parc anferth hwn a'u hel i gorlannau anferth er mwyn eu nodi. Aeth Jeremy a minnau yno cyn iddi wawrio, yng nghwmni tua deng mil arall, er mwyn cael gweld yr olygfa anhygoel, sef chwe chan byfflo yn rhuthro i lawr y dyffryn cul.

Yna, dychwelais i Gymru ar ôl llwyddo i ddathlu fy mhen-blwydd yn ôl y dymuniad gyda fy ffrind Jeremy.

Pennod 18

CAU PEN Y MWDWL

Beth ddysgais gan fy nhad? I fod yn onest a geirwir ac i barchu pobl ac eiddo. Pwysleisiai ei bod yn cymryd amser maith i sefydlu enw da ond fe ellir ei golli mewn eiliad drwy wneud rhywbeth gwirion neu hunanol. Fe'm dysgodd hefyd i sefyll ar fy nhraed fy hun drwy adrodd yr hanesyn canlynol o'i gyfnod yn ffosydd y Rhyfel Mawr. Yr oedd milwr cegog, bocsiwr o Lundain, wedi dwyn llwy fy nhad. Cydiodd fy nhad yn y llwy i'w chael yn ôl (gan fod eiddo milwrol yn brin ac yn bwysig mewn rhyfel) ond dechreuodd y milwr cegog fygwth cweir iddo os na châi'r llwy. Er ei fod yn ofni cael cweir, dal ei dir a wnaeth fy nhad gan mai ei lwy ef oedd hi ac felly, fo oedd yn iawn. O weld pa mor benderfynol oedd fy nhad, ildiodd y bwli a rhoi'r gorau i'w ymdrech i ddwyn y llwy. Mae'r stori yn syml ond gyda gwers amlwg ynddi.

Mae Dyffryn Clwyd ardal fy mebyd yn ddyffryn hardd iawn ac fe af yno'n aml ar ddydd o haf, gan oedi wrth yr hen fferm ym Mrynsaithmarchog a cherdded ar hyd y caeau glas a llwybrau fy mhlentyndod. Yna bydd yr atgofion am y dyddiau da a'r dyddiau trist yn llifo'n ôl. Diolchaf fy mod wedi cael magwraeth ardderchog gan rieni da a threulio fy mhlentyndod mewn cyfnod pan oedd parch tuag at bobl ac eiddo.

Beth wnaeth i mi fod eisiau dringo ar fy mhen fy hun a rhoi fy hun mewn perygl yn fwriadol? Wrth sefyll ar ddringfa anodd, ar y gafaelion lleiaf posibl, eich cryfder yn pallu fesul eiliad, eich pengliniau'n crynu a'ch ceg yn sych, yr ydych yn sylweddoli bod yn rhaid gwneud y symudiad neu fe ddaw popeth i ben. Yn yr awydd i oroesi, a yw'r corff yn esgyn i ryw fan arall tybed? Cofiaf, pan oeddwn yn blentyn, weld gwraig ifanc oedd yn byw nid nepell o'n tŷ ni a phroblemau meddyliol ganddi. Un diwrnod, safai o flaen ei thŷ yn gweiddi ar bawb gan daflu cerrig anferth i'r ffordd. Ar ôl ei thawelu a'i chludo i ffwrdd, fe gymerodd hi ddau ddyn i symud y cerrig. Y funud honno, canfu'r wraig gryfder goruwchddynol, yn union fel tad y bachgen bach hwnnw a ddaliwyd o dan gar rhyw dro. Yn ei bryder am ei fab, llwyddodd y tad i godi'r car – rhywbeth na fyddai wedi gallu ei wneud fel arfer. Tybed ai hynny ddigwyddodd i mi ar y 'Ramp' y tro hwnnw ar yr Eiger pan lwyddais i gwblhau symudiad na chredwn y gallwn ei wneud? Sawl tro y profais ryddhad a boddhad ar ôl llwyddo, gan addo i mi fy hun weithiau na fyddwn yn wynebu'r un peth eto, ond yn torri'r addewid hwnnw bob tro?

Pa beth arweiniodd fi ar y llwybr hwn? A oedd yr un anian gan fy nhad ond iddo ef fethu gwireddu ei ddymuniadau oherwydd y rheidrwydd i wneud bywoliaeth, am nad oedd amser i ddim arall yn ei fywyd heblaw gwaith?

Dau ddigwyddiad a newidiodd fy mywyd i. Yn gyntaf, marwolaeth fy nhad. Pe na bai wedi marw pan oeddwn i'n ifanc, yna mae'n bur debyg y byddwn yn dal i ffermio hyd heddiw. Yr ail ddigwyddiad oedd i gariad orffen gyda mi a'm gadael am nad oeddwn i eisiau byw fel y dymunai hi ar ôl dod o'r Fyddin. O ganlyniad i'r ddau drobwynt yma yn fy hanes, teithiais y byd yn dringo mynyddoedd a neidio allan o awyrennau. Teimlaf fy mod wedi gwneud y gorau o'm dawn a'm gallu wrth ddringo. Doeddwn i ddim yn gryf eithriadol na chyda cydbwysedd arbennig, ond roedd gennyf reolaeth feddyliol da a oedd yn briodol iawn wrth ddringo ar fy mhen fy hun. Mae cryfder a chydbwysedd yn bwysig ond nid yw hynny'n cyfrif dim os na allwch beidio cynhyrfu mewn amgylchiadau anodd.

Er bod gen i ddiddordeb mewn awyrblymio ers pan oeddwn i'n blentyn, ni fentrais o ddifrif i'r maes, a hynny o ganlyniad i brinder arian a'm prysurdeb dringo. Ond mae'r ddwy gamp yn dibynnu ar yr un agwedd feddyliol, er bod angen mwy o allu corfforol wrth ddringo. Prin fu'r profiadau awyrblymio a neidio *BASE* ond cefais fwynhad eithriadol yn eu cyflawni.

Pan ddechreuais gymryd at ddringo, fe newidiodd fy mywyd yn llwyr a chefais foddhad a bodlonrwydd, gyda dringo'n rhoi'r teimlad i mi fy mod yn un â'r mynydd, yn clywed galwad yr adar a'u gweld yn hedfan a phlymio yn yr aer o'm cwmpas, clywed sŵn nentydd yn y pellter a'r newid parhaol yn y golau a'r lliwiau ar ddiwrnod braf. Ond wrth fod ar fynydd uchel ynghanol storm ddrwg, bydd y mynydd yn newid ei gymeriad ac yn dod yn fygythiol iawn – profiad brawychus sy'n gwneud i chi deimlo'n ddistadl ac yn wan iawn.

Yn ystod fy nyddiau dringo, profais holl naws y mynyddoedd, weithiau'n wefreiddiol, dro arall yn ddychrynllyd ond drwy'r cwbl, teimlwn fy mod yn perthyn yno ac yn fodlon fy myd.

Yn aml yn y caffi acw, bydd dringwyr yn cymharu dringwyr a dringfeydd o wahanol gyfnodau. Er enghraifft, trafodir y rhai a fentrodd ar Everest yn y dyddiau cynnar yn eu cotiau brethyn, gydag offer sy'n ymddangos yn gyntefig ac yn ddi-werth i ni heddiw. Yn fy marn i, yr oedd y dringwyr cynnar yn llawer mwy gwydn na dringwyr heddiw, yn byw mewn tai heb wres canolog, yn byw bywyd caled, a nifer ohonynt wedi bod yn uffern ffosydd y Rhyfel Mawr. Y dillad a'r offer a ddefnyddient oedd y rhai gorau oedd ar gael ar y pryd ac mae'n siŵr y bydd dringwyr y dyfodol yn edrych yn ôl ar yr offer sydd gennym ni heddiw ac yn ei weld yn annigonol. Hyd yn oed yn ystod yr hanner can mlynedd y bûm i'n dringo, gwelwyd datblygiadau syfrdanol. Nid yw'r esgidiau dringo a ddefnyddir heddiw ond yn pwyso rhyw hanner cymaint â phwysau'r rhai a wisgem ni ers talwm. Ystyriwch yr egni a arbedir ym mhob cam? Wrth ddringo creigiau, mae'r offer sydd i'w gael heddiw yn anhygoel o effeithiol ac yn gwneud y dringfeydd yn fwy diogel. Daeth waliau dringo yn boblogaidd fel dull hyfforddi ac fe ellir ymarfer arnynt ym mhob tywydd, gan ddod yn fwy heini a magu mwy o gryfder mewn amodau diogel iawn. Wrth ddod yn fwy heini, caiff y dringwr fwy o hyder a chyflymder, sy'n ei alluogi i fentro ar ddringfeydd Alpaidd gyda llai o fwyd ac offer *bivouac* wrth ddringo'n gynt a threulio llai o amser ar fannau peryglus.

Heddiw, mae nifer o ddringwyr blaenllaw yn dringo'n llawn amser ac yn derbyn nawdd gan gwmnïau er mwyn cadw deupen llinyn (neu raff!) ynghyd. Nid felly'r oedd hi yn yr hen ddyddiau pan fyddai dringwyr enwog megis Joe Brown a Don Whillans yn gorfod gweithio gydol yr wythnos er mwyn medru mynd i ddringo ar y penwythnos. Yn fy achos i, byddwn yn gorfod gweithio hyd at drigain awr yr wythnos er mwyn hel digon o arian i fynd i ddringo yn yr Alpau dros yr haf, a hynny heb ymarfer, ond dipyn o gwrw a ffish a tshïps!

Mae cymharu dringwyr a dringfeydd o wahanol gyfnodau yn beth gwirion. Dylid barnu dringwyr pob cenhedlaeth yng nghyd-destun amodau ei oes. Teimlaf yn lwcus na chefais fy lladd wrth ddringo ar fy mhen fy hun, am fod dringo heb gymorth cyd-ddringwr yn beth peryglus iawn. Mae damweiniau'n digwydd, er gwaethaf pob dim. Ond, ar y llaw arall, onid yw popeth a wnawn yn ystod ein bywydau yn cynnwys rhywfaint o risg – croesi'r ffordd, gyrru car ac yn y blaen? Wrth hel meddyliau fel hyn fyddai rhywun ddim yn gwneud dim byd heblaw eistedd yn y tŷ o flaen y teledu drwy'r dydd. Ond erbyn heddiw, a minnau mewn oed, caf drafferth lledu fy nghoesau er mwyn sefyll ar y gafaelion ac nid oes gen i'r un nerth i dynnu i fyny ar afaelion bach; yn yr hen amser byddwn wedi carlamu i fyny gyda gwên ar fy wyneb.

Un cwestiwn a ofynnwyd i mi'n aml ar hyd y blynyddoedd oedd 'Pam wyt ti'n gwneud y pethau "gwirion" yma?' ac yn ystod y blynyddoedd diweddar, 'Pryd wyt ti am roi'r gorau iddi?'. Gwnes lawer o gamgymeriadau a phethau yr wyf wedi edifarhau eu gwneud ond ddaru i mi erioed feddwl amdanynt fel pethau gwirion ond yn hytrach na hynny fel pethau anturus. Drwy gydol fy mywyd, yr wyf wedi ceisio blasu bob profiad posibl – cariad, tristwch, ofn, perygl ac, er ei fod yn swnio'n rhywbeth rhyfedd i'w ddweud, fe fyddwn wedi hoffi treulio amser mewn carchar (er, mae'n debyg na fyddwn wedi hoffi'r profiad ar y pryd!) er mwyn gweld sut y byddwn yn dygymod â cholli fy rhyddid.

Wrth edrych yn ôl, o gyfnod y dyddiau cynnar, peryglus ar y moto-beic hyd at y campau dringo ar fy mhen fy hun, yr awyrblymio a'r neidio *BASE*, gellir dweud fy mod wedi byw fy mywyd ar ras ac i'r eithaf. Daw un dyfyniad Saesneg i'r cof: '*To live your life in glorious colour and not in a mundane black and white.*' Credaf fy mod wedi llwyddo i wneud hynny.

Eric Jones

DIOLCHIADAU

Ers i ni gyfarfod ar ddechrau'r wythdegau, mae fy ngwraig Ann wedi bod y tu hwnt o gefnogol i'm hanturiaethau ac yn gefn mawr i mi. Doedd dim bwys pa mor wallgo fyddai'r cynllun nesaf, ei hateb bob tro fyddai 'Dilyn dy freuddwyd'. Heb ei chymorth hi i redeg y caffi, mi fyddai wedi bod yn amhosib i mi grwydro'r byd dros y blynyddoedd. Ar adegau, bûm yn hunanol ac afresymol a dwi'n siŵr iddi feddwl ambell dro am bacio ei bag a'i baglu hi yn ôl i Awstralia! Ond mae'n dal yma ac mae fy niolch iddi yn ddiben-draw a diolch iddi, hefyd, am drysor mwyaf fy mywyd – fy nwy ferch annwyl, Rebecca a Keira.

Mae fy niolch hefyd i Llion Iwan ac Arthur Thomas. Llion helpodd fi i gael nawdd i rai o'm teithiau gan rannu rhai o'r anturiaethau ac a'm perswadiodd i daro'r hanesion ar bapur. Arthur a dreuliodd amser maith yn rhoi trefn ar y nodiadau. Cawsom lawer o hwyl yn y sesiynnau hynny.

Dau ddyn a ddaw'n amlwg iawn yn y gyfrol hon yw Leo Dickinson a Moe Viletto. Cafodd Leo a minnau o lawer o hwyl ac amseroedd caled ledled y byd a Moe wedi fy arwain i eithafion yn aml. Dau anturiaethwr dawnus a dewr, yn ffrindiau ffyddlon y cefais y fraint o dreulio cymaint o amseroedd cyffrous yn eu cwmni. Diolch iddynt – hebddynt byddai'r llyfr yma yn dipyn teneuach.

Diolch, hefyd, i'r dringwyr a'r awyrblymwyr lu sydd wedi rhannu fy anturiaethau a bod yn gymorth i mi wireddu fy mreuddwydion dros y blynyddoedd ac, yn benodol yn ein henaint, Jeremy Trumper. fy ffrind a chyd-ddringwr a aeth ati gyda mi i brofi nad ydych byth yn rhy hen.

Diolch yn ogystal i Myrddin ap Dafydd a Gwasg Carreg Gwalch am y cymorth a'r anogaeth wrth baratoi ac argraffu'r gyfrol hon.

ERIC JONES
BWLCH MOCH
TREMADOG
Hydref 2014